HISTOIRE DU CANADA
par les textes

TOME II

(1855-1960)

MICHEL BRUNET

de l'Académie canadienne-française

Directeur du département d'histoire de l'Université de Montréal

HISTOIRE
DU CANADA

par les textes

TOME II

(1855-1960)

Edition revue et augmentée

FIDES

Édition

Les Éditions Fides,
235 est, boulevard Dorchester,
Montréal H2X 1N9

Couverture

Conception graphique de Pierre Lebire.

Achevé d'imprimer

le 23 février 1979,
à Montréal, aux Presses Élite Inc.,
pour le compte des Éditions Fides.

ISBN : 2-7612-0118-3

Dépôt légal

1er trimestre 1979,
Bibliothèque nationale du Québec.

Liste des textes

Avant-propos

Dès sa parution en 1952, l'*Histoire du Canada par les textes* reçut un accueil favorable. Réimprimée en 1956 et en 1960, cette collection de documents semble avoir répondu aux besoins de ceux auxquels elle s'adressait tout particulièrement : instituteurs, professeurs d'histoire, élèves du cours secondaire, étudiants des collèges et des universités. Elle a aussi rendu service à tous ceux qui s'intéressent à l'histoire de notre pays. En présentant les principaux textes relatifs à l'histoire du Canada et des Canadiens français, ce livre a permis à tous ses lecteurs de s'initier au travail de l'historien, de prendre un contact plus intime avec les hommes et les événements qui ont influencé leur destinée comme membres d'une collectivité inscrite dans le temps et dans l'espace.

Le moment était venu de publier une nouvelle édition de l'*Histoire du Canada par les textes*. Elle comprend maintenant deux tomes. J'ai assumé la responsabilité du second. J'ai revisé les introductions et les bibliographies qui accompagnent les documents déjà publiés. Certains de ceux-ci ont reçu quelques additions mineures. Le dernier document de l'édition précédente est le document No 30 de la présente édition. Le document No 27 ainsi que les documents Nos 31 à 44 sont nouveaux. Le lecteur constatera que les introductions aux documents récents sont plus longues. Elles constituent un résumé de l'histoire du Canada et des Canadiens français depuis la deuxième grande guerre. S'il est nécessaire d'étudier l'histoire des générations qui nous ont précédés, la connaissance des événements contemporains, particulièrement à une époque d'accélération de l'histoire, s'avère tout aussi indispensable.

A l'heure où le monde entier traverse une crise de croissance vertigineuse, qui niera que le Canada français est lui-même engagé dans une évolution où quelques années portent une somme d'histoire comparable à celle que vivait autrefois toute une génération ? Pour s'en rendre compte, le lecteur n'a qu'à lire le discours prononcé par M. Louis Saint-Laurent en 1954 (document No 39) et la déclaration de M. Jean Lesage en 1960 (document No 43), en se rappelant que ce dernier était membre du gouvernement fédéral six ans auparavant. Toutefois, les événements actuels demeurent liés à l'histoire des générations dont nous sommes les héritiers. Ils obéissent à des impératifs que nous devons connaître si nous désirons orienter notre propre destin. En effet, la science du passé est un puissant levier d'action.

Est-il présomptueux d'espérer que cette nouvelle *Histoire du Canada par les textes*, selon le vœu déjà exprimé dans l'avant-propos de la première édition, contribuera à « rendre les études historiques plus intéressantes, plus profitables » ? Plus que jamais nous avons besoin de nous pencher sur notre passé éloigné et immédiat si nous voulons comprendre le présent et préparer l'avenir. Les problèmes d'aujourd'hui et les défis de demain ont une dimension inséparable du temps qu'a vécu et que vit notre nation. L'ignorer c'est nous exposer à de cruelles déceptions dans nos tentatives de donner au Canada français un nouveau départ. Toute œuvre humaine qui ne s'appuie pas dans le temps ne peut être qu'éphémère.

Michel BRUNET

24 juin 1963.

1. - *Agriculture et survivance*

(1855)

Le 21 octobre 1855, une foule nombreuse assistait à la translation des restes de Ludger Duvernay au cimetière de la Côte-des-Neiges. Un monument y avait été élevé à la mémoire du fondateur de la Société Saint-Jean-Baptiste, décédé en 1852. L'honorable T.-J.-J. Loranger prononça son éloge funèbre. A titre de président de la Société, Georges-Étienne Cartier fut invité à prendre la parole. Son discours résume bien toute la pensée politique et économique des dirigeants canadiens-français du siècle dernier. Ils croyaient assurer la survivance de leur nationalité par la possession du sol. Membres d'une société où les petits propriétaires terriens constituaient l'immense majorité, ils avaient adopté toutes les illusions des penseurs physiocrates d'Europe et d'Amérique. Pouvaient-ils prévoir tous les bouleversements économiques et sociaux qu'apporterait la révolution industrielle ? Texte complet dans Joseph Tassé, éd., *Discours de Georges Cartier* (Montréal, 1893), 64-67.

...il ne suffit pas, pour les membres d'une nationalité, d'avoir contribué à son existence par leur travail et par leur bonne conduite, il leur reste encore une grande œuvre à accomplir; il leur reste à en assurer la permanence. Inutile d'indiquer le moyen d'obtenir cette permanence. Vous le connaissez comme moi. L'histoire de toutes les nationalités, et surtout notre propre histoire le fait connaître suffisamment.

La population ne suffit pas à constituer une nationalité; il lui faut encore l'élément territorial. La race, la langue, l'éducation et les mœurs forment ce que j'appelle un élément personnel national. Mais cet élément devra périr s'il n'est pas accompagné de l'élément terri-

11

torial. L'expérience démontre que, pour le maintien et la permanence de toute nationalité, il faut l'union intime et indissoluble de l'individu avec le sol.

Canadiens-Français, n'oublions pas que, si nous voulons assurer notre existence nationale, il faut nous cramponner à la terre. Il faut que chacun de nous fasse tout en son pouvoir pour conserver son patrimoine territorial. Celui qui n'en a point doit employer le fruit de son travail à l'acquisition d'une partie de notre sol, si minime qu'elle soit. Car il faut laisser à nos enfants non seulement le sang et la langue de nos ancêtres, mais encore la propriété du sol. Si plus tard on voulait s'attaquer à notre nationalité, quelle force le Canadien-Français ne trouvera-t-il pas pour la lutte dans son enracinement au sol ? Le géant Antée puisait une vigueur nouvelle chaque fois qu'il touchait la terre: il en sera ainsi de nous.

Voilà un siècle, nous étions à peine soixante mille Canadiens-Français, disséminés sur les rives de notre beau Saint-Laurent, et aujourd'hui nous sommes au delà de six cent mille, propriétaires d'au moins les trois quarts de nos fertiles campagnes. Je ne vois pas d'éventualité possible qui puisse donner le coup de mort à notre nationalité, tant que nous aurons la pleine possession du sol. Compatriotes, souvenons-nous toujours que notre nationalité ne peut se maintenir qu'à cette condition.

...sans la propriété, pourrait-il exister une nationalité et une patrie ? Remarquons que la même nécessité de tenir au sol à titre de propriétaire pour le maintien de notre nationalité, existe également pour les membres des sociétés-sœurs nationales. La lutte qui doit se livrer entre nous et les membres de ces sociétés pour la possession du sol doit être une lutte de travail, d'économie, d'industrie, d'intelligence et de bonne conduite, et non pas une lutte de race, de préjugés et d'envie. Le Canada a de l'espace: il en a pour eux, il en a pour nous, il en a pour tous. Nos horizons sont sans bornes.

...Dans cette lutte toute pacifique, souvenons-nous que, si le majestueux érable est le premier des arbres de la forêt, et croît toujours sur le meilleur sol, les Canadiens-Français doivent comme lui prendre racine sur le sol le plus fertile et le plus avantageux ! Oui, l'érable, dont la feuille orne la poitrine des Canadiens-Français au jour de la célébration de notre fête nationale, comme elle ombrage la tombe de nos frères décédés, doit pousser sur un sol qui soit le nôtre. Fasse le ciel que jamais n'arrive le jour où le Canadien-Français aura cessé d'en être le propriétaire, car ce jour-là finira notre nationalité !...

2. - Projet d'une union fédérale

(1858)

Le *Courrier du Canada*, journal influent de Québec, publia, au cours de la seconde moitié de l'année 1857, une série de trente-trois articles consacrés au projet d'unir les colonies britanniques de l'Amérique du Nord. Depuis quelques années, on en discutait sérieusement en certains milieux. Ces articles de Joseph-Charles Taché attirèrent l'attention de tous ceux qui croyaient que la constitution de 1841 devait être modifiée. Un éditeur de Québec crut utile de réunir ces articles en un volume. Celui-ci parut peu après les débats sur ce même projet aux Chambres législatives pendant la session de 1858. On peut considérer Joseph-Charles Taché comme l'un des principaux penseurs canadiens-français parmi ceux qui ont popularisé l'idée d'une fédération des colonies. Les partisans d'une telle union s'inspirèrent largement de ses écrits. Nous donnons ici le chapitre intitulé « Avantages et difficultés », *Des Provinces de l'Amérique du Nord et d'une union fédérale* (Québec, 1858), 147-153.

Les pouvoirs de la confédération ne devraient s'étendre, suivant nous, qu'à des objets d'une nature purement générale et ne lui être conférés, dans l'esprit et la lettre de la constitution, qu'en vertu d'une cession perpétuelle, mais limitée dans son objet, de la part des diverses provinces. Il va sans dire que toujours, lorsque nous parlons des diverses provinces, nous séparons le Haut-Canada du Bas-Canada et que nous les comptons comme deux provinces entièrement distinctes: dans la question actuelle il est évident que l'Union des deux Canadas est et demeure non avenue.

Ces pouvoirs du gouvernement fédéral ne devraient s'exercer dans nos idées que sur les objets suivants savoir: Le *commerce*, comprenant les lois purement commerciales, comme les lois sur les banques et autres institutions financières d'un caractère général, les monnaies, poids et mesures; les *douanes,* comprenant l'établissement d'un tarif uniforme et la collection du revenu qu'il produit; les *grands travaux publics et la navigation,* comme canaux, chemins de fer, lignes télégraphiques, grands travaux des ports, éclairage des côtes; les *postes,* dans leur ensemble et leurs détails intérieurs et extérieurs; la *milice* dans l'ensemble de son organisation. La *justice criminelle* comprenant tous les délits qui ne ressortissent pas aux tribunaux de police et à la magistrature des juges de paix. Tout le reste, ayant trait aux lois civiles, à l'éducation, à la charité publique, à l'établissement des terres publiques, à l'agriculture, à la police urbaine et rurale, à la voierie, enfin à tout ce qui a rapport à la vie de famille, si on peut s'exprimer ainsi, de chaque province, resterait sous le contrôle exclusif des gouvernements respectifs de chacune d'elles, comme de droit inhérant, les pouvoirs du gouvernement fédéral n'étant considérés que comme une cession de droits spécialement désignés.

Voyons ce que gagneraient les diverses provinces, en compensation de cet abandon d'une partie des prérogatives dont elles sont aujourd'hui investies, et pour ainsi lier leur avenir au système fédératif. Elles gagneraient tout ce que peut procurer d'avantages le principe de l'association; car il n'y a rien de plus fort après l'unité que l'union. Elles gagneraient collectivement et séparément en importance politique et commerciale, en sortant de l'insignifiance comparative où elles se trouvent aujourd'hui pour la plupart: toutes ces choses se comprennent mieux qu'elles ne s'expriment et se définissent. Que de choses seraient faciles pour une Confédération des provinces qui sont impossibles à toutes ces provinces, agissant séparément. Voyons en fait d'entreprises publiques quelle était la perspective de la canalisation du Saint-Laurent avant l'Union des Canadas, comparée avec la complétion de ces magnifiques chaînes de canaux, les plus grands et les plus beaux du monde, exécutés dans l'espace de quelques années: combien de temps aurait-il fallu aux deux provinces, agissant séparément, avec le crédit dont jouissent des intérêts morcelés sur les marchés monétaires, pour mener à terme ces entreprises, dont on n'avait pas même pu arrêter les préliminaires avant l'union...

A tous ces avantages matériels que tout le monde admettra comme devant découler nécessairement de l'application du principe fédératif, qui n'est autre que celui de l'association, vient se joindre celui de présenter aux empiétations de la force ou de la ruse des moyens immédiats de défense, difficiles sinon impossibles à réunir en temps utile sous l'empire d'un autre ordre de chose. Or, comme notre agriculture et notre industrie recevraient de cette association un immense essor et, comme notre force nationale aussi serait accrue, nous aurions pour ce qui nous concerne et dans une grande mesure, résolu, suivant l'expression de Chateaubriand, le grand problème politique qui consiste à réunir « l'agriculture qui fonde et les armes qui conservent »...

On a vu que tout ce qui a trait aux pouvoirs comme aux avantages du gouvernement général, que nous proposons aux provinces, tient exclusivement à l'ordre matériel. Les choses de l'ordre moral en effet se développent dans des conditions, sinon opposées, du moins bien différentes. C'est aux gouvernements séparés des provinces, c'est aux nationalités que nous laissons le soin de ces choses, supérieures en importance aux plus grands progrès, mais qui s'accommodent peu du bruit et des préoccupations des grandes entreprises du commerce et des sifflements de la vapeur, cette personnification moderne de l'industrie: là les éléments nationaux et religieux pourront à l'aise opérer leurs mouvements de civilisation et les populations séparées donner cours, sans contrainte et sans rivalités dangereuses, à leurs aspirations et à leurs tendances. Au moyen de cette organisation, que nous croyons devoir puissamment contribuer à la paix et au bonheur de tous, l'émigrant venant d'Europe pourra de confiance quelle que soit sa croyance, quelle que soit son origine, quelles que soient ses affections, se choisir à son gré un séjour qui réponde à ses goûts, une famille qui remplace celle qu'il aura quittée, l'héritage social qu'il entend laisser à sa progéniture après lui.

Sans doute que pour obtenir la plus grande somme possible des résultats avantageux que promet ce système, il faut apporter un soin particulier dans l'ordonnance des divers mécanismes qui doivent le composer; nous pouvons profiter de l'expérience acquise aux dépens de la confédération qui nous avoisine et nous inspirer des enseignements de l'histoire des états confédérés de l'ancien monde...

Il n'y a pas que la métropole et les provinces britanniques de l'Amérique du Nord qui soient directement intéressées dans la question qui nous occupe: le monde y est intéressé au point de vue de la politique générale et de l'intérêt des nations. Les puissances ont senti la nécessité d'établir en Europe la balance des pouvoirs, et tous les grands traités n'ont eu en vue que l'établissement d'un *équilibre européen* nécessaire à la paix et au bonheur de tous les états petits et grands. Cette pensée qui a fait et refait *la carte de l'Europe,* qui a vaincu le génie de Napoléon, qui a fait tomber Sébastopol, et avec elle pour longtemps les projets vastement ambitieux de la Russie, cette grande pensée, il est temps qu'elle s'occupe de faire *la carte de l'Amérique* et de jeter sur ce continent les bases d'un *équilibre américain:* la chose est aussi nécessaire pour les grands et les petits peuples de l'Amérique que pour les états européens; car tout se tient dans le monde par une loi de solidarité à laquelle personne n'échappe.

Il n'est guère besoin d'entrer dans les détails de cette question incidente pour nous; mais primordiale pour les grandes puissances et surtout pour l'Angleterre. La situation qui se dessine de plus en plus par les faits qui se traduisent aux Etats-Unis et qu'ont révélée dans tout son jour les invasions à main armée des petits états de l'Amérique centrale, et les sympathies récentes de républicains à tous crins pour le pouvoir et les projets d'un gouvernement autocratique; cette situation, disons-nous, mérite à coup sûr l'attention des nations à qui la puissance fait un devoir de protéger le faible contre le fort, les petits peuples contre les empiétations des grands; si on négligeait, au delà des bornes d'un simple retard, de travailler au règlement d'une affaire de cette importance, tout le monde y perdrait, même ceux qui, aveuglés par l'ambition et l'esprit irréfléchi d'agrandissement, croient voir leur intérêt dans l'extension de leur domination. L'extrême liberté touche au despotisme (quand elle n'est pas le pire des despotismes) et les conquêtes entraînent avec elles l'arbitraire partout, puisqu'elles tiennent à ce principe comme les effets aux causes.

3. - *Opinion de Georges-Étienne Cartier*

(1864)

Cartier continuait la politique de LaFontaine et de Morin. Il s'opposa d'abord au projet d'unir toutes les colonies. Ses relations d'affaires comme avocat du Grand-Tronc et l'exercice du pouvoir l'amenèrent graduellement à modifier son point de vue. L'Union conduisait tout naturellement à la Confédération. Aux raisons politiques qui militaient en faveur de ce changement, s'ajoutaient les nécessités économiques. Le développement du pays, dû à l'initiative des capitalistes anglo-canadiens, exigeait l'organisation d'un gouvernement central capable de diriger la politique économique de toutes les provinces. Cartier accepta l'alliance avec Brown (1864) et prit une part active aux conférences de Charlottetown (septembre 1864) et de Québec (octobre 1864). Après cette dernière conférence, il accompagna les délégués venus visiter Montréal. Le 29 octobre, dans un discours à un banquet donné par la ville, il dévoila une partie des résolutions de Québec. Lire Lionel Groulx, *La Confédération canadienne (Montréal, 1918),*

13-90; W.M. Whitelaw, *The Maritimes and Canada Before Confederation* (Toronto, 1934), 124.

...En ce moment, nous travaillons à notre tour à fonder ici une grande confédération [il venait de rappeler la fondation de la république américaine], mais notre objet n'est point de le faire par la création d'institutions démocratiques; non, c'est plutôt d'aider l'élément monarchique à prendre parmi nous de plus profondes racines.

...A l'égard de la politique, il est manifeste que nous avons des intérêts généraux qui peuvent être confiés à un gouvernement général de toute l'Amérique britannique du Nord. Comme Bas-Canadien, je reconnais que l'union du Haut et du Bas-Canada a fait beaucoup de bien. J'avoue, et je l'ai dit plusieurs fois, que cette union a opéré des merveilles pour la prospérité des deux provinces, et que cette prospérité aujourd'hui se recommande d'elle-même à l'attention de l'Angleterre et du monde entier. Je ne suis pas de ceux qui voudraient voir le Haut et le Bas-Canada séparés de manière qu'ils eussent tous deux le droit de régler leur tarif indépendamment l'un de l'autre. Si un pareil état de choses devait exister, quelle en serait la conséquence ? La ville de Montréal se trouverait isolée. Je n'hésite pas pour ma part a reconnaître que la prospérité de Montréal est due dans une plus grande mesure au Haut-Canada qu'au Bas-Canada. Nous devons apprécier les événements dans leur vrai jour. Je vous déclare donc, comme l'un de vos représentants, que je n'acquiescerai jamais à aucun projet qui permettrait au Haut et au Bas-Canada d'adopter une politique différente relativement au tarif et au commerce du pays. Ne voyons-nous pas aujourd'hui un grand parti, autrefois opposé à l'union, la défendre maintenant de toutes ses forces ? Pourquoi ? Parce que, je le répète, l'union a contribué beaucoup à la prospérité des deux provinces. En présence de ce résultat, l'homme d'Etat canadien ne doit-il pas employer ses talents et son énergie à résoudre cette question de représentation qui menace d'amener une rupture entre le Haut et le Bas-Canada ?

...Il faut donc que la confédération de toutes les provinces britanniques s'effectue, sans quoi nous tombons dans la confédération américaine. [Les auditeurs manifestent leur opposition à une telle échéance.] Je savais que vous répondriez ainsi, et je suis content de vos protestations. Je sais que le désir de toutes les personnes présentes est d'achever cette grande œuvre nationale, qui liera en un même faisceau tous les principaux intérêts des colonies, et qui fera de nous tous une véritable nation. Je ne veux pas prétendre que cette nation sera distincte de la mère-patrie. Mais lorsque je parle de former une confédération, j'entends que les pouvoirs accordés aux différentes provinces par le gouvernement impérial seront combinés ensemble pour être confiés à un seul gouvernement général. Et si cela s'accomplit, je croirai avoir mis la main à une œuvre excellente...

Sous l'empire du nouveau système dont j'ai parlé, le Bas-Canada aura son gouvernement local, et presque autant de pouvoir législatif qu'auparavant. A Montréal et ailleurs, on s'est efforcé de préjuger l'opinion publique, en avançant qu'il faudrait augmenter les taxes pour le soutien d'un gouvernement local dans le Bas-Canada. Il n'en sera rien. Dans la confédération, le gouvernement local sera soutenu par le gouvernement général. Il aura en outre un revenu d'au moins $1,500,000 produit par ses ressources territoriales, et il n'y aura pas lieu de recourir à la taxe directe, si ses hommes sont sages et prudents. J'ai déclaré être d'avis que cette confédération ne devrait pas se réaliser, si elle devait faire disparaître ou seulement affaiblir le lien qui nous attache à la Grande-Bretagne. Je suis pour la confédération, parce que je pense que l'établissement d'un gouvernement général donnerait plus de force encore à ce lien qui nous est cher à tous. Et je pense que chacun de nous est d'avis que la nouvelle forme de gouvernement doit être propre à accroître l'influence et le prestige des principes monarchiques dans notre système politique pour avoir chance de succès. (Joseph Tassé, éd., *Discours de Sir Georges Cartier*, 401-408.)

4. - *Opposition au projet de confédération*

(1865)

Le projet d'unir les colonies ne rallia pas tous les chefs politiques des deux Canadas. Dans les Maritimes, l'opposition se révéla particulièrement forte. Les libéraux du Bas-Canada désapprouvèrent l'union proposée. Leur principal porte-parole fut Antoine-Aimé Dorion. Voir Robert Rumilly, *Histoire de la province de Québec*, 1: 9-94; Lionel Groulx, *La Confédération canadienne*, 91-134; Thomas Chapais, *Cours d'histoire du Canada*, 8: 181-216.

...En ce qui regarde le Bas-Canada, je n'ai pas besoin de m'arrêter à indiquer les objections qu'il doit avoir à ce projet. Il est évident, d'après ce qui a transpiré, que l'on a l'intention de former plus tard une union législative de toutes les provinces. Les gouvernements locaux, à part du gouvernement général, deviendront un tel fardeau, qu'une majorité de la population anglaise demandera au gouvernement impérial une union législative. Et je demande s'il y a quelque membre du Bas-Canada d'extraction française qui soit prêt à voter pour une union législative. L'honorable membre pour Sherbrooke [Alexander T. Galt] a dit au dîner donné aux délégués [de la conférence de Québec] à Toronto, après avoir approuvé tout ce qui avait été dit par l'honorable président du conseil [George Brown]:

> Nous pouvons espérer que dans un avenir assez rapproché, nous consentirons à entrer dans une union législative au lieu d'une union fédérale comme celle qui est aujourd'hui proposée. Nous aurions tous désiré une union législative, et voir le pouvoir concentré entre les mains du gouvernement central, comme la chose existe en Angleterre, et étendant l'égide de sa protection sur toutes les institutions du pays; mais nous avons vu qu'il était impossible de le faire de suite. Nous avons vu qu'il y avait des difficultés qui ne pouvaient être surmontées.

Les honorables membres du Bas-Canada sont avertis que tous les délégués désiraient une union législative, mais qu'elle ne pouvait avoir lieu immédiatement. Cette confédération est le premier pas vers son accomplissement. Le gouvernement britannique est prêt à accorder de suite une union fédérale, et lorsqu'elle aura eu lieu, l'élément français se trouvera complètement écrasé par la majorité des représentants anglais. Qui empêchera alors le gouvernement fédéral de faire passer une série de résolutions comme on le fait aujourd'hui pour les résolutions qui sont devant la Chambre — sans les soumettre au peuple — demandant au gouvernement impérial de mettre de côté la forme fédérale de gouvernement et de nous donner, pour la remplacer, une union législative? Il peut se faire que le peuple du Haut-Canada soit d'opinion qu'une union législative serait très désirable, mais je puis assurer ses représentants que le peuple du Bas-Canada est attaché à ses institutions par des liens assez forts pour frustrer toute tentative de les lui enlever par un pareil moyen. Ils ne consentiront jamais, pour aucune considération quelconque, à changer leurs institutions religieuses, leurs lois et leur langue. Un million d'habitants peuvent ne pas avoir une grande importance aux yeux du philosophe qui entreprend de rédiger une constitution du fond de son cabinet. Il peut être d'opinion qu'il vaudrait mieux qu'il n'y eût qu'une seule religion, une seule langue et un seul code, et il se met à l'œuvre pour créer un nouveau pacte social dont l'effet serait d'amener l'état de choses qu'il désire: l'assimilation complète de différentes nationalités. L'histoire de tous les pays démontre que la force même des baïonnettes n'a jamais réussi à opérer de tels changements. ...Je sais que la population protestante du Bas-Canada craint que, même avec les pouvoirs restreints laissés aux gouvernements locaux, leurs droits ne soient pas protégés. Alors, comment peut-on espérer que le Bas-Canada puisse avoir une grande confiance dans le gouvernement général, qui aura des pouvoirs si immenses sur les destinées de leur section? L'expérience démontre que les majorités sont toujours agressives et portées à être tyranniques, et il n'en peut être autrement dans ce cas-ci. Il n'y a donc pas lieu de s'étonner que le peuple du Bas-Canada, d'origine britannique, soit prêt à employer tous les moyens possibles pour empêcher qu'il ne soit placé dans la législature locale à la merci d'une majorité différente de la sienne. Je crois avec eux qu'ils ne doivent pas s'appuyer sur de simples promesses, pas plus que nous, Bas-Canadiens-Français, nous devons le faire relativement au gouvernement général, quelque parfaits que puisent être aujourd'hui nos rapports mutuels...

Je me bornerai à ajouter que je crains fortement que le jour où cette confédération sera adoptée ne soit un jour néfaste pour le Bas-Canada. Ce jour figurerait dans l'histoire de notre pays comme ayant eu une influence malheureuse sur l'énergie du peuple du Haut et du Bas-Canada, car je la considère comme l'une des plus mauvaises mesures qui pouvaient nous être soumises, et s'il arrivait qu'elle fût adoptée sans la sanction du peuple de cette province, le pays aura plus d'une occasion de le regretter. Qui est-ce qui nécessite un pareil empressement? Plus cette constitution est importante, plus elle doit être examinée avec soin. Je trouve, M. l'Orateur, qu'en 1839, lorsque lord John Russell mit devant la Chambre des Communes sa première mesure pour l'union des provinces, il exprima son intention de la soumettre à la Chambre, de lui faire subir une seconde lecture et de la renvoyer à la session suivante, afin de donner au peuple du Haut et du Bas-Canada l'occasion de faire connaître ses vues en faisant les représentations qu'il jugerait devoir faire à cet effet. Et ce ne fut qu'à la session suivante, et après qu'il eût subi des modifications considérables, que l'Acte d'Union fut passé. Ce délai était parfaitement juste; mais ici il semble que le peuple doive être traité avec moins de respect, moins d'égards par ses propres mandataires qu'il ne l'a été par le parlement anglais en 1840, lorsque la constitution du Bas-Canada était suspendue, et que la mesure actuelle va être passée avec une précipitation indécente. Quinze comtés du Bas-Canada ont fait des assemblées publiques et ont déclaré que la mesure ne devait pas être adoptée avant de la soumettre au peuple. ...en terminant, je répéterai, en me servant des expressions que j'ai citées du *Globe,* que je crois devoir m'opposer à la mesure qui nous est soumise à chacune de ses phrases, afin qu'elle ne soit pas adoptée avant d'avoir été soumise aux électeurs.

(Discours de Antoine-Aimé Dorion, le 16 février 1865, *Débats parlementaires sur la question de la Confédération des provinces de l'Amérique britannique du Nord* (Québec, 1865), 268-273.)

5. - *Loi de 1867 concernant l'Amérique du Nord Britannique*

(30-31 Victoria, chapitre 3)

Loi ayant pour objet d'unir le Canada, la Nouvelle-Ecosse et le Nouveau-Brunswick, de régler le gouvernement de cette Union et de statuer sur des sujets qui s'y rattachent. (Sanctionnée le 29 mars 1867.)

Considérant que les Provinces du Canada, de la Nouvelle-Ecosse et du Nouveau-Brunswick ont exprimé le désir de se fédérer en un dominion placé sous la couronne du Royaume-Uni de Grande-Bretagne et d'Irlande et régi par une constitution semblable en principe à celle du Royaume-Uni;

Considérant qu'une telle union contribuerait à la prospérité de ces Provinces et favoriserait les intérêts de l'Empire britannique;

Considérant qu'il est à propos que le parlement, en décrétant cette union, déclare non seulement comment le pouvoir législatif sera constitué, mais aussi quelle sera la nature du gouvernement exécutif dans le Dominion;

Considérant qu'il convient de prévoir l'entrée éventuelle d'autres parties de l'Amérique du Nord britannique dans l'Union projetée;

A ces causes, Sa très excellente Majesté la Reine, sur l'avis conforme et avec l'assentiment des lords spirituels et temporels et des communes assemblés en session du présent parlement, et en vertu de l'autorité de celui-ci, décrète et ordonne ce qui suit:

I. — DISPOSITIONS PRÉLIMINAIRES

1. La présente loi pourra être citée sous le titre de « Loi de 1867 concernant l'Amérique du Nord britannique ».

II. — L'UNION

3. Il sera loisible à la Reine, sur et suivant l'avis du conseil privé de Sa Majesté, de déclarer par une proclamation que les provinces du Canada, de la Nouvelle-Ecosse et du Nouveau-Brunswick formeront et constitueront un dominion sous le nom de Canada...

IV. — LE POUVOIR LÉGISLATIF

55. Quand un projet de loi voté par les deux chambres du parlement sera présenté au gouverneur général, pour qu'il le sanctionne au nom de la Reine, le gouverneur général, usant de sa discrétion dans les limites de la présente loi et des instructions de Sa Majesté, déclarera ou qu'il le sanctionne au nom de la Reine, ou qu'il lui refuse la sanction de la Reine, ou qu'il en réserve la sanction à la Reine.

56. Quand le gouverneur général aura sanctionné un projet au nom de la Reine, il enverra, dès la première occasion favorable, une copie conforme de la loi à l'un des principaux secrétaires d'Etat de Sa Majesté. Si dans les deux années à partir du jour où le secrétaire d'Etat aura reçu la copie de la loi, la Reine en conseil juge à propos de désavouer celle-ci, ce désaveu, accompagné d'un certificat du secrétaire d'Etat attestant la date où la loi lui sera parvenue, annulera la loi à compter du jour où le gouverneur général aura annoncé le fait, soit dans un discours ou un message aux deux chambres du parlement, soit dans une proclamation.

V. — LA CONSTITUTION DES PROVINCES

58.   Il y aura, pour chaque Province, un fonctionnaire appelé lieutenant-gouverneur, que le gouverneur général nommera par instrument sous le grand sceau du Canada.

60.   Le parlement du Canada fixera le traitement des lieutenants-gouverneurs et prendra des dispositions pour en assurer le paiement.

61.   Tout lieutenant-gouverneur, avant d'entrer en fonctions, prêtera et souscrira devant le gouverneur général, ou un délégué de celui-ci, un serment d'allégeance et un serment professionnel semblables à ceux que prêtera le gouverneur général.

63.   Dans l'Ontario et le Québec, le conseil exécutif se composera des personnes que le lieutenant-gouverneur jugera, de temps à autre, à propos de nommer...

69.   Il y aura, pour l'Ontario, une législature composée du lieutenant-gouverneur et d'une chambre, appelée assemblée législative de l'Ontario.

71.   Il y aura, pour le Québec, une législature composée du lieutenant-gouverneur et de deux chambres, appelées conseil législatif du Québec et assemblée législative du Québec.

72.   A moins que la législature du Québec n'en ordonne autrement en vertu de la présente loi, le conseil législatif du Québec sera composé de vingt-quatre membres que le lieutenant-gouverneur nommera au nom de la Reine et par instrument sous le grand sceau du Québec, et qui représenteront à vie chacun une des vingt-quatre circonscriptions du Bas-Canada auxquelles renvoie la présente loi.

80.   L'assemblée législative du Québec sera composée de soixante-cinq députés, élus pour représenter les soixante-cinq circonscriptions électorales du Bas-Canada mentionnées dans la présente loi, sauf les modifications que la législature de Québec pourra y apporter. Toutefois, il ne sera pas permis de présenter au lieutenant-gouverneur du Québec pour qu'il le sanctionne un projet de loi ayant pour objet de modifier les bornes d'une des circonscriptions électorales mentionnées dans la deuxième annexe de la présente loi [ces comtés où se concentrait alors la minorité anglophone de la province étaient les suivants: Pontiac, Ottawa, Argenteuil, Huntingdon, Missisquoi, Brome, Shefford, Stanstead, Compton, Wolfe et

Richmond, Mégantic, la Ville de Sherbrooke], à moins que la deuxième et la troisième lectures de ce projet de loi n'aient été adoptées à l'assemblée législative avec le concours de la majorité absolue des députés qui représentent ces circonscriptions électorales; et la sanction ne sera pas donnée à ce projet de loi, à moins que l'assemblée législative n'ait présenté au lieutenant-gouverneur une adresse déclarant qu'il a été ainsi adopté.

90. Les dispositions de la présente loi qui se rapportent au parlement du Canada quant aux projets de loi portant affectation de deniers publics à quelque service ou portant établissement d'impôts, à la recommandation des propositions d'ordre financier, à la sanction des projets de loi, au désaveu des lois et à la notification du bon plaisir de la Reine au sujet des projets de loi dont la sanction lui aura été réservée, s'appliqueront aux législatures des différentes Provinces comme si ces dispositions étaient ici décrétées de nouveau et expressément déclarées applicables aux différentes Provinces et à leur législature; l'application de ces dispositions se fera en substituant les termes « lieutenant-gouverneur de la Province » à « gouverneur général », « gouverneur général » à « Reine » et à « secrétaire d'Etat », « une année » à « deux années », et « Province » à « Canada ».

VI. — LA DISTRIBUTION DES POUVOIRS LEGISLATIFS

Les Pouvoirs du Parlement

91. Il sera loisible à la Reine, sur l'avis et avec l'assentiment du sénat et de la chambre des communes, de légiférer, en vue de la paix, de l'ordre public et de la bonne administration au Canada, sur toute matière ne rentrant pas dans les catégories des sujets que la présente loi attribue exclusivement aux législatures des Provinces. Pour mieux préciser, sans la restreindre, la portée générale des termes ci-dessus du présent article, il est déclaré que, nonobstant toute disposition de la présente loi, le parlement du Canada aura le pouvoir exclusif de légiférer sur toute matière rentrant dans les catégories de sujets ci-après énumérées:

1. La dette publique et la propriété publique;
2. La réglementation du trafic et du commerce;
3. Le prélèvement de deniers par tout mode ou système de taxation;
4. L'emprunt de deniers sur le crédit public;

5. L'administration des postes;
6. Les recensements et la statistique;
7. La milice, le service militaire, le service naval et la défense du pays;
8. La fixation des traitements et des allocations des fonctionnaires, civils ou autres, du gouvernement du Canada, ainsi que les dispositions à prendre pour en assurer le paiement;
9. Les balises, les bouées, les phares et l'île au Sable;
10. La navigation;
11. La quarantaine, ainsi que l'établissement et l'entretien d'hôpitaux de marine;
12. Les pêcheries côtières et intérieures;
13. Le transport par eau entre une province et un pays britannique ou étranger, ou entre deux provinces;
14. Le numéraire et la frappe de la monnaie;
15. La banque, la constitution des banques et l'émission du papier-monnaie;
16. Les caisses d'épargne;
17. Les poids et les mesures;
18. Les lettres de change et les billets à ordre;
19. L'intérêt de l'argent;
20. Le cours légal;
21. La faillite;
22. Les brevets d'invention;
23. Les droits d'auteur;
24. Les Indiens et les terres réservées aux Indiens;
25. La naturalisation et les aubains;
26. Le mariage et le divorce;
27. Le droit criminel, sauf la constitution des tribunaux de juridiction criminelle, mais y compris la procédure en matière criminelle;
28. L'établissement, l'entretien et l'administration des pénitenciers;
29. Les catégories de sujets expressément exceptées dans l'énumération des catégories de sujets que la présente loi attribue exclusivement aux législatures des Provinces.

Une matière rentrant dans les catégories de sujets énumérées dans le présent article ne sera pas réputée dans la catégorie de matières d'une nature locale ou privée prévue à l'énumération des catégories de sujets que la présente loi attribue exclusivement aux législatures des Provinces.

Les Pouvoirs exclusifs des législatures provinciales

92. Dans chaque province, la législature a le droit exclusif de légiférer sur les matières qui rentrent dans les catégories de sujets ci-après énumérées:

1. La modification (chaque fois qu'il y aura lieu et nonobstant toute disposition de la présente loi) de la constitution de la Province, sauf en ce qui concerne la fonction de lieutenant-gouverneur;
2. Les contributions directes dans la province en vue de prélever des revenus pour des fins provinciales;
3. L'emprunt de deniers sur le seul crédit de la Province;
4. La création et l'exercice de fonctions provinciales, ainsi que la nomination et le paiement des fonctionnaires provinciaux;
5. L'administration et la vente des terres publiques appartenant à la Province, ainsi que du bois et des forêts qui y poussent;
6. L'établissement, l'entretien et l'administration des prisons publiques et des maisons de correction dans les limites et pour la population de la province;
7. L'établissement, l'entretien et l'administration des hôpitaux, des asiles, des hospices et des refuges dans les limites et pour la population de la province, sauf les hôpitaux de marine;
8. Les institutions municipales dans la province;
9. Les licences de boutiques, de débits de boissons, de tavernes, d'encanteur et autres établies en vue de prélever des revenus pour des fins provinciales, locales et municipales;
10. Les travaux et les ouvrages d'une nature locale, autres que ceux qui sont énumérés dans les catégories qui suivent:
    a) Les lignes de vapeurs ou autres navires, les chemins de fer, les canaux, les lignes de télégraphe et autres travaux et ouvrages reliant la province à une autre ou à d'autres, ou s'étendant au delà des frontières de la province;
    b) Les lignes de vapeurs entre la province et tout pays britannique ou étranger;
    c) Les travaux qui, bien qu'entièrement situés dans la province, seront, avant ou après leur exécution, déclarés par le parlement du Canada profiter au Canada en général ou à deux ou plusieurs provinces;
11. La constitution des compagnies pour des objets provinciaux;
12. La célébration des mariages dans la province;

13. La propriété et les droits civils;
14. L'administration de la justice dans la province, y compris la constitution, le coût et l'organisation des tribunaux provinciaux, de juridiction tant civile que criminelle, ainsi que la procédure en matière civile devant ces tribunaux;
15. L'infliction de punitions par voie d'amendes, de peines ou d'emprisonnement en vue de faire respecter toute loi provinciale établie relativement à une matière rentrant dans une des catégories de sujets énumérées dans le présent article;
16. De façon générale, toutes les matières qui, dans la province, sont d'une nature purement locale ou privée.

L'Enseignement

93. La législature aura le droit exclusif de légiférer sur l'enseignement dans les limites et pour la population de la province, sous la réserve et en conformité des dispositions suivantes:

1. Ses lois ne devront aucunement porter préjudice aux droits ou avantages que la loi, au moment de l'union, conférera à une classe particulière de personnes relativement aux écoles confessionnelles;
2. Tous les pouvoirs, tous les droits et tous les devoirs que la loi, au moment de l'union, conférera ou imposera dans le Haut-Canada aux écoles séparées et aux administrateurs des écoles des sujets catholiques romains de la Reine seront et sont par la présente loi étendus aux écoles dissidentes des sujets protestants et des sujets catholiques romains de Sa Majesté dans la province de Québec;
3. Quand, dans une province, un système d'écoles séparées ou dissidentes existera au moment de l'union en vertu de la loi ou sera subséquemment établi par la législature, il y aura appel au gouverneur général en conseil de toute loi ou de toute décision d'une autorité provinciale qui portera atteinte à quelque droit ou à quelque avantage de la minorité protestante ou catholique romaine de la Reine relativement à l'enseignement;
4. Si une législature néglige d'adopter une loi que le gouverneur général en conseil pourra, le cas échéant, juger nécessaire pour l'application des dispositions du présent article, ou si l'autorité provinciale compétente néglige d'exécuter une décision que le gouverneur général aura rendue en conseil

à la suite d'un appel interjeté en vertu du présent article, le parlement du Canada pourra, selon que les circonstances l'exigeront, adopter des lois remédiatrices propres à assurer l'exécution des dispositions du présent article ainsi que de toute décision que le gouverneur général aura rendue en conseil sous l'autorité du présent article.

VIII. — LES REVENUS, LES DETTES, L'ACTIF, LES TAXES

104. Le service des intérêts annuels sur les dettes publiques des Provinces du Canada, de la Nouvelle-Ecosse et du Nouveau-Brunswick au moment de l'union constituera la deuxième charge sur le fonds général du revenu du Canada.

108. Les travaux publics et les propriétés publiques de chaque Province qui sont énumérés dans la troisième annexe de la présente loi appartiendront au Canada.

111. Le Canada sera responsable des dettes et des obligations de chaque Province au moment de l'union.

117. Les différentes Provinces conserveront celles de leurs propriétés publiques sur lesquelles il n'est pas statué dans la présente loi, sauf le droit du Canada de s'emparer de tout terrain ou de toute propriété publique dont il aura besoin pour des fins de fortification ou pour la défense du pays.

118. Le Canada paiera annuellement aux différentes Provinces les sommes suivantes en vue de subvenir aux dépenses de leur gouvernement et de leur législature: à l'Ontario, quatre-vingt mille dollars; au Québec, soixante-dix mille dollars; à la Nouvelle-Ecosse, soixante mille dollars; au Nouveau-Brunswick, cinquante mille dollars; soit une somme totale de deux cent soixante mille dollars.

De plus, chaque Province aura droit à une subvention annuelle de quatre-vingts cents par tête de sa population constatée au recensement de 1871, et, en ce qui concerne la Nouvelle-Ecosse et le Nouveau-Brunswick, constatée à chaque recensement décennal subséquent jusqu'à ce que la population de chacune de ces deux Provinces atteigne le chiffre de quatre cent mille âmes, chiffre auquel la subvention restera dès lors fixée. Ces subventions libéreront pour toujours le Canada de toute réclamation. Elles seront payées à chaque Province par versements semestriels et par anticipation; mais le gouvernement du Canada déduira de la subvention de cette Province toute somme d'intérêt que celle-ci devra payer sur l'excédent de dette publique déterminé par la présente loi. [Les articles 112, 114 et 115 limitaient le montant des dettes provinciales dont le Canada se rendait responsable en vertu de l'article 111.]

121.   Tout objet qui aura crû, aura été produit ou aura été fabriqué dans une des provinces sera, à partir de l'union, admis en franchise dans chacune des autres provinces.

125.   Les immeubles et les biens appartenant au Canada ou à l'une des Provinces ne seront pas imposables.

IX. — DISPOSITIONS DIVERSES

132.   Le parlement et le gouvernement du Canada auront tous les pouvoirs nécessaires ou utiles pour remplir envers les pays étrangers les obligations que des traités entre l'Empire britannique et ces pays étrangers pourront imposer au Canada ou à quelqu'une de ses Provinces comme partie de l'Empire.

133.   Dans les chambres du parlement du Canada et de la législature du Québec, chacun pourra, dans les débats, faire usage de la langue anglaise ou de la langue française; mais les régistres et les procès-verbaux des chambres susdites devront être tenus dans ces deux langues. Dans tout procès porté devant un tribunal du Canada établi en vertu de la présente loi ou devant un tribunal du Québec, chacun pourra faire usage de l'une ou de l'autre de ces langues dans les procédures et les plaidoyers qui y seront faits ou dans les actes de procédures qui en émaneront.

Les lois du parlement du Canada et de la législature du Québec devront être imprimées et publiées dans l'une et l'autre de ces langues.

X. — LE CHEMIN DE FER INTERCOLONIAL

145.   La Province du Canada, la Nouvelle-Ecosse et le Nouveau-Brunswick ayant déclaré collectivement qu'il est indispensable de construire le chemin de fer intercolonial pour raffermir l'union de l'Amérique du Nord britannique et assurer le concours de la Nouvelle-Ecosse et du Nouveau-Brunswick, et étant, en conséquence, convenus que la construction immédiate de ce chemin de fer par le gouvernement du Canda devrait être décrétée, le gouvernement et le parlement du Canada, pour donner suite à cette convention, seront

tenus de prendre des mesures pour commencer, dans les six mois qui suivront l'union, les travaux de construction d'un chemin de fer reliant le fleuve Saint-Laurent à la cité d'Halifax, en Nouvelle-Ecosse, pour les poursuivre sans interruption et les terminer avec toute la diligence possible.

6. - *Création de la province du Manitoba*

(1870)

Le gouvernement canadien, aussitôt constitué, s'empressa de négocier l'achat des Territoires du Nord-Ouest, propriété de la Compagnie de la Baie d'Hudson. Le gouvernement britannique facilita les négociations. La population de ces vastes régions, en majorité composée de Métis, ne fut pas consultée et manifesta de l'inquiétude au sujet du sort qui lui serait réservé. Le soulèvement de Louis Riel, à l'automne de 1869, força les autorités fédérales à créer une nouvelle province à même une partie de ces territoires. La constitution adoptée par le parlement canadien donnait un caractère bilingue au Manitoba. Voir Lionel Groulx, *L'Enseignement français au Canada* (2 v., Montréal, 1934-1935), 2: 72-83; Edgar McInnis, *Canada: A Political and Social History* (Toronto, 1947), 306-315; Robert Rumilly, *Histoire de la province de Québec*, 1: 139-146.

Loi ayant pour objet d'établir et de constituer le gouvernement de la province de Manitoba. (Sanctionnée le 12 mai 1870.)

22. Dans la province, la législature pourra exclusivement décréter des lois relatives à l'éducation, sujettes et conformes aux dispositions suivantes:

(1) Rien dans ces lois ne devra préjudicier à aucun droit ou privilège conféré, lors de l'Union, par la loi ou par la coutume à aucune classe particulière de personnes dans la province, relativement aux écoles séparées (*denominational schools*).

(2) Il pourra être interjeté appel au gouverneur-général en conseil de tout acte ou décision de la législature de la province ou de toute autorité provinciale affectant quelqu'un des droits

ou privilèges de la minorité protestante ou catholique romaine des sujets de Sa Majesté relativement à l'éducation.

(3) Dans le cas où il ne serait pas décrété telle loi provinciale que, de temps à autre, le gouverneur-général en conseil
jugera nécessaire pour donner suite et exécution aux dispositions de la présente section, — ou dans le cas où quelque
décision du gouverneur-général en conseil, sur appel interjeté
en vertu de cette section, ne serait pas dûment mise à exécution par l'autorité provinciale compétente, — alors et en
tout tel cas, et en tant seulement que les circonstances de
chaque cas l'exigeront, le parlement du Canada pourra décréter des lois propres à y remédier pour donner suite et
exécution aux dispositions de la présente section, ainsi qu'à
toute décision rendue par le gouverneur-général en conseil
sous l'autorité de la même section.

23.   L'usage de la langue française ou de la langue anglaise
sera facultatif dans les débats des Chambres de la législature; mais
dans la rédaction des archives, procès-verbaux et journaux respectifs
de ces chambres, l'usage de ces deux langues sera obligatoire; et dans
toute plaidoirie ou pièce de procédure par devant les tribunaux ou
émanant des tribunaux du Canada, qui sont établis sous l'autorité de
« l'acte de l'Amérique Britannique du Nord, 1867 », et par devant
tous les tribunaux ou émanant des tribunaux de la province, il pourra
être également fait usage, à faculté, de l'une ou l'autre de ces langues.
Les actes de la législature seront imprimés et publiés dans ces deux
langues. (33 Victoria, chapitre 3, *Statuts du Canada*, 1870, 20-27.)

7. - *Colonisation et expansion vers l'ouest*

(1871)

La création de la province du Manitoba (voir document
No 6) et l'admission de la Colombie britannique dans la Confédération (1871) reculaient les frontières du Canada. Ces nouveaux territoires étaient ouverts à l'immigration. Les évêques de
la province de Québec, que l'émigration des Canadiens français
aux Etats-Unis inquiétait grandement, tout en encourageant la

colonisation des régions inexploitées de la province, rappelèrent aux fidèles qui ne voulaient pas s'y établir qu'il leur était possible d'émigrer sans quitter leur pays natal. Voir « Circulaire privée au clergé de toute la province ecclésiastique de Québec », dans *Mandements, lettres pastorales, circulaires et autres documents publiés dans le diocèse de Montréal depuis son érection* (17 vol., Montréal, 1869-1926), 6: 210-212.

Archevêché de Québec, 23 octobre 1871.

Monsieur le Curé,

Au milieu des questions importantes, qui font l'objet des préoccupations des Evêques de la Province ecclésiastique de Québec pendant leur réunion, il en est une sur laquelle ils veulent attirer votre attention avant même de se séparer. Cette question, que l'on peut appeler vitale à cause de ses immenses conséquences sur notre état social et religieux, est la question de la colonisation. Nous ne pouvons que gémir à la vue du grand nombre de nos compatriotes qui désertent journellement le foyer domestique et la terre natale pour aller demander à la prospérité de nos voisins un bien-être, qu'il nous semble pourtant possible de trouver ici, au milieu des avantages nombreux que la Providence a départis à notre chère patrie. Votre cœur comme le nôtre ressent tout ce que cet état de choses a de pénible, aussi nous n'avons pas besoin d'insister pour faire comprendre nos trop justes regrets à cet égard. Notre unique but, dans cette lettre collective, est d'encourager votre zèle, au milieu des efforts qu'il fait pour s'opposer à ce torrent d'émigration qui prive la patrie des bras et de l'intelligence d'un grand nombre de ses enfants.

Le remède efficace à ce mal ne peut se trouver que dans le succès qui couronnera les tentatives faites pour rappeler et retenir, dans les différentes provinces de la Confédération Canadienne, ceux de nos compatriotes, que la nécessité ou l'amour du changement ont poussés ou poussent encore vers la terre étrangère.

Le résultat obtenu par les sociétés de colonisation nous remplit de joie et de consolation, et nous permet d'espérer qu'un jour notre beau pays sera tout occupé par ses propres enfants, et que les Canadiens n'auront point le regret d'avoir privé leurs descendants de la terre que la Providence leur avait destinée. Que tous les Canadiens continuent cette noble et patriotique œuvre de la colonisation de nos terres inoccupées. Les sacrifices faits dans ce but ne peuvent qu'attirer la bénédiction du ciel.

Notre jeune pays n'est pas renfermé dans des limites assez étroites pour qu'il soit nécessaire de l'abandonner. Plus que jamais d'immenses étendues de terrain s'offrent à notre population dans les limites mêmes de la patrie. L'acquisition des territoires du Nord-Ouest, la création de la Province de Manitoba, offrent un avantage réel à ceux qui n'aiment pas le défrichement des terrains boisés, et qui pourtant voudraient s'éloigner de la paroisse qu'ils habitent. Il n'est pas nécessaire de passer la frontière Canadienne pour trouver les riches prairies de l'Ouest.

Notre pensée n'est pas de demander aux paisibles et heureux habitants de la Province de Québec de changer une position certaine et avantageuse pour les incertitudes et les risques d'une immigration lointaine, mais, s'il en est auxquels il faut un changement et auxquels il répugne de s'imposer les rudes labeurs de bûcherons, à ceux-là, Monsieur le Curé, veuillez bien indiquer la Province de Manitoba.

Un octroi gratuit de 160 acres de bonne terre de prairie est promis par le gouvernement à tout homme de 21 ans qui voudra aller se fixer dans ces contrées.

Ces contrées si nouvelles pour les individus ne le sont pas pour le Canada. C'est l'énergie de nos pères qui les a découvertes; c'est le zèle de nos missionnaires qui les a régénérées et préparées à l'ère de prospérité qui semble les attendre. Ces contrées lointaines ne sont donc pas la terre étrangère. Environ la moitié de la population y parle le Français et est d'origine Canadienne, en sorte que de toutes les paroisses on est certain d'y trouver des parents ou du moins des amis.

Dans cette nouvelle Province, il y a un Collège où les garçons peuvent recevoir une éducation soignée; des couvents où les filles puisent l'instruction qui leur est prodiguée en Canada. Les Missionnaires, trop heureux du renfort qu'ils recevront par cette émigration, étendront volontiers aux nouveaux venus l'affection qui les anime envers leurs ouailles actuelles. En colonisant une partie de Manitoba, les Canadiens Français s'assurent, dans la législature fédérale, l'équilibre qu'ils y possèdent aujourd'hui, et qu'ils perdront nécessairement s'ils ne sont point en nombre dans Manitoba et le territoire du Nord-Ouest. Nous considérons donc, M. le Curé, comme chose bonne et désirable, l'établissement de quelques-uns des nôtres dans ces régions, et nous verrions avec plaisir qu'il se fît quelque chose dans ce sens; si, par exemple, entre deux ou trois paroisses, on pouvait assurer le concours d'une famille honnête, chrétienne et laborieuse qui irait former dans le Nord-Ouest une population comme celle qui est venue, il y a deux siècles, jeter les fondements de notre nationalité en Canada.

Vous apprendrez, dans la première partie de l'hiver, par les journaux, ce que le gouvernement doit faire pour faciliter le transport et l'établissement des colons de Manitoba; nous vous écrivons aujourd'hui afin que vous connaissiez notre intention à ce sujet, et que, si l'occasion s'en présente, vous puissiez diriger de ce côté ceux qui voudraient émigrer.

Par cette émigration d'un genre nouveau, nos compatriotes ne se sépareront pas de nous; ils resteront Canadiens, soumis à nos institutions religieuses et civiles, dans un milieu où leur foi ne sera pas exposée, où, au contraire, ils aideront à faire luire ce divin flambeau, au milieu des vastes déserts de l'Ouest, qui n'ont été découverts par nos pères que dans une pensée toute de foi.

8. - Scandale du Pacifique

(1873)

Lorsque la Colombie britannique accepta de se joindre à la Confédération (1871), le gouvernement canadien s'engagea à faire construire, dans un délai maximum de dix ans, un chemin de fer qui relierait la nouvelle province à l'est du pays. La compagnie qui entreprendrait la réalisation de cette œuvre gigantesque était assurée de recevoir l'aide de l'Etat fédéral. Deux compagnies rivales, l'une formée à Montréal par Hugh Allan et l'autre dirigée par D.L. MacPherson de Toronto, cherchèrent à obtenir ce contrat convoité. Toutes sortes de pressions s'exercèrent sur les ministres, particulièrement pendant la campagne électorale de 1872. Finalement, la Compagnie du chemin de fer Canadien du Pacifique, présidée par Allan, se vit confier, en février 1873, la tâche de construire le chemin de fer projeté. Le gouvernement promettait de verser à la compagnie un subside de $30,000,000 et lui concédait, en outre, 50,000,000 d'acres de terre. Dans les journaux de l'opposition et au parlement, on accusa les ministres d'avoir exigé et d'avoir obtenu de Hugh Allan de grosses sommes d'argent qui avaient servi à financer les élections du parti au pouvoir pendant la campagne électorale de l'année précédente. Une enquête révéla que ces graves accusations étaient fondées et le gouvernement Macdonald fut forcé de démissionner en octobre 1873. Nous reproduisons une lettre de Hugh Allan à l'un de ses correspondants des Etats-Unis dans laquelle il lui explique comment il s'y était pris pour se gagner l'appui de Cartier. Voir Arthur R.M. Lower, *Colony to Nation: A History of Canada* (Toronto, 1946), 357-359; Robert Rumilly, *Histoire de la province de Québec,* 1: 218-222, 242-252.

Montréal, le 1er juillet 1872.

Mon cher monsieur,

Les négociations relatives au chemin de fer Canadien du Pacifique sont presque terminées, et je suis presque certain qu'elles se termineront à notre avantage. ... Deux compagnies rivales désirant construire le chemin de fer ont été formées. Celle d'Ontario était composée d'un plus grand nombre de personnes, tandis que celle de Québec était la plus puissante en influence politique. M. McMullen [ce dernier servait d'intermédiaire entre Allan et les capitalistes américains que celui-ci voulait intéresser à son projet] désirait s'assurer l'appui des membres placés au second rang du gouvernement, et prendre des arrangements que je n'approuvais pas, parce que c'était simplement brûler notre poudre aux moineaux.

La situation considérée attentivement, je restai convaincu que cette question devait être, en fin de compte, résolue par un seul homme, et cet homme était Sir Georges-E. Cartier, le chef du parti canadien-français. Ce parti a tenu la balance du pouvoir entre les autres factions. Pendant les cinq dernières années, il a supporté et tenu tout le gouvernement au pouvoir. Ce parti se compose de 45 députés, qui ont suivi Cartier et ont voté comme un seul homme pour ses mesures.

La majorité du gouvernement au parlement étant généralement moindre que 45, il s'en suit que la désertion de la moitié ou des deux tiers renverserait en tout temps le gouvernement. Il était donc évident qu'il était nécessaire de trouver les moyens de s'assurer l'appui de ce groupe compact de députés pour l'exercer en notre faveur, et dès que je vis quelle serait la meilleure ligne de conduite à suivre, je ne perdis pas un moment.

Depuis longtemps, les cultivateurs canadiens-français désirent la construction d'un chemin de fer de Montréal à Ottawa à travers les campagnes; mais Cartier, qui est l'avocat salarié du Grand-Tronc,

auquel ce nouveau chemin de fer ferait concurrence, a toujours suscité des difficultés et, par son influence, en a empêché la construction.
Pour la même raison, il voulait donner le contrat du Pacifique à des
personnes ayant des relations avec le Grand-Tronc, et dans ce but,
il a encouragé ceux qui s'opposaient à notre projet; mais je vis dans
ce chemin de fer canadien-français et dans l'approche des élections
générales, où Cartier et d'autres auraient à se présenter devant leurs
électeurs pour se faire réélire, un moyen certain d'atteindre mon but,
surtout vu que je propose d'y arriver au moyen du terminus du
Pacifique.

Les plans que je soumets sont les plus propres à servir les intérêts
du Canada, et, en voulant les faire adopter par le public, je fais un
acte éminemment patriotique; mais, même dans ce but, il faut trouver
des moyens d'influencer le public, et j'ai employé plusieurs jeunes
avocats canadiens-français pour écrire en ce sens dans leurs principaux
journaux. J'ai souscrit une somme qui peut avoir une influence prépondérante dans le capital-actions de la compagnie [celle qui se
proposait de construire la ligne Montréal-Ottawa], et j'ai subvention-
né les journaux eux-mêmes, y compris les rédacteurs et les propriétaires. Je parcourus la région que le nouveau chemin de fer doit
traverser et je rendis visite à plusieurs habitants. Je suis aussi allé voir
les prêtres, je gagnai leur amitié, et j'employai des agents pour aller
chez les notables et leur parler de l'affaire.

Je commençai alors à tenir des assemblées publiques, j'y assistai
personnellement et fis souvent des discours en français, démontrant
aux gens où se trouvaient leurs véritables intérêts.

Le projet devint immédiatement populaire, et je formai un comité
pour influencer les membres du parlement. Cela réussit si bien qu'en
très peu de temps, sur les 45, je pouvais compter sur 27; et les
électeurs de la division de cette ville que Cartier lui-même représente,
lui firent savoir qu'il valait mieux pour lui de ne pas se présenter
aux élections si le contrat du Pacifique n'était pas donné dans l'intérêt
du Bas-Canada; il n'a pas cru cela, mais lorsqu'il vint ici et rencontra
ses électeurs, il constata, à sa grande surprise, que leur détermination
était immuable. Il consentit alors à accorder le contrat à la condition
voulue, savoir: qu'il y aurait dix-sept directeurs provisoires, dont huit
pour l'Ontario, neuf pour le Québec, nous donnant ainsi le contrôle.

... J'ai reçu plusieurs lettres d'Angleterre m'offrant de prendre
toute l'affaire si nous voulions partager, mais elle me semble trop

bonne pour m'en départir immédiatement. ... Comme vous devez le supposer, l'affaire n'en est pas rendue là sans beaucoup de dépenses, dont une grande partie payable seulement après avoir obtenu le contrat, mais je pense que cela n'ira pas loin de $300,000.

(Signé) Hugh Allan

(Documents concernant la prorogation du Parlement le 13 août 1873 (Ottawa, 1873), 73-74.)

9. - *Le libéralisme canadien*

(1877)

Les libéraux canadiens soutenaient que leur libéralisme n'avait rien de commun avec le libéralisme doctrinal condamné par l'Eglise. Quant au clergé, plusieurs de ses membres demeuraient méfiants à l'égard d'un parti politique dont les fondateurs, en plus d'avoir préconisé des réformes radicales, avaient manifesté des tendances anticléricales. Cette confusion profitait au parti conservateur qui comptait des partisans déclarés parmi les membres du clergé. Les libéraux accusaient ceux-ci d'exercer une influence indue sur les électeurs. Rome avait envoyé Mgr Conroy pour enquêter sur toute l'affaire. Alors que le délégué apostolique était encore au pays, Wilfrid Laurier prononça à Québec, le 6 juin 1877, une conférence sur le « Libéralisme politique ». Voir Charles Langelier, *Souvenirs politiques, 1878 à 1890* (Québec, 1909), 11-45; Robert Rumilly, *Histoire de la province de Québec,* 2: 42-86.

... En effet, je ne me fais pas illusion sur la position du parti libéral dans la province de Québec, et je dis de suite qu'il y occupe une position fausse au point de vue de l'opinion publique. Je sais que, pour un grand nombre de nos compatriotes, le parti libéral est un parti composé d'hommes à doctrines perverses et à tendances dangereuses, marchant sciemment et délibérément à la révolution. Je sais que pour une portion de nos compatriotes, le parti libéral est un parti composé d'hommes à intentions droites peut-être, mais victimes et dupes de principes par lesquels ils sont conduits inconsciemment, mais fatalement, à la révolution. Je sais enfin que pour une autre partie, non pas la moins considérable peut-être de notre peuple, le libéralisme est une forme nouvelle du mal, une hérésie portant avec elle sa propre condamnation.

... Toutes les accusations portées contre nous, toutes les objections à nos doctrines, peuvent se résumer dans les propositions suivantes: premièrement, le libéralisme est une forme nouvelle de l'erreur, une hérésie déjà virtuellement condamnée par le chef de l'Eglise; deuxièmement, un catholique ne peut pas être libéral.

Voilà ce que proclament nos adversaires.

M. le Président, tous ceux qui me font en ce moment l'honneur de m'écouter me rendront cette justice que je pose la question telle qu'elle est, et que je n'exagère rien. Tous me rendront cette justice que je reproduis fidèlement les reproches qui nous sont tous les jours adressés. Tous admettront que c'est bien là le langage de la presse conservatrice.

Je sais que le libéralisme catholique a été condamné par le chef de l'Eglise... Mais je sais et je dis que le libéralisme catholique n'est pas le libéralisme politique. S'il était vrai que les censures ecclésiastiques portées contre le libéralisme catholique dussent s'appliquer au libéralisme politique, ce fait constituerait pour nous, Français d'origine, catholiques de religion, un état de choses dont les conséquences seraient aussi étranges que douloureuses.

[Le conférencier démontre que l'existence de deux partis politiques est nécessaire au bon gouvernement du pays si celui-ci veut conserver ses institutions démocratiques. Les Canadiens français feraient preuve d'un manque de sagesse politique en devenant les « instruments » et les « comparses » d'un seul parti politique. Ensuite, il établit un parallèle entre le conservatisme et le libéralisme de tradition anglaise.]

Il est vrai qu'il existe en Europe, en France, en Italie et en Allemagne, une classe d'hommes qui se donnent le titre de libéraux, mais qui n'ont de libéral que le nom, et qui sont les plus dangereux des hommes. Ce ne sont pas des libéraux, ce sont des révolutionnaires; dans leurs principes ils sont tellement exaltés qu'ils n'aspirent à rien moins qu'à la destruction de la société moderne. Avec ces hommes, nous n'avons rien de commun; mais c'est la tactique de nos adversaires de toujours nous assimiler à eux. Ces accusations sont au-dessous de nous, et la seule réponse que nous puissions faire dignement, c'est d'affirmer nos véritables principes, et de faire de telle sorte que nos actes soient toujours conformes à nos principes.

[Laurier résume ici l'histoire du parti libéral canadien. Il explique, sans les approuver, les excès de langage et de pensée des jeunes libéraux de 1848. Il rappelle l'évolution du parti conservateur après la scission survenue entre Papineau et LaFontaine.]

Certes, je respecte trop l'opinion de mes adversaires, pour ne leur lancer jamais aucune injure; mais je leur fais le reproche de ne pas comprendre ni leur époque, ni leur pays. Je les accuse de juger la situation politique de notre pays, non pas d'après ce qui s'y passe, mais d'après ce qui se passe en France. Je les accuse de vouloir introduire ici des idées dont l'application serait impossible dans notre état de société. Je les accuse de travailler laborieusement, et par malheur trop efficacement, à rabaisser la religion aux simples proportions d'un parti politique.

C'est l'habitude, dans le parti de nos adversaires, de nous accuser, nous libéraux d'irréligion. Je ne suis pas ici pour faire parade de mes sentiments religieux, mais je déclare que j'ai trop de respect pour les croyances dans lesquelles je suis né pour jamais les faire servir de base à une organisation politique.

[Il prévient ses compatriotes qu'ils seraient mal inspirés s'ils organisaient un parti politique de caractère confessionnel. Il regrette de constater que les adversaires du parti libéral n'ont pas compris que la liberté revendiquée par les libéraux canadiens n'a rien de commun avec les idéals des révolutionnaires français de 1793 ou de 1871. Le parti libéral, fidèle à ses principes, n'a nullement l'intention de limiter les droits de l'Eglise, mais la constitution du pays, afin d'assurer le gouvernement de la majorité, ne reconnaît à personne le droit d'intimider l'électeur appelé à donner librement son opinion.]

Je ne suis pas de ceux qui se donnent avec affectation comme les amis et les défenseurs du clergé. Cependant, je dis ceci: comme la plupart des jeunes gens, mes compatriotes, j'ai été élevé par des prêtres, et au milieu de jeunes gens qui sont devenus des prêtres. Je me flatte que je compte parmi eux quelques amitiés sincères, et à ceux-là du moins je puis dire, et je dis: « Voyez s'il y a sous le soleil un pays plus heureux que le nôtre; voyez s'il y a sous le soleil un pays où l'Eglise catholique soit plus libre et plus privilégiée que celui-ci. Pourquoi donc iriez-vous, par la revendication de droits incompatibles avec notre état de société, exposer ce pays à des agitations dont les conséquences sont impossibles à prévoir ? »

Mais, je m'adresse à tous mes compatriotes indistinctement, et je leur dis:

« Nous sommes un peuple heureux et libre; et nous sommes heureux et libres, grâce aux institutions libérales qui nous régissent, institutions que nous devons aux efforts de nos pères et à la sagesse de la mère-patrie. La politique du parti libéral est de protéger ces institutions, de les défendre et de les propager, et, sous l'empire de ces institutions, de développer les ressources latentes de notre pays. Telle est la politique du parti libéral; il n'en a pas d'autre. »...

(Discours de Wilfrid Laurier à l'étranger et au Canada (Montréal: Beauchemin, 1909), 82-108.)

10. - Le Conseil privé et l'autonomie
des provinces
(1883-1896)

L'Acte de l'Amérique du Nord britannique, conformément aux intentions des principaux artisans de la Confédération, accordait au gouvernement fédéral des pouvoirs très étendus (voir documents Nos 2, 3, 4 et 5). Les défenseurs de l'autonomie des provinces n'abandonnèrent pas la lutte après la mise en vigueur de la nouvelle constitution. Un conflit entre eux et les partisans d'un gouvernement central puissant était inévitable. Les tribunaux furent appelés à se prononcer. Plusieurs décisions du Conseil privé, particulièrement de 1883 à 1896, limitèrent la juridiction du gouvernement fédéral en établissant que les législatures provinciales jouissaient, dans leur sphère propre, d'une souveraineté indiscutable. Voir Arthur R.M. Lower, *Colony to Nation: A History of Canada*, 375-379; *Rapport de la Commission royale d'enquête sur les relations entre le Dominion et les provinces* (Ottawa, 1941), I, 56-62; *Rapport du conseiller parlementaire du Sénat au sujet de la mise en vigueur de l'Acte de l'Amérique britannique du Nord de 1867, de l'incompatibilité entre ses dispositions et leur interprétation judiciaire, et de matières connexes* (Ottawa, 1940), Annexe 1, 20-57.

(1)

Hodge v. la Reine (1883) 9 A.C. 117

[Ceux qui contestaient la constitutionnalité de la loi des liqueurs adoptée par l'Assemblée législative de l'Ontario avaient soutenu que les législatures provinciales n'exerçaient que des pouvoirs délégués. Le haut tribunal rejeta péremptoirement ce point de vue.]

...

Toutefois, il semble évident à Leurs Seigneuries que l'objection soulevée à cet égard par les appelants, repose sur une conception tout à fait erronée du caractère et des pouvoirs réels des législatures provinciales. Celles-ci ne sont d'aucune façon les délégués du Parlement impérial, ni n'agissent-elles en vertu d'aucun mandat reçu de ce dernier. En décrétant que l'Ontario avait droit à une législature et qu'il appartenait à son assemblée législative d'adopter des lois pour la province et pour des fins provinciales relativement aux sujets mentionnés à l'article 92, l'Acte de l'Amérique britannique du Nord lui conféra, non pas des pouvoirs qu'elle était censée exercer par délégation ou en qualité d'agent du parlement impérial, mais une autorité aussi complète et aussi vaste, dans les bornes prescrites par l'article 92, que le parlement impérial, dans la plénitude de ses attributions, possédait et pouvait conférer. Dans les limites des sujets précités, la législature locale exerce un pouvoir souverain, et possède la même autorité que le parlement impérial ou le parlement du Dominion aurait, dans des circonstances analogues... (Traduction française dans *Rapport du conseiller parlementaire du Sénat*, Annexe 3, 26.)

(2)

Maritime Bank v. Receveur général du Nouveau-Brunswick (1892) A.C. 437

Lord Watson:

Ils [les appelants] soutiennent que la loi [l'Acte de l'Amérique du Nord britannique de 1867] a eu pour effet de trancher le lien unissant les provinces à la Couronne; de faire du gouvernement du Dominion l'unique gouvernement de Sa Majesté dans l'Amérique du Nord; et de reléguer les provinces au rang d'institutions locales indépendantes. Leurs Seigneuries n'ont pu découvrir ni principe, ni autorité applicables à ces propositions, qui contiennent la somme et le fond des arguments invoqués en faveur de cet appel.

Leurs Seigneuries ne croient pas nécessaire de scruter à fond les dispositions de l'Acte de 1867, lesquelles ne visent nulle part à restreindre de quelque façon les droits et privilèges de la couronne, ni à modifier les relations qui existaient alors entre la Souveraine et les provinces. Le but de l'Acte était non pas de fusionner les provinces en une seule ni de mettre les gouvernements provinciaux en état de subordination par rapport à une autorité centrale, mais de créer un gouvernement fédéral dans lequel elles seraient toutes représentées et auquel serait confiée d'une façon exclusive l'administration des affaires dans lesquelles elles avaient un intérêt commun, chaque province conservant son indépendance et son autonomie. Ce but fut atteint par la répartition, entre le Dominion et les provinces, de tous les pouvoirs exécutifs et législatifs, ainsi que de tous les biens et revenus publics qui avaient jusque-là appartenu aux provinces. Le gouvernement du Dominion devait recevoir les pouvoirs, biens et revenus nécessaires à l'exercice complet de ses attributions constitutionnelles, et les provinces conserver le résidu pour les besoins de l'administration provinciale. Toutefois, pour ce qui est des matières que l'article 92 réserve spécialement à la législation provinciale, la province reste libre de contrôle fédéral et sa souveraineté est la même qu'avant l'adoption de la loi. [Subordonnément, toutefois, au droit de réservation et d'annulation exercé par le gouverneur général en conseil.] ... (Traduction française dans *ibid.*, Annexe 3, 34-35.)

(3)

Le Procureur général de l'Ontario v. le Procureur général du Canada et autres (1896) A.C. 348

Lord Watson:

Le pouvoir général que confère au parlement canadien la disposition préliminaire de l'article 91 est celui de faire des lois pour la paix, l'ordre et le bon gouvernement du Canada, relativement à toutes les matières ne tombant pas dans les catégories de sujets assignés par le présent acte exclusivement aux législatures des provinces; et il est déclaré, sans toutefois restreindre la généralité de ces termes, que l'autorité législative exclusive du parlement du Canada s'étend à toutes les matières tombant dans les catégories de sujets énumérés dans cet article. Il peut donc exister des sujets en dehors de l'énumération qui sont de la compétence législative du parlement du Canada parce qu'il y va de la paix, de l'ordre et de la bonne administration du Dominion. Mais l'exception à la fin de l'article 91 ne s'applique pas aux matières non spécifiées parmi les sujets de législation énumérés dans ce dernier article et que, en légiférant sur des sujets qui ne sont pas ainsi énumérés, le parlement fédéral est privé de toute autorité pour empiéter sur quelque catégorie de sujets exclusivement assignée à la législature provinciale par l'article 92. Leurs Seigneuries sont d'avis que, d'après ces dispositions législatives, l'exercice par le parlement canadien du pouvoir de légiférer sur tout sujet non énuméré à l'article 91, devrait strictement se restreindre aux questions qui sont incontestablement d'importance nationale ou d'intérêt national et ne doit empiéter sur la législation provinciale à l'égard d'aucune catégorie de matières énoncée à l'article 92. Toute autre interprétation des pouvoirs généraux qui, en sus de ses pouvoirs énumérés, sont conférés au parlement du Canada par l'article 91, non seulement serait, de l'avis de Leurs Seigneuries, contraire à l'esprit de la loi, mais détruirait en pratique l'autonomie des provinces. Si le parlement du Canada avait l'autorité d'adopter des lois applicables à tout le Dominion sur des sujets qui, dans chaque province, sont sensiblement d'intérêt local ou privé, en présumant que ces questions concernent également la paix, l'ordre et le bon gouvernement du Dominion, il n'existerait guère de sujets énumérés à l'article 92 sur lesquels il ne pût légiférer à l'exclusion des législatures provinciales. ... (Traduction française dans *ibid.*, Annexe 3, 44-45.)

11. - *Affaire Riel*

(1885-1886)

L'exécution de Louis Riel, le 16 novembre 1885, provoqua l'indignation de la majorité des Canadiens français. Jusqu'à la dernière minute, on avait espéré que le gouvernement fédéral gracierait le malheureux condamné. On accusa les ministres d'avoir cédé aux pressions venues des milieux orangistes de l'Ontario. Des assemblées de protestation s'organisèrent dans tous les comtés de la province. Plusieurs membres du parti conservateur se joignirent aux libéraux pour condamner la conduite du gouvernement Macdonald. Nous donnons: (1) une partie du discours de Mercier à la grande assemblée du Champ de Mars à Montréal, le 22 novembre; (2) le message spécial de Chapleau à ses compatriotes, le 28 novembre; (3) un extrait du discours prononcé aux Communes par Laurier, le 16 mars 1886. Voir Robert Rumilly, *Histoire de la province de Québec*, 5: 9-164.

(1)

M. le Président,

Riel, notre frère, est mort, victime de son dévouement à la cause des Métis dont il était le chef, victime du fanatisme et de la trahison: du fanatisme de Sir John et de quelques-uns de ses amis; de la trahison de trois des nôtres qui, pour garder leur portefeuille, ont vendu leur frère...

En face de ce crime, en présence de ces défaillances, quel est notre devoir? Nous avons trois choses à faire: nous unir pour punir les coupables; briser l'alliance que nos députés ont faite avec l'orangisme et chercher dans une alliance plus naturelle et moins dangereuse la protection de nos intérêts nationaux.

Nous unir! Oh! que je me sens à l'aise en prononçant ces mots! Voilà vingt ans que je demande l'union de toutes les forces vives de la nation. Voilà vingt ans que je dis à mes frères de sacrifier sur l'autel de la patrie en danger les haines qui nous aveuglaient et les divisions qui nous tuaient. On a répondu à ce cri de ralliement, parti d'un cœur patriotique, par des injures, des récriminations, des calomnies. Il fallait le malheur national que nous déplorons, il fallait la mort d'un des nôtres pour que ce cri de ralliement fût compris...

Cette mort qui a été un crime chez nos ennemis, va devenir un signe de ralliement et un instrument de salut pour nous.

Notre devoir est donc de nous unir pour punir les coupables; que cette union soit bénie par ce peuple et faisons serment devant Dieu et devant les hommes, de combattre de toutes nos forces et de toute notre âme et avec toutes les ressources que nous fournit la constitution, le gouvernement prévaricateur de Sir John, les trois traîtres qui viennent de déshonorer notre race et tous ceux qui seraient assez lâches pour chercher à imiter ou à excuser leur crime!

J'ai cru dans ma naïveté au patriotisme d'un de ces trois hommes, et cela jusqu'au dernier moment, car quatre jours avant l'exécution de Riel, voyant l'imminence du danger, j'ai prié M. Bergeron, député de Beauharnois, d'aller dire de ma part, à M. Chapleau:

Si Riel est pendu sans que tu résignes, tu es un homme fini; si tu résignes, tu sauves Riel. Dans le premier cas, le parti libéral a un puissant adversaire de moins; et le pays une honte de plus. Dans le second cas, le pays a une gloire de plus et le ministre résignataire devient l'idole de ses compatriotes. J'ai tout à gagner comme chef de parti si tu restes; tu as tout à gagner si tu résignes. Résigne, Chapleau, et mets-toi à la tête de la province. Je serai à tes côtés pour t'aider de mes faibles efforts, et bénir ton nom à côté de celui de notre frère Riel, sauvé de l'échafaud.

M. Bergeron a dit au comité l'autre soir qu'il avait rempli, auprès de M. Chapleau, la mission que je lui avais confiée, dans le désespoir de mon patriotisme.

M. Chapleau a refusé la main d'un frère pour garder celle de Sir John; il a préféré les hurlements de quelques fanatiques aux bénédictions de toute la nation canadienne-française; il a préféré la mort à la vie; la mort pour lui, la mort pour Riel: sa carrière est brisée comme celle de Riel! seulement celui-ci est tombé en homme, celui-là en traître...

(J.O. Pelland, éditeur, *Discours, conférences de l'honorable Honoré Mercier* (Montréal, 1890), 328-333).

(2)

Messieurs,

Un vent de révolte souffle, en ce moment, avec violence sur la province de Québec, menaçant de renverser sur son passage, si on ne l'arrête, le parti conservateur et le ministère. Plaise à Dieu que là, seulement, se borne le désastre, et que la nation à laquelle nous appartenons n'en soit pas la ruine la plus sérieuse. Un parti politique peut vite se réorganiser, un ministère est bientôt oublié et se remplace encore plus facilement qu'il ne s'oublie; mais les blessures que reçoit un peuple saignent longtemps et ne se guérissent jamais complètement.

Autant je respecte le sentiment national qui produit le mouvement actuel, autant je déplore la cause de ce soulèvement, autant je gémis sur les tristes conséquences qui peuvent en résulter. La meilleure preuve que ce mouvement est mauvais, c'est qu'un esprit d'injustice semble le dominer. On soupçonne, on accuse, on condamne d'anciens et fidèles serviteurs du pays, sans les entendre, avant même qu'ils aient parlé...

On me reproche d'avoir failli à l'honneur en restant à mon poste, après que le cabinet fédéral eut refusé de commuer, en un emprisonnement pour la vie, la sentence de la peine capitale portée contre Louis Riel par le tribunal, et l'on regarde le refus de donner ma démission sollicitée par un grand nombre d'amis, comme une faute énorme dont je serai la première victime. [Il reconnaît qu'on lui a demandé de prendre la direction d'un vaste mouvement de protestation.] ... j'ai vu se dresser, comme une muraille infranchissable, le serment que j'ai prêté de remplir mon devoir, au risque de perdre amitiés et profits, et le sentiment intime, la conviction inébranlable, que ce que l'on me demandait était contraire à la justice et aux intérêts bien entendus de notre province. J'ai vu, comme conséquence logique de ce mouvement, l'isolement des Canadiens-Français créant l'antagonisme de race, provoquant des représailles, des luttes, des désastres. J'ai senti qu'il y avait plus de courage à braver le courant qu'à le suivre, et j'ai laissé passer, sans faillir à mon devoir, la foule égarée qui m'accablait des noms de traître et de lâche. Qu'importe ma personne ? Dans les crises difficiles que traverse une nation, les hommes ne sont rien, le salut du peuple est tout. La responsabilité du pouvoir impose, à ceux qui en sont chargés, l'obligation de voir au delà des intérêts du moment, de bien étudier si, en cédant à un entraînement populaire, quelque légitime qu'il paraisse, ils ne compromettent pas, pour bien des années, une cause sacrée...

Ministre de Sa Majesté, j'ai dû ... envisager froidement la question sous toutes ses faces, et, ne pas perdre de vue le serment solennel que j'ai prêté de faire mon devoir, de défendre l'autorité, et de protéger nos administrés. Responsable à ma conscience et à Dieu de chacune de mes décisions, je n'ai pu trouver de justification ni d'excuse valable au crime du condamné. Ses avocats eux-mêmes ont déclaré que l'instruction de son procès s'était faite d'une manière impartiale, et, la question de la folie étant écartée, le gouvernement n'a pas cru, malgré la demande de grâce, devoir conseiller à Sa Majesté, dans la personne de son représentant, d'empêcher que la loi n'eût son cours.

Nous n'avons cédé, en prenant cette décision, ni aux appels, ni à l'intimidation d'aucune secte ou faction, comme les ennemis du gouvernement se sont plu à le répéter. Nous n'avons consulté que l'intérêt suprême de la société, le plus grand bien du pays, la tranquillité nécessaire au développement si désirable des immenses régions de l'Ouest et, de plus, pour ma part, je puis le dire en toute sincérité, le plus grand bien d'une province et de compatriotes qui me sont chers...

On invoque l'affinité de race, le sentiment national pour nous taxer de faiblesse et de trahison. Faire autrement que nous avons fait eût été violer notre serment, sans profit pour le condamné, qui aurait été exécuté quand même tous les ministres français [Caron, Chapleau et Langevin] auraient donné leur démission, sans profit pour le pays, sans profit pour notre province, avec le risque effrayant de compromettre pour toujours nos intérêts les plus chers.

Ma conscience me dit que je n'ai failli, dans cette circonstance, ni à Dieu, ni au Souverain, ni à mes compatriotes. Le courage qui m'a porté à faire mon devoir, sans faiblesse, ne me fera pas défaut dans les tribulations dont on me menace. J'ai servi mon pays, comme député, depuis dix-huit ans, avec joie, avec orgueil. Je ne continuerai à le faire qu'à une condition: celle de garder ma liberté, et d'avoir seul le souci de mon honneur et de ma dignité.

J.A. Chapleau

Ottawa, 28 novembre 1885.

(Lettre adressée aux Canadiens-Français sur la question Riel, dans *L'Honorable J.A. Chapleau* (Montréal, 1887), 483-493.)

(3)

... Monsieur l'Orateur, dans la province où je demeure, et chez la race à laquelle j'appartiens, l'exécution de Riel a été universellement condamnée comme étant le sacrifice d'une vie, non à la justice inexorable, mais à une basse passion et vengeance...

Le gouvernement a certes convaincu tous ceux qu'il a mentionnés ici [il a cité un document officiel dans lequel les ministres expliquaient les motifs de leur décision], les métis, les sauvages, les colons blancs, qu'il a le bras long et puissant, et qu'il est capable de punir. Plût au ciel qu'il eût pris autant de peine pour les convaincre tous, les métis, les sauvages et les colons blancs, de son désir et de sa volonté de leur rendre justice, de les traiter convenablement. S'il eût pris autant de peine pour bien faire qu'il en a pris pour punir le mal, il n'aurait jamais eu l'occasion de convaincre ces gens que l'on ne peut violer impunément la loi, car la loi n'aurait jamais été violée. Mais aujourd'hui, pour ne pas parler de ceux qui ont perdu la vie, nos prisons sont remplies d'hommes qui, désespérant de jamais obtenir justice au moyen de la paix, cherchèrent à l'obtenir par la guerre, qui, désespérant d'être jamais traités comme des hommes libres, entreprirent de se protéger eux-mêmes plutôt que d'être traités comme des esclaves. Ils ont beaucoup souffert; ils souffrent encore. Leurs sacrifices ne resteront pas sans récompense. Leur chef est dans la tombe; ils sont en prison, mais ils peuvent, de là, voir que cette justice, cette liberté qu'ils ont demandée en vain, et pour laquelle ils n'ont pas combattu en vain, s'est enfin levée sur leur pays...

Oui, leur pays a triomphé avec leur martyre. Ils sont en prison aujourd'hui, mais les droits pour lesquels ils combattaient ont été reconnus. Nous n'avons pas encore le rapport de la commission [chargée de faire enquête sur les griefs des habitants des territoires], mais nous savons que plus de deux mille réclamations que l'on avait si longtemps niées ont enfin été réglées. Et il y a plus — plus encore. Le discours du trône nous dit que ces territoires vont enfin obtenir d'être représentés au parlement. La gauche de cette Chambre a longtemps combattu, mais en vain, pour obtenir cette mesure de justice. Elle ne pouvait venir alors, mais elle est venue après la guerre; elle est venue comme la dernière conquête de cette insurrection. Je répète que leur pays a triomphé avec leur martyre, et, si nous considérons ce seul fait, il y avait une raison suffisante, indépendamment de toutes les autres, pour montrer de la clémence à celui qui est mort et à ceux qui lui survivent.

(*Débats de la Chambre des Communes,* séance du 16 mars 1886, 1: 179, 189.)

12. - *L'industrialisation et ses problèmes*

(1889)

Le Canada s'industrialisait rapidement. Chaque année, des milliers de citoyens quittaient les régions exclusivement rurales pour aller travailler dans les centres urbains. De nouveaux problèmes sollicitaient l'attention des dirigeants du pays. En 1886, le gouvernement fédéral créa une Commission royale « chargée de faire une enquête et un rapport sur la question du travail [et] ses relations avec le capital ». Les commissaires enquêteurs siégèrent dans les principales villes de l'est du pays et recueillirent près de deux mille témoignages. L'enquête révéla combien pénible était le sort réservé à la classe ouvrière. La Commission remit son rapport en février 1889. Elle recommanda plusieurs réformes, dont la création d'un ministère fédéral du travail. Voir *Rapport de la Commission royale sur les relations du travail avec le capital au Canada* (Ottawa, 1889) et les témoignages annexés.

(1)

Témoignage d'une ouvrière

Montréal, 16 février 1888.

ADÈLE LAVOIE, employée de la manufacture de coton Ste-Anne, à Hochelaga, 19 ans, assermentée.

Q. — Vous avez quitté la fabrique ? R. — Oui.

Q. — Combien étiez-vous payée par pièce ? R. — Seulement $0.25 par pièce.

Q. — Combien de temps avez-vous travaillé à la fabrique ? R. — Il y aura trois ans le printemps prochain.

Q. — Avez-vous payé beaucoup d'amendes ? R. — Oui, monsieur, si j'avais toutes les amendes que j'ai payées ! [L'enquête avait révélé que les contremaîtres imposaient arbitrairement des amendes nombreuses aux femmes et aux enfants qui travaillaient sous leurs ordres.]

Q. — Savez-vous à peu près combien d'amendes vous avez payées pendant les trois ans ? R. — Je ne puis pas dire combien, mais je crois bien que ça fait au-dessus de 12 à 13 piastres, parce que, à toutes les quinzaines, j'avais toujours 40 à 50 cents d'amendes.

Q. — Pourquoi vous a-t-on imposé des amendes; vous en rappelez-vous ? R. — Parce que des fois, c'était du mauvais coton qu'on travaillait, même ça ne valait pas la peine de payer pour; deux brins seulement cassaient; ensuite, pour des manques et des taches noires lavées, mais pas bien lavées et des « barres claires » (clairières).

Q. — Y a-t-il des enfants qui travaillent dans l'atelier où vous travaillez ? R. — Oui, monsieur, il y a des enfants pour charroyer le fil et les boîtes.

Q. — Quel âge ont-ils, ces enfants-là ? R. — Je ne puis pas dire à peu près, mais celui qu'on a, nous autres, il n'est pas grand.

Q. — Est-il permis à ces enfants de jouer pendant la journée ? R. — Non, monsieur.

Q. — Vous jurez que ces enfants ne jouent jamais ? R. — Je m'en vais vous dire: nous autres, nous sommes occupées à notre ouvrage, et je ne le sais pas.

Q. — A quelle heure alliez-vous à la fabrique ? R. — La journée devait commencer à six heures et demie. Si on n'était pas rendu à la minute, on était mis à l'amende, ou bien réprimandé.

Q. — A quelle heure le travail finissait-il ? R. — Quand on ne travaillait pas le soir, on finissait à six heures et quart et quand on travaillait le soir, à sept heures et quart.

Q. — Quand vous travailliez jusqu'à sept heures et quart, aviez-vous un temps de repos pour prendre votre thé ou vous reposer ? R. — Non, monsieur, et si on ne travaillait pas jusqu'à sept heures et quart, on était *clairé,* c'est-à-dire déchargé de la *facterie.*

Q. — Avez-vous travaillé des fois plus tard que sept heures et quart ? R. — Des fois jusqu'à sept heures et demie.

Q. — Vous n'avez jamais travaillé jusqu'à 9 heures ? R. — Pas moi.

(*Rapport de la Commission royale sur les relations du capital et du travail au Canada. Témoignages. — Québec.* (Ottawa, 1889), partie I, 311-313.)

(2)

Travail des enfants

SAMUEL LABRY, apprenti-tabaconniste, de Montréal, assermenté.

Q. — Quel âge avez-vous ? R. — Dix ans.

Q. — Depuis combien de temps travaillez-vous ? R. — Six ou sept mois.

Q. — Combien gagnez-vous par semaine ? R. — Une piastre et vingt-cinq centins.

Q. — A quelle heure allez-vous au travail ? R. — A sept heures moins un quart le matin.

Q. — A quelle heure quittez-vous la fabrique le soir ? R. — A six heures moins un quart.

Q. — A quelle heure prenez-vous votre dîner ? R. — A midi moins dix minutes.

Q. — A quelle heure retournez-vous à l'ouvrage après dîner ? R. — A une heure.

Q. — Le samedi, à quelle heure quittez-vous la fabrique ? R. — Nous finissons à quatre heures.

Q. — Avez-vous été battu dans la fabrique ? R. — Non, monsieur. [Les commissaires avaient découvert que des contremaîtres battaient les enfants.]

Q. — Avez-vous payé des amendes ? R. — Non, monsieur.

Q. — Demeurez-vous avec vos parents ? R. — Oui, monsieur. (*Ibid.*, partie I, 266.)

(3)

Accidents du travail

CHARLES LABELLE, charpentier, assermenté.

Q. — Quel âge avez-vous ? R. — Seize ans.

Q. — A quel âge avez-vous commencé à travailler dans un moulin-à-scies ? R. — A onze ans.

Q. — Avez-vous été blessé ? R. — Oui, monsieur.

Q. — Quel âge aviez-vous quand vous avez été blessé ? R. — Quatorze ans.

Q. — Il y a deux ans que vous avez été blessé ? R. — Oui, monsieur.

Q. — Voulez-vous nous montrer votre blessure ? R. — Oui, monsieur.

Q. — Vous avez eu l'index et le médium de la main droite coupés ? R. — Oui, monsieur.

Q. — Voulez-vous nous expliquer comment vous avez été blessé ? R. — J'étais après pousser un morceau de bois et j'ai tourné la tête et la main m'a glissé dans un couteau d'un *boss planer*.

Q. — Avez-vous reçu une compensation quelconque de la part de la maison où vous travailliez ? R. — Oui, monsieur.

Q. — Combien ? R. — Trois piastres par semaine.

Q. — Vous avez reçu trois piastres par semaine pendant combien de temps ? R. — Tout le temps que j'ai été arrêté.

Q. — Mais vous n'avez reçu aucune compensation pour la perte de vos deux doigts ? R. — Non, monsieur.

Q. — Etiez-vous à l'hôpital ? R. — Oui, monsieur.

Q. — Combien gagniez-vous quand vous avez été blessé ? R. — Trois piastres par semaine.

Q. — Ils vous ont payé votre temps ? R. — Oui, monsieur.

Q. — Par ordre de qui travailliez-vous à la machine ? R. — Par moi-même, j'étais après arranger une scie et j'ai passé un morceau de bois dans le boss-planer pour arranger ma scie; personne m'avait dit de travailler dessus; j'y ai travaillé de moi-même.

Q. — Savez-vous s'il y a des jeunes enfants employés au même ouvrage actuellement dans la fabrique ? R. — Pas directement avec moi.

(*Ibid.*, partie I, 167.)

(4)

Influence des associations ouvrières

Parmi les questions qui ont été traitées devant la Commission il en est une qui est très intéressante et très importante pour les ouvriers: l'influence des associations d'ouvriers. Il n'y a rien de plus frappant que le contraste qui existe entre les districts où il y a des associations ouvrières et ceux où les principes de ces associations sont encore ignorés. Le progrès qui a été fait dans les villes où il y a beaucoup d'ouvriers, dans le sens de l'établissement d'associations ouvrières, démontre quelle est leur utilité. On peut croire sans peine qu'elles sont destinées à exercer une grande influence dans la solution du problème ouvrier. A mesure que les ouvriers s'unissent on comprend mieux l'influence et l'utilité du travail. D'une manière lente et sûre le travail et le capital se rapprochent, à mesure que les principes et les aspirations des associations ouvrières sont mieux compris. En 1887, le président du congrès des associations ouvrières anglaises disait dans son discours au congrès: « Le principe du recours aux faits et à la raison, au lieu de recourir à la violence, est raisonnable et s'impose à première vue aux ouvriers. » Cette déclaration est l'énoncé d'un principe adopté par les associations ouvrières. On voit que de grands progrès se sont accomplis depuis quelques années; car une grande partie des disputes qui s'élèvent entre patrons et ouvriers sont maintenant réglées à l'amiable, grâce à la conciliation, ou à l'arbitrage, amenés par les associations ouvrières intéressées...

Sans doute la question des salaires est celle d'où naît le plus grand nombre de difficultés, et c'est pour empêcher à ce sujet tout différend que les sociétés ouvrières ont fait les plus grands efforts. D'après les témoignages rendus devant la Commission, c'est avec raison qu'on se plaint que les ouvriers ne sont pas payés suffisamment pour leur travail, qu'ils sont trop souvent incapables de mettre les deux bouts ensemble et que le capital profite souvent de leur pauvreté pour leur imposer ses conditions. Cela existe surtout dans les endroits où il n'y a pas d'associations ouvrières. Dans ces endroits les salaires sont invariablement rognés en hiver. Mais dans les villes et villages où il y a des associations ouvrières les salaires sont non seulement plus élevés, mais ils sont les mêmes toute l'année. La raison de ceci, c'est que ces associations prétendent avoir le même droit que le patron de déterminer la valeur du travail des ouvriers, et que le salaire minimum qu'elles fixent est un salaire suffisant pour que l'ouvrier puisse vivre... Les ouvriers se demandent pourquoi le travail et le capital ne se rencontreraient pas pour fixer le prix du travail au moyen duquel sont faites ces marchandises. Une société industrielle de cette nature réglerait du coup la question des salaires, ainsi que celle de la longueur de la journée de travail. Le travail dit: Faites disparaître ou réglez ces deux questions, et l'union du capital et du travail sera un fait accompli.

Le but principal des sociétés ouvrières jusqu'à ces derniers temps a été de protéger les ouvriers quant au salaire et contre la concurrence illégitime en réduisant les heures de travail. Mais elles ont agrandi leur champ d'action et on ne saurait avoir pour elles trop d'estime. Elles ont fait beaucoup de bien en répandant un esprit de modération, et une manière parlementaire de procéder dans les assemblées. Elles ont fait naître un esprit d'indépendance et de confiance en soi et habitué les ouvriers à se fier à eux-mêmes, plutôt que demander des secours au gouvernement. La loi pourrait faire beaucoup de bien, mais les ouvriers peuvent se faire beaucoup de bien à eux-mêmes en s'unissant... *(Rapport de la Commission royale sur les relations du travail avec le capital au Canada* (Ottawa, 1889), rapport des commissaires, 111-112.)

13. - Écoles du Manitoba

(1895)

Les catholiques de langue française ne formaient plus, en 1890, qu'un septième de la population du Manitoba. Quelques chefs politiques s'assurèrent un succès facile en soulevant les préjugés de la majorité anglo-protestante. Le gouvernement Greenway fit adopter, au printemps de 1890, deux lois ayant pour but de priver la minorité de ses droits. La première de ces lois ne reconnaissait plus la langue française comme l'une des deux langues officielles de la province tout en respectant l'usage facultatif du français ou de l'anglais dans les débats parlementaires. Le seconde loi visait à la suppression des écoles séparées ou confessionnelles. Une telle législation était contraire à la lettre et à l'esprit de la constitution du Manitoba (voir document No 6). Les catholiques demandèrent au gouvernement fédéral de désavouer la loi scolaire. Le parlement canadien adopta une loi ordonnant au ministère de prendre l'avis d'un haut tribunal de justice avant d'exercer son pouvoir de désaveu. De longues poursuites judiciaires s'engagèrent. Une première décision du Conseil privé, rendue le 30 juillet 1892, ne reconnut pas la légitimité des revendications des catholiques manitobains. Consultée par le gouvernement d'Ottawa, la Cour suprême émit l'opinion, le 20 février 1894, que la minorité catholique du Manitoba n'avait pas le droit d'en appeler au gouvernement fédéral. Se prononçant dans une nouvelle cause, le 29 janvier 1895, le Conseil privé admit que les lois scolaires du Manitoba causaient préjudice aux droits des catholiques et conclut que le gouvernement canadien avait le droit d'intervenir en leur faveur. Le cabinet fédéral entama des négociations avec le gouvernement manitobain dans le but de faire rendre justice à la minorité catholique. Le gouvernement Greenway se montra décidé à maintenir en vigueur les nouvelles lois scolaires. Le document que nous reproduisons le démontre clairement. Voir Lionel Groulx, *L'Enseignement français au Canada,* 2: 71-137; Robert Rumilly, *Histoire de la province de Québec,* 7: 88-99, 104-133, 158-167, 172-178, 200-236; 8: 9-46, 59-68, 74-84, 126-179; 9: 213-215.

Rapport soumis au lieutenant-gouverneur de la province, le 20 décembre 1895, par le comité du Conseil exécutif chargé d'étudier les demandes et les suggestions du gouvernement fédéral au sujet du système scolaire de la province. Ce rapport fut approuvé par le lieutenant-gouverneur et transmis au gouvernement fédéral le 21 décembre 1895, voir *Documents de la session de 1896,* (Doc. No. 39), 9: 4-6.

...Le redressement ou la réparation que l'on cherche à obtenir est le rétablissement, sous une forme quelconque, des écoles séparées subventionnées par l'Etat. On ne voit pas s'il s'agit de mettre en fait les écoles séparées sous le contrôle du clergé, comme l'étaient les écoles catholiques avant 1890. Il est cependant assez certain qu'aucune concession, qui n'admettra pas le principe de pareilles écoles séparées et qui ne le consacrera pas dans les statuts scolaires du Manitoba, ne sera considérée comme une mesure réparatrice suffisante, ni acceptée comme une solution de la difficulté. Si cette conclusion est juste, et il me semble qu'on n'en peut tirer aucune autre, il faudra écarter comme inutile l'examen de toutes concessions proposées autres que celle du rétablissement des écoles séparées. De fait, on peut dire que ... les conseillers de Son Excellence le Gouverneur général ont décidé, en principe, de rétablir les écoles séparées subventionnées par l'Etat pour la minorité catholique romaine; que les conseillers de Son Excellence veulent que cette politique soit adoptée et appliquée par le gouvernement et la législature du Manitoba, et que, si elle ne l'est pas, le parlement du Canada soit immédiatement appelé à rétablir ces écoles séparées par une loi fédérale, au mépris des désirs de la population de la province, de sa législature et de son gouvernement.

La question se pose donc très clairement.

Il est à propos de faire ici quelques observations sur cette déclaration de la politique et de l'intention des conseillers de Son Excellence.

Il a été décidé par le comité judiciaire du Conseil privé que les lois scolaires actuelles du Manitoba sont constitutionnellement valides. La décision plus récente du même tribunal n'infirme en rien la première, qui subsiste comme une déclaration d'autorité que les statuts abolissant les écoles séparées sont constitutionnels et que, par conséquent, ces écoles séparées ne sont pas garanties à la minorité par la constitution.

L'Assemblée législative de la province a déclaré à plusieurs reprises qu'elle était fermement déterminée à maintenir le principe de la loi scolaire actuelle.

Lors des élections générales qui ont eu lieu pendant l'année 1892, on a expressément demandé au peuple de la province de se prononcer sur ce principe, et le résultat a été que tous les partis se sont déclarés déterminés à le maintenir.

La décision du comité judiciaire du Conseil privé dans la cause qui fut portée devant la cour Suprême du Canada par le gouvernement fédéral a été mal comprise par beaucoup de gens. Toute sa portée, tout son effet, en ce qui concerne le parlement ou le gouvernement du Canada, ou la législature ou le gouvernement du Manitoba, est de déclarer et de définir ce que sont les pouvoirs du gouverneur général en conseil et du parlement du Canada en l'exercice de leur juridiction d'appel.

J'affirme respectueusement que le comité judiciaire du Conseil privé n'a pas déclaré comment les pouvoirs du parlement ou du gouvernement doivent s'exercer, et que la dite cour n'a pas d'autorité pour faire cette déclaration. Sa fonction était de déclarer en quoi consistent les pouvoirs constitutionnels du gouvernement et du parlement et non de leur indiquer une ligne de conduite. La détermination à prendre dans l'exercice de ces pouvoirs est purement affaire de politique sur laquelle il appartient au peuple du Canada, et non aux cours de justice, de se prononcer en dernier ressort.

Le redressement des griefs de la minorité a été soumis au Gouverneur général en conseil et va l'être maintenant au Parlement comme une question de politique à décider au point de vue de l'intérêt éducationnel, mais toujours sous la réserve du principe bien reconnu que l'autorité centrale ne doit pas s'immiscer en affaire de compétence provinciale, excepté dans un cas de très urgente nécessité.

Le Gouverneur général en conseil n'était aucunement tenu par la constitution de prendre un arrêté réparateur accordant en tout ou en partie la demande des appelants, non plus que le Parlement n'est obligé par la constitution, expressément ni implicitement, de donner effet en tout ou en partie à l'ordre réparateur.

Ce fait étant bien établi, j'exprime avec confiance l'opinion qu'il n'a pas été produit de motif suffisant pour justifier l'intervention du gouvernement ou du parlement du Dominion dans nos affaires éducationnelles.

Le remède que l'on veut employer mettrait en grand danger le principe de l'autonomie provinciale. Un examen désintéressé de la question, en tenant compte de la pratique constitutionnelle reconnue dans des cas analogues, indique clairement qu'il ne faut faire usage de ce remède qu'à la dernière extrémité et sur les preuves les plus claires de sa nécessité. Il est évident qu'un procédé aussi draconien que la coercition d'une province pour lui imposer une politique contraire aux vœux déclarés par la population, n'est admissible que sur les preuves manifestes d'abus flagrants de la part de l'autorité provinciale.

Dans le cas présent, l'autorité provinciale n'a commis aucune injustice. La législature soutient avec raison que la loi dont on se plaint est fondée sur le principe de l'égalité de justice à l'égard de toutes les sections de la communauté, et telle était la confiance de ce corps dans l'équité et la justice de son acte qu'en sa réponse à l'ordre réparateur, il provoqua une enquête impartiale sur les faits.

Le jugement de la cour qui déclare que la minorité a des griefs n'indique nullement qu'il y ait eu injustice morale ou politique. Le grief légal dont parle le jugement consiste dans l'abolition d'un privilège possédé naguère, sans qu'il soit dit si ce privilège était fondé sur la raison et la justice.

Il n'y a donc pas à en conclure que le privilège doive être rétabli; la question de savoir s'il doit l'être ou non est affaire de politique publique.

Les raisons qui ont porté les conseillers de Son Excellence à décider, sans enquête, le rétablissement d'écoles séparées pour la minorité catholique romaine au Manitoba n'ont pas été communiquées au gouvernement ou à la législature de la province, et j'affirme respectueusement qu'après avoir examiné à fond toute la question, je n'ai pu trouver de raison suffisante pour l'adoption d'une pareille politique.

Par ces considérations, je crois devoir émettre ici l'avis, en ce qui concerne le gouvernement du Manitoba, que la proposition d'établir sous quelque forme que ce soit un système d'écoles séparées, soit positivement et définitivement rejetée, et que l'on maintienne le principe d'un système uniforme d'écoles publiques non confessionnelles...

Le désir de la législature et du gouvernement de la province, dans tout le cours de cette affaire, depuis l'adoption des statuts de 1890, a été de procurer aux enfants de nos citoyens les meilleurs moyens possibles d'éducation. Tous les efforts ont tendu vers ce but et tous les sacrifices pécuniaires possibles ont été faits pour établir un système scolaire basé sur des principes solides, et des écoles installées et administrées d'après les méthodes modernes approuvées. Quoiqu'il reste encore beaucoup à faire, on peut affirmer sans crainte que le succès a couronné nos efforts dans une mesure raisonnable.

On se propose par des modifications ultérieures à la loi et dans l'administration du système de remédier à tout défaut reconnu et à effacer toute apparence d'inégalité ou d'injustice qui pourrait être signalée.

Ayant cet objet en vue, le gouvernement et la législature seront toujours prêts à tenir compte, dans un esprit de justice et de conciliation, de toute plainte qui pourrait être portée à leur connaissance.

Il paraît donc bien raisonnable de conclure de là qu'en laissant la question à leur disposition, les véritables intérêts de la minorité seront mieux sauvegardés que par la tentative d'établir un système d'écoles séparées au moyen d'une loi coercitive.

Un pareil système, déjà en défaveur, serait de suite paralysé par le manque de moyens pécuniaires suffisants et d'installations scolaires appropriées, et serait plus dommageable qu'avantageux à ceux pour lesquels on veut l'établir.

Le tout respectueusement soumis.

Daté de la salle du Conseil, Winnipeg, ce vingtième jour de décembre A.D. 1895.

(Signé) CLIFFORD SIFTON, Procureur général.

14. - Guerre des Boers

(1900)

Lors de la guerre des Boers (1899-1902), le gouvernement fédéral prit l'initiative d'envoyer un corps expéditionnaire en Afrique du Sud. Le parlement n'était pas alors en session. Peu après la rentrée des Chambres, Henri Bourassa critiqua sévèrement la politique suivie par le ministère, accusant celui-ci d'avoir violé la constitution puisqu'il avait décidé d'intervenir en Afrique sans l'approbation des représentants du peuple. Il proposa une motion affirmant l'autorité suprême du parlement en politique extérieure. Laurier lui-même se chargea de répondre au député de Labelle. Voir Michel Brunet, *Canadians et Canadiens* (Montréal, 1954), 119-122; Robert Rumilly, *Histoire de la province de Québec,* 9: 113-219; 10: 9-73; Mason Wade, *The French Canadians, 1760-1945* (Toronto, 1955), 475-506.

(1)

Que cette Chambre insiste sur le principe de la souveraineté et de l'indépendance du parlement comme étant la base des institutions britanniques et la sauvegarde des libertés civiles et politiques des citoyens britanniques, et refuse, en conséquence, de considérer l'action du gouvernement au sujet de la guerre de l'Afrique du Sud comme un précédent qui doive engager ce pays dans toute action à venir.

Que cette Chambre déclare, de plus, qu'elle s'oppose à tout changement dans les relations politiques et militaires qui existent actuellement entre le Canada et la Grande-Bretagne à moins que tel changement ne soit décrété par la volonté souveraine du parlement et sanctionné par le peuple du Canada.

(Déclaration proposée par Henri Bourassa, député de Labelle, *Débats de la Chambre des Communes,* séance du 13 mars 1900, 1: 1829.)

(2)

... Non, M. l'Orateur, ce n'est pas l'Angleterre, ce n'est pas M. Chamberlain ou le bureau colonial qui nous ont forcés à agir comme nous l'avons fait. Je ne puis comprendre ce qu'a voulu dire mon honorable ami [Henri Bourassa] quand il a dit que le gouvernement ne devait pas engager l'avenir de ce pays. Quand, comment avons-nous engagé l'avenir de ce pays ? Nous avons agi avec toute l'indépendance de notre pouvoir souverain. Ce que nous avons accompli, nous l'avons fait de notre plein gré; mais je ne puis dire quelles seront les conséquences de ces actes, je ne puis prédire ce que l'avenir nous réserve sur ce point. Je n'ai qu'une chose à déclarer à cet égard, c'est que si le peuple du Canada, dans toute circonstance à venir, exprime le sentiment que nous devrions participer aux guerres de l'empire, la volonté du peuple du Canada sera respectée.

Mon honorable ami me permettra de lui répéter la maxime qu'il a citée lui-même aujourd'hui et qu'il a tirée de la dépêche de lord Grey à lord Elgin: « On ne doit pas perdre de vue que le gouvernement des colonies britanniques de l'Amérique du Nord ne peut fonctionner contrairement à la volonté du peuple. » Ce langage était vrai en 1847, il l'est également en 1900 et le sera tant que nous jouirons d'institutions parlementaires libres dans ce pays.

Je n'hésite pas cependant à dire à mon honorable ami que si l'action du gouvernement signifiait que le Canada devra prendre part à toutes les guerres de la Grande-Bretagne et contribuer aux dépenses militaires de l'empire, je proclamerais avec lui que nous devrions tenir un compte sérieux des différences de conditions entre l'Angleterre et le Canada. Si nous sommes forcés de prendre part à toutes les guerres de la Grande-Bretagne, je partage entièrement l'opinion de mon honorable ami, c'est-à-dire, que supportant le poids de la guerre, il nous faudrait aussi en partager la responsabilité. Alors nous aurions le droit de dire à la Grande-Bretagne: Si vous avez besoin de notre aide, appelez-nous dans les conseils de l'empire, si vous voulez que nous prenions part à vos guerres, nous sommes prêts à en supporter le fardeau, mais de plus la responsabilité et les devoirs. Mais aujourd'hui, nous ne pouvons tenir ce langage.

Mon honorable ami oublie un point essentiel dans cette discussion, c'est que nous n'avons pas usé de notre pouvoir comme gouvernement pour forcer nos soldats à aller à la guerre. Nous avons une loi de milice dans ce pays, nous avons une armée composée de réguliers et de volontaires; nous n'avons pas forcé ces soldats, nous n'avons forcé personne à aller au Sud-africain. Le gouvernement n'a pas mis la loi de la milice en vigueur comme en 1885, alors que nous avions à combattre la rébellion du Nord-Ouest. Le gouvernement a appelé sous les armes nos corps de volontaires, et ceux-ci durent partir. Ils ont obéi de bonne grâce, sans doute, mais eussent-ils essayé de ne pas répondre à l'appel, ils auraient été forcés par leur serment d'obéir aux ordres du gouvernement. Dans le cas présent, rien de tel n'a été fait. Nous avons tout simplement fourni toutes les facilités de départ à ces 2,000 jeunes gens qui étaient désireux d'aller donner leur vie pour l'honneur de leur pays, pour le drapeau qu'ils chérissent.

Mon honorable ami nous a reproché, cet après-midi, d'avoir envoyé 2,000 hommes au lieu de 500 volontaires. Je le demande encore une fois à mon honorable ami, quelle aurait été la position du Canada si nous avions refusé à ces jeunes gens qui voulaient servir leur souverain dans cette guerre du Sud-africain, le privilège qu'ils réclamaient de nous? Si nous avions dit: 500 seulement d'entre vous partiront, quelle serait notre position maintenant? Qu'avons-nous fait de mal après tout; mon honorable ami peut-il nous reprocher notre conduite puisque nous n'avons fait que faciliter le départ de ces jeunes gens qui ont offert leur vie pour défendre une cause qu'ils croient sacrée? M. l'Orateur, s'il est une circonstance où nous ne devrions entendre aucune voix discordante dans cette Chambre, c'est bien celle-ci.

J'ai beaucoup admiré le discours de mon honorable ami. Je suis loin de partager ses vues. Mais je lui demande de se souvenir qu'il appartient à une famille de patriotes, ainsi qu'il le disait cet après-midi.

Je lui demande de se rappeler que les libertés dont il jouit aujourd'hui, il les doit en grande partie à cette famille.

Et s'il a des libertés, ne consentira-t-il pas d'autre part à accepter des obligations et des devoirs ? Veut-il que les sacrifices soient tout d'un côté et qu'il ne donne rien en retour ?

Nous n'étions pas obligés de faire ce que nous avons fait, mais nous avons cru qu'il fallait être généreux, qu'il fallait faire ce que nous étions tenus de faire. Quel homme de cœur qui, sachant la position particulière dans laquelle se trouve le pays, nous fera un crime d'avoir fait ce que nous avons fait ?...

(*Débats de la Chambre des Communes,* séance du 13 mars 1900, 1: 1837-1838.)

15. - *Ligue Nationaliste Canadienne*

(1903)

Quelques jeunes intellectuels, groupés autour d'Olivar Asselin, d'Omer Héroux et d'Armand Lavergne, fondèrent la Ligue Nationaliste Canadienne. Ces jeunes nationalistes avaient une grande admiration pour Henri Bourassa. Comme lui, ils rejetaient toute soumission aveugle aux partis traditionnels et préconisaient une politique de « Canada d'abord ». La Ligue publia, à partir du 6 mars 1904, un journal hebdomadaire, *Le Nationaliste,* qui joua un rôle important dans la vie politique de la province. Voir *Ligue Nationaliste Canadienne: programme adopté à une assemblée générale tenue le 1er mars 1903* (Montréal, 1903); Lionel Groulx, *Histoire du Canada français* (4 vol., Montréal, 1952), 4: 114-160; Robert Rumilly, *Histoire de la province de Québec,* 11: 13-29, 75-82, 119-124.

CONSIDÉRANT

Qu'il est raisonnable de croire que la Providence en donnant le Canada à l'Angleterre, a voulu le familiariser, par la conquête, puis par l'usage des institutions parlementaires, avec la jouissance de la liberté;

Que le peuple canadien, dans l'usage de ces institutions, a montré jusqu'ici une aptitude de plus en plus grande au gouvernement autonome;

Que les colonies autonomes de la Grande-Bretagne lui paient un tribut suffisant en lui donnant, pour des fins militaires, l'accès à leurs ports et l'usage de leurs voies de communication; et que la métropole, malgré ce tribut et malgré notre conservation volontaire du lien colonial en 1775 et en 1812, nous a imposé à diverses reprises des sacrifices onéreux et humiliants, notamment dans ses conventions avec les Etats-Unis;

Que, sans dénoncer un état politique qui nous a cependant fait subir deux invasions américaines, nous constatons la nécessité de nous opposer à tout resserrement du lien colonial, à cause surtout de l'incompatibilité des intérêts d'un vieux pays monarchique européen avec ceux d'un jeune pays démocratique américain;

Qu'en matière fiscale, il serait dangereux pour le Canada de reconnaître à l'Angleterre un titre permanent à des faveurs particulières, comme de prendre à son égard des engagements permanents;

Que l'intérêt et la sécurité du Canada s'opposent à ce qu'il participe à l'organisation militaire de la Grande-Bretagne;

CONSIDÉRANT AUSSI

Que pour le maintien et la prospérité de la Confédération canadienne, le pouvoir fédéral doit respecter les droits que les auteurs de la constitution de 1867 ont voulu garantir aux provinces et aux minorités, et par conséquent ne s'exercer que là où toutes les provinces ont des intérêts communs;

Que le respect de l'autonomie des provinces entraîne nécessairement la modification des relations financières des deux pouvoirs;

CONSIDÉRANT ENFIN

Que les gouvernements fédéral et provinciaux, tout en invitant la coopération des capitaux étrangers au développement de nos richesses naturelles, doivent, par une saine politique intérieure, assurer aux Canadiens la possession de leur patrimoine et développer en eux l'esprit national;

LES SOUSSIGNÉS

Se constituent en association sous le nom de LIGUE NATIO-NALISTE CANADIENNE et s'engagent à travailler à la réalisation du programme ci-dessous énoncé:

I. Pour le Canada, dans ses relations avec l'Angleterre, la plus large mesure d'autonomie politique, commerciale et militaire, compatible avec le maintien du lien colonial.

II. Pour les provinces canadiennes, dans leurs relations avec le pouvoir fédéral, la plus large mesure d'autonomie compatible avec le maintien du lien fédéral.

III. Par toute la Confédération, adoption d'une politique de développement économique et intellectuel exclusivement canadienne.

I. — RELATIONS DU CANADA
AVEC LA GRANDE-BRETAGNE

1. *Autonomie politique:*

(b) Opposition à toute participation du Canada aux délibérations du Parlement britannique et de tout conseil impérial permanent ou périodique.

(c) Consultation des Chambres par le gouvernement, sur l'opportunité de participer aux conférences extraordinaires des pays d'allégeance britannique, et publicité absolue des délibérations et décisions de ces conférences.

(g) Droit de représentation à tout congrès international où des intérêts canadiens seraient en jeu, et consultation des Chambres sur l'opportunité de se prévaloir de ce droit.

2. *Autonomie commerciale:*

(a) Droit absolu de faire et de défaire nos traités de commerce avec tous les pays, y compris la Grande-Bretagne et ses colonies.

(b) Liberté de nommer des agents qui pourront traiter directement des intérêts commerciaux canadiens avec les chancelleries étrangères.

3. *Autonomie militaire:*

(a) Abstention de toute participation du Canada aux guerres impériales en dehors du territoire canadien.

(c) Opposition à l'établissement d'une école navale au Canada avec le concours et pour le bénéfice de l'autorité impériale.

(d) Direction de notre milice et de nos écoles militaires, en temps de paix comme en temps de guerre, au point de vue exclusif de la défense du territoire canadien. — Refus absolu de tout congé demandé par un officier de milice en vue de prendre part à une guerre impériale.

(e) Commandement de la milice canadienne par un officier canadien nommé par le gouvernement canadien.

II. — RELATIONS DES PROVINCES
AVEC LE POUVOIR CENTRAL

1. Maintien absolu des droits garantis aux provinces par la Constitution de 1867 dans l'intention de ses auteurs. Respect du principe de la dualité des langues et du droit des minorités à des écoles séparées.

2. Modification de la base des subventions fédérales aux provinces...

3. Administration de la justice criminelle par le gouvernement fédéral et à ses frais.

4. Nomination des juges des tribunaux civils par les gouvernements provinciaux.

III. — POLITIQUE INTÉRIEURE

1. Détermination de notre politique douanière au point de vue exclusif des intérêts canadiens.

2. Abolition du système de subventions de l'Etat à des entreprises privées (chemin de fer, transports maritimes, etc.). Participation de l'Etat à ces entreprises (si elle est essentielle au bien public) à titre d'actionnaire seulement et dans les mêmes conditions que les autres actionnaires, ou à titre de créancier privilégié.

3. Exercice plus efficace, par le gouvernement, de son droit de réglementer les tarifs de transport et de déterminer le tracé et les terminus des chemins de fer.

4. Adoption par les provinces d'une politique de colonisation plus active et plus en harmonie avec leurs besoins respectifs. —

Attribution exclusive aux ministères de la Colonisation de la vente des terres pour fins agricoles.

6. Au système actuel d'aliénation permanente de nos forces hydrauliques ou pouvoirs d'eau, substitution d'un système de location aux enchères, par baux emphytéotiques.

7. Réforme immédiate de notre système d'exploitation forestière, en vue d'assurer la conservation de nos forêts.

8. Développement à l'école d'un enseignement patriotique...

9. Réglementation plus efficace des opérations des compagnies d'assurance, des associations de secours mutuel, des sociétés industrielles et financières en général, et des opérations de Bourse.

10. Adoption de lois propres à développer au Canada la production littéraire et artistique. — Adhésion de ce pays aux conventions internationales sur la propriété littéraire et les droits d'auteurs.

11. Application plus stricte des lois ouvrières actuelles, et adoption de nouvelles lois propres à garantir la sécurité du travail et la liberté d'association.

(*Ligue Nationaliste Canadienne*, 1-8.)

16. - *Le Canada et la défense de l'empire*

(1909)

La participation des colonies à la guerre des Boers avait démontré à la Grande-Bretagne qu'elle pouvait compter sur leur aide en cas de danger. La puissance sans cesse grandissante de l'Allemagne de Guillaume II alarmait les chefs de la nation britannique. Au cours de la session de 1909, quelques députés de l'opposition au parlement canadien se firent les interprètes de ceux qui demandaient une collaboration plus étroite entre les colonies et la mère-patrie pour assurer la défense de l'empire. Quelques-uns se déclarèrent en faveur d'une contribution financière aux dépenses navales et militaires de la Grande-Bretagne. Le gouvernement Laurier, quoique opposé à la fédération impériale dont rêvaient Chamberlain et ses disciples, avait toujours reconnu que le Canada n'était pas libre de se désintéresser du sort de l'empire auquel il appartenait. Répondant à un discours de George E. Foster, député conservateur de Toronto-Nord, le

29 mars 1909, Wilfrid Laurier réaffirma que le Canada était prêt à faire sa part pour maintenir la suprématie de l'empire britannique, mais s'opposa au versement d'une contribution financière. Le gouvernement libéral croyait plus opportun de créer une marine canadienne. Voir Paul Knaplund, *The British Empire, 1815-1939* (New York, 1941), 447-450, 574-585; Arthur R. Lower, *Colony to Nation: A History of Canada*, 447-453; Robert Rumilly, *Histoire de la province de Québec*, 14: 70-94, 134-155.

... Depuis plus de 100 ans, la suprématie navale de la Grande-Bretagne est incontestée — bien plus, la suprématie de l'Angleterre sur mer a été tellement absolue, que personne ne supposait qu'elle pouvait lui être disputée. Mais de nos jours, les événements se produisent avec une grande rapidité. Nous avons appris dernièrement que la plus puissante nation du monde sur terre se propose d'égaler la puissance de la Grande-Bretagne sur mer. Nous avons probablement lieu de croire, comme on vient de nous l'apprendre, que l'Allemagne construit plus de navires que l'Angleterre, et les construit plus rapidement.

Il y a une conclusion à tirer de ces renseignements, et c'est que l'Allemagne se prépare à faire un jour sur mer à l'Angleterre ce qu'elle a fait à la France sur terre.

Tout le monde sait aujourd'hui que pendant des années la Prusse se préparait dans l'ombre à lutter contre la France, qui, jusqu'alors, avait été la plus puissante nation militaire du monde; la Prusse attendait une occasion, et quand l'occasion se présenta, elle frappa le coup fatal.

S'il est vrai que l'Allemagne s'organise pour porter la lutte sur mer, aucun sujet britannique ne peut rester indifférent aux conséquences qui en peuvent découler. Pour ma part, je ne crois pas à l'imminence du danger. La nation allemande est une grande nation; depuis 60 ans elle a fait plus de progrès dans les arts de la paix et de la guerre que toute autre nation; elle a augmenté sa population de 40,000,000 à 62,000,000; elle a fait prendre à ses industries et à son commerce une merveilleuse extension; elle a augmenté sa richesse d'une manière prodigieuse.

Mais quant à mettre la marine allemande sur le même pied que la marine anglaise, quant à obtenir en quelques années des résultats qui sont l'œuvre de plusieurs siècles, c'est une tâche au-dessus des forces de l'Allemagne même, si grands que soient ses moyens et ses ressources.

Quoi qu'il en soit, nous savons que la Grande-Bretagne ne s'alarme pas outre mesure; les grands organes de l'opinion publique anglaise nous donnent l'assurance que l'Angleterre est en mesure de tenir tête à l'Allemagne sans l'aide des colonies.

Nous savons que le gouvernement anglais n'a pas jugé à propos, pour l'instant du moins, d'accepter l'offre généreuse que la Nouvelle-Zélande lui a faite d'un « Dreadnought ». Il est encore un autre point qu'il importe de ne pas perdre de vue.

Je le demande à tous ceux qui ont étudié l'histoire: n'est-il pas vrai que si l'Angleterre est, entre toutes les nations de l'univers, celle qui s'est adonnée au commerce plutôt qu'à la guerre, elle est aussi toujours sortie victorieuse des guerres où elle s'est trouvée engagée ? Cela, elle le doit tout d'abord au courage, à l'endurance et à la valeur de ses marins et de ses soldats; mais elle le doit aussi en grande partie à ce que tandis que d'autres nations épuisaient inutilement leurs forces à la guerre, elle pratiquait les arts de la paix et amassait des richesses; et c'est ainsi qu'elle a pu faire une ample moisson de trésors, tandis que ce facteur essentiel du succès faisait défaut à d'autres nations.

Si je ne crois pas à l'imminence du danger, je n'hésite pourtant pas à dire qu'il serait téméraire de s'endormir dans la plus complète sécurité. Vigilance ! éternelle vigilance ! tel devrait être aujourd'hui le mot d'ordre non seulement en Angleterre, mais aussi au Canada et dans toutes les autres parties de l'empire britannique. Je l'ai déjà déclaré en plus d'une occasion: je regretterais que le Canada fût entraîné dans le tourbillon du militarisme qui prévaut en Europe, où la situation tient de la démence. L'Europe est un véritable camp militaire; toutes les nations s'y trouvent en un état de paix armée presque aussi intolérable que la guerre elle-même. L'Angleterre est la seule nation qui ait gardé son sang-froid, qui ait résisté au militarisme dans toute la mesure dont elle était capable, qui ait refusé d'adopter la conscription et de sacrifier ses enfants sur l'autel du dieu insatiable de la guerre.

Je me plais à espérer que jamais le jour luira où nous devrons intervenir dans les conflits de l'Europe; mais je n'hésite aucunement à affirmer que la suprématie de l'empire britannique est chose absolument essentielle pour la civilisation universelle aussi bien que pour le maintien de cet empire même. Je n'hésite pas à affirmer qu'il faut maintenir l'empire britannique en l'état de suprématie incontestable qu'il occupe sur les mers depuis un siècle. Je n'hésite pas à affirmer non plus que si l'on venait à disputer un jour à l'Angleterre la suprématie sur les mers, le devoir incomberait à toutes les colonies d'entourer la mère-patrie et de constituer autour d'elle un rempart contre lequel toute attaque serait vaine. Ce jour, je me plais à l'espérer, ne luira jamais, mais s'il venait à luire, je me croirais tenu de consacrer ce qui me resterait de vie et d'énergie à parcourir le pays pour faire entrer dans l'esprit de mes concitoyens, et surtout de mes compatriotes de la province de Québec, la conviction que le salut de l'Angleterre est le salut de notre propre nation, et que c'est dans le salut de l'Angleterre que réside la garantie de notre liberté civile et religieuse, de tout ce que nous avons de plus précieux au monde.

Tels sont les sentiments qui animent le gouvernement à l'heure actuelle. Comme je le faisais observer tantôt à mon honorable ami [G.E. Foster, député conservateur de Toronto-Nord], le projet de résolution qu'il a déposé ne me paraît pas suffisamment explicite; c'est pourquoi je me permettrai d'y substituer le texte suivant qui, je l'espère, lui sera agréable:

> La Chambre se rend pleinement compte du devoir qui incombe à la nation canadienne, étant donné l'accroissement de sa population et de ses richesses, d'assumer dans une plus large mesure les responsabilités de la défense nationale;

> La Chambre réaffirme l'opinion, maintes fois exprimée par les représentants du Canada que, étant donné les relations constitutionnelles existant entre la mère-patrie et les colonies autonomes, le versement au trésor impérial d'une contribution déterminée pour des fins navales et militaires ne constituerait pas, en ce qui concerne le Canada, une solution satisfaisante du problème de la défense;

> La Chambre a noté avec satisfaction le soulagement que le peuple canadien a apporté aux contribuables du Royaume-Uni en se chargeant du fardeau de grandes dépenses militaires qui pesaient autrefois sur le trésor impérial;

> La Chambre approuvera cordialement toute dépense nécessaire destinée à favoriser l'organisation d'un service naval canadien en coopération et relation intimes avec la marine impériale, dans le sens indiqué par l'Amirauté lors de la dernière conférence impériale, et en complet accord avec l'idée que la supré-

matie navale de la Grande-Bretagne est essentielle à la protection effective du commerce, au salut de l'empire et au maintien de la paix universelle;

La Chambre est fermement convaincue que chaque fois que le besoin s'en fera sentir, le peuple canadien se montrera prêt et disposé à faire tous les sacrifices nécessaires pour prêter aux autorités impériales son concours le plus loyal et le plus cordial en toute mesure tendant au maintien de l'intégrité et de l'honneur de l'empire. [Ce texte substitué au projet de résolution du député de Toronto-Nord fut voté à l'unanimité par la Chambre.]

(*Débats de la Chambre des Communes*, séance du 29 mars 1909, 2: 3714-3715.)

17. - *La langue française et la religion catholique*

(1910)

Le XXIe Congrès eucharistique international se tint à Montréal du 6 au 11 septembre 1910. Pour la première fois, un tel congrès se réunissait en Amérique. Ces assises solennelles donnèrent aux catholiques canadiens l'occasion de manifester leur foi et leur attachement à l'Eglise. La métropole du Canada accueillit des milliers de visiteurs pendant ces journées mémorables. Le vendredi soir et le samedi soir, les 9 et 10 septembre, des orateurs éminents s'adressèrent à une foule nombreuse qui avait envahi l'église Notre-Dame pour prendre part aux séances générales du congrès. L'un des orateurs à la réunion du samedi soir, Mgr Bourne, archevêque de Westminster, souligna l'influence et le prestige de la langue anglaise en Amérique du Nord et se dit convaincu que l'Eglise catholique avait tout intérêt à utiliser cette langue pour prêcher et répandre sa doctrine parmi les immigrants venus s'établir au Canada. La foule, en majorité canadienne-française, ne put dissimuler son étonnement et son émotion. Henri Bourassa était l'avant-dernier orateur de la soirée. Il crut opportun de rappeler que la langue française avait servi et pouvait encore servir la foi catholique au Canada et aux Etats-Unis. Il fut ce soir-là le porte-parole de tous les catholiques canadiens de langue française. Son éloquent discours souleva un enthousiasme délirant. Voir *XXIe Congrès eucharistique international, Montréal* (Montréal 1911); Robert Rumilly, *Histoire de la province de Québec,* 15: 99-130; *Le Devoir,* 11 février 1950.

... Je remercie du fond du cœur l'éminent archevêque de Westminster d'avoir bien voulu toucher du doigt le principal obstacle à cette union et d'avoir abordé le plus inquiétant peut-être des problèmes internes de l'Eglise catholique au Canada.

Sa Grandeur a parlé de la question de langue. Elle nous a peint l'Amérique tout entière comme vouée dans l'avenir à l'usage de la langue anglaise; et au nom des intérêts catholiques elle nous a demandé de faire de cette langue l'idiome habituel dans lequel l'Evangile serait annoncé et prêché au peuple.

Ce problème épineux rend quelque peu difficiles, sur certains points du territoire canadien, les relations entre catholiques de langue anglaise et catholiques de langue française. Pourquoi ne pas l'aborder franchement, ce soir, au pied du Christ et en chercher la solution dans les hauteurs sublimes de la foi, de l'espérance et de la charité ?

A ceux d'entre vous, mes frères par la langue, qui parlez parfois durement de vos compatriotes irlandais, permettez-moi de dire que, quels que puissent être les conflits locaux, l'Eglise catholique tout entière doit à l'Irlande et à la race irlandaise une dette que tout catholique a le devoir d'acquitter. L'Irlande a donné pendant trois siècles, sous la persécution violente et devant les tentatives plus insidieuses des époques de paix, un exemple de persévérance dans la foi et d'esprit de corps dans la revendication de ses droits que tout peuple catholique doit lui envier, au lieu de lui en faire reproche.

A ceux d'entre vous qui disent: L'Irlandais a abandonné sa langue, c'est un renégat national; et il veut s'en venger en nous enlevant la nôtre, je réponds: Non. Si nous avions passé par les épreuves que l'Irlandais a subies, il y a longtemps peut-être que nous aurions perdu notre langue.

Quoi qu'il en soit, la langue anglaise est devenue l'idiome de l'Irlandais comme celui de l'Ecossais. Laissons à l'un et à l'autre, comme à l'Allemand et au Ruthène, comme aux catholiques de toutes les nations qui abordent sur cette terre hospitalière du

Canada, le droit de prier Dieu dans la langue qui est en même temps celle de leur race, de leur pays, la langue bénie du père et de la mère. N'arrachez à personne, ô prêtres du Christ! ce qui est le plus cher à l'homme après le Dieu qu'il adore.

Soyez sans crainte, vénérable évêque de Westminster: sur cette terre canadienne, et particulièrement sur cette terre française de Québec, nos pasteurs, comme ils l'ont toujours fait, prodigueront aux fils exilés de votre noble patrie, comme à ceux de l'héroïque Irlande, tous les secours de la religion dans la langue de leurs pères, soyez-en certain.

Mais en même temps, permettez-moi — permettez-moi, Eminence — de revendiquer le même droit pour mes compatriotes, pour ceux qui parlent ma langue, non seulement dans cette province, mais partout où il y a des groupes français qui vivent à l'ombre du drapeau britannique, du glorieux étendard étoilé, et surtout sous l'aile maternelle de l'Eglise catholique, de l'Eglise du Christ, qui est mort pour tous les hommes et qui n'a imposé à personne l'obligation de renier sa race, pour lui demeurer fidèle.

Je ne veux pas, par un nationalisme étroit, dire ce qui serait le contraire de ma pensée — et ne dites pas, mes compatriotes — que l'Eglise catholique doit être française au Canada. Non; mais dites avec moi que, chez trois millions de catholiques, descendants des premiers apôtres de la chrétienté en Amérique, la meilleure sauve-garde de la foi, c'est la conservation de l'idiome dans lequel, pendant trois cents ans, ils ont adoré le Christ.

Oui, quand le Christ était attaqué par les Iroquois, quand le Christ était renié par les Anglais, quand le Christ était combattu par tout le monde, nous l'avons confessé et nous l'avons confessé dans notre langue.

Le sort de trois millions de catholiques, j'en suis certain, ne peut être indifférent au cœur de Pie X pas plus qu'à celui de l'éminent cardinal qui le représente ici.

[L'orateur rappelle que l'Eglise a pu se développer librement dans la province de Québec.]

De cette petite province de Québec, de cette minuscule colonie française, dont la langue, dit-on, est appelée à disparaître, sont sor-tis les trois quarts du clergé de l'Amérique du Nord, qui est venu puiser au séminaire de Québec ou de Saint-Sulpice la science et la vertu qui ornent aujourd'hui le clergé de la grande république américaine, et le clergé de langue anglaise aussi bien que le clergé de langue française du Canada.

Eminence, vous avez visité nos communautés religieuses, vous êtes allé chercher dans les couvents, dans les hôpitaux et dans les collèges de Montréal la preuve de la foi et des œuvres du peuple canadien-français. Il vous faudrait rester deux ans en Amérique, franchir cinq mille kilomètres de pays depuis le Cap Breton jusqu'à la Colombie-Anglaise, et visiter la moitié de la glorieuse république américaine — partout où la foi doit s'annoncer, partout où la charité catholique peut s'exercer — pour retracer les fondations de toutes sortes — collèges, couvents, hôpitaux, asiles — filles de ces institutions-mères que vous avez visitées ici. Faut-il en conclure que les Canadiens français ont été plus zélés, plus apostoliques que les autres ? Non, mais la Providence a voulu qu'ils soient les apôtres de l'Amérique du Nord.

Que l'on se garde, oui, que l'on se garde avec soin d'éteindre ce foyer intense de lumière qui éclaire tout un continent depuis trois siècles; que l'on se garde de tarir cette source de charité qui va partout consoler les pauvres, soigner les malades, soulager les infirmes, recueillir les malheureux et faire aimer l'Eglise de Dieu, le pape et les évêques de toutes langues et de toutes races.

« Mais, dira-t-on, vous n'êtes qu'une poignée; vous êtes fatalement destinés à disparaître; pourquoi vous obstiner dans la lutte ? » Nous ne sommes qu'une poignée, c'est vrai; mais ce n'est pas à l'école du Christ que j'ai appris à compter le droit et les forces morales d'après le nombre et les richesses. Nous ne sommes qu'une poignée, c'est vrai; mais nous comptons pour ce que nous sommes, et nous avons le droit de vivre.

Douze apôtres, méprisés en leur temps par tout ce qu'il y avait de riche, d'influent et d'instruit ont conquis le monde. Je ne dis pas: Laissez les Canadiens français conquérir l'Amérique. Ils ne le demandent pas. Nous vous disons simplement: Laissez-nous notre place au foyer de l'Eglise et faire notre part du travail pour assurer son triomphe.

Après la mort du Christ, saint Pierre voulut un jour marquer la supériorité des Hébreux sur les Gentils. Saint Paul, l'apôtre des nations, lui rappela qu'il devait être le père de toutes les races, de toutes les langues. Le pape le comprit; depuis dix-neuf cents ans, il n'y a pas eu de pape hébreu, de pape romain, de pape italien, de pape français, mais le Pape, père de toute la grande famille catholique.

Montons plus haut, montons jusqu'au Calvaire, et là, sur cette petite montagne de Judée, qui n'était pas bien haute dans le monde, apprenons la leçon de la tolérance et de la vraie charité chrétienne.

Les peuples de l'antiquité, dans l'attente du salut, montèrent jusqu'au Christ, pour en recevoir le mot de la rédemption éternelle. Depuis le Christ, toutes les races et toutes les nations, lavant dans son sang leurs préjugés, doivent s'unir pour constituer son Eglise. Que dans le Christ et dans l'amour commun de l'Eucharistie, toutes les races du Canada, ayant appris à respecter le domaine particulier de chacune, à conserver à chacune les forces d'expansion nationales qui lui sont propres, sachent enfin s'unir étroitement pour la gloire de l'Eglise universelle, pour le triomphe du Christ et de la papauté; et, ajouterai-je en terminant, pour la sécurité de l'Empire britannique, car c'est dans l'unité de foi des catholiques canadiens, des Canadiens français surtout, que l'Empire britannique trouvera, dans l'avenir comme dans le passé, la garantie la plus certaine de sa puissance au Canada.

(Texte donné dans *Le Devoir*, le 11 février 1950.)

18. - *La première Grande Guerre*

(1914)

L'entrée en guerre de la Grande-Bretagne, le 4 août, décida de la participation canadienne au conflit. Dès le 6 août, le gouvernement fédéral ordonna la formation d'un contingent de volontaires. Le parlement se réunit d'urgence le 18 août. Cette session spéciale ne dura que cinq jours. Le débat sur l'adresse en réponse au discours du trône démontra que les deux partis politiques admettaient l'obligation, pour le Canada, de participer à la défense de l'empire. Les Chambres approuvèrent les mesures extraordinaires que le gouvernement avait prises pour mettre le pays sur un pied de guerre et accordèrent au cabinet des pouvoirs très étendus en adoptant la Loi des mesures de guerre. Voir **Arthur R. M. Lower**, *Colony to Nation: A History of Canada*, 454-473; **Edgar McInnis**, *Canada: A Political and Social History*, 404-415; **Robert Rumilly**, *Histoire de la province de Québec*, 19: 14-74.

(1)

Discours du trône

Honorables Messieurs du Sénat:

Messieurs de la Chambre des Communes:

De très graves événements touchant de bien près aux intérêts des Dominions de Sa Majesté se sont produits depuis la prorogation. La déplorable guerre qui vient d'éclater a mis mes ministres dans l'obligation de prendre immédiatement des mesures extraordinaires pour la défense du Canada, ainsi que pour le maintien de l'honneur et de l'intégrité de notre empire...

Les circonstances critiques dans lesquelles nous venons d'entrer ont soulevé au plus haut degré le patriotisme et la loyauté qui ont toujours animé le peuple canadien. De chaque province, et en réalité de tous les points du pays, la réponse à l'appel du devoir a réalisé tout ce qu'on pouvait désirer.

Le même sentiment qui anime le Canada se manifeste aussi dans toutes les possessions de Sa Majesté par tout l'univers, et nous pouvons être assurés que cette unanimité à repousser le danger commun ne manquera pas de resserrer encore davantage les liens qui unissent ces vastes dominions dans la possession et la jouissance des bienfaits de la liberté britannique.

A titre de représentant de Sa Majesté le Roi, je désire vous exprimer ma reconnaissance et mon admiration pour l'admirable esprit de patriotisme et pour la générosité qui se manifeste par toute l'étendue du Canada. (*Débats de la Chambre des Communes,* session spéciale, 1914, le 18 août, 1-2.)

(2)

Débat sur l'Adresse en réponse au discours du Trône

D.-O. LESPÉRANCE, député de Montmagny [choisi par le gouvernement pour appuyer la proposition d'une adresse en réponse au discours du trône]: ... C'est pour défendre l'héritage de nos pères,

74

pour assurer la sauvegarde de nos propriétés et de nos libertés mena-
cées que nous sommes réunis en ce moment... Nous avons eu nos
divergences d'opinions dans le passé, nous en aurons encore à l'avenir, une fois cette crise terrible terminée; mais il n'y a pas à l'heure
actuelle, on peut l'affirmer sans danger d'être contredit, de divisions
chez le peuple canadien quant à la nécessité pour nous de concourir
à la défense de l'empire... Un député d'une autre province que la
mienne me demandait la semaine dernière ce que Québec allait faire
dans la crise actuelle. « Son devoir », ai-je répondu. Et je m'em-
pressai d'ajouter: « A quelle époque de son histoire, dites-moi, le
Canadien de langue française a-t-il jamais failli à sa tâche lorsqu'il
s'est agi de défendre sa patrie, sa religion, sa langue et ses droits ? »
Dans la guerre actuelle, tout ce qui est cher au Canadien de langue française est en jeu. La défaite de l'Angleterre, le démembre-
ment de l'empire, signifieraient pour lui la perte, à courte échéance,
de tout ce qui fait sa force, sa prospérité et le bonheur de son foyer.
... Ce n'est pas aujourd'hui, monsieur l'Orateur, alors que nos deux
mères patries, la France et l'Angleterre, combattent côte à côte pour
la civilisation et la liberté des peuples, que le Canada français adop-
tera une autre ligne de conduite que celle qui lui fut tracée par son
loyal et vaillant clergé au lendemain de la conquête. Les descendants des valeureux Français qui ont colonisé le Canada, la croix
sur la poitrine, tenant d'une main leur fusil et de l'autre dirigeant
la charrue, ne craignent ni la bataille ni les balles lorsqu'il s'agit
de défendre, comme dans la lutte actuelle, l'intégrité du vaste empire
qui leur assure la plus grande somme de liberté et de bonheur qu'il
fut jamais donné à un peuple de goûter... (*Ibid.*, le 19 août, 6-8.)

WILFRID LAURIER: ...Cette session a lieu afin que le Parlement approuve et que la loi sanctionne les mesures que le ministère
a déjà prises et telles qui sont encore nécessaires pour assurer la
défense du Canada et offrir à la mère patrie les services que nous
pouvons lui donner dans la lutte formidable dans laquelle elle est
engagée... Il est de notre devoir, devoir plus impérieux que tous les
autres, de faire savoir immédiatement, dès le premier jour de cette
session spéciale des Chambres canadiennes, à la Grande-Bretagne,
à ses alliés comme à ses ennemis, que le Canada n'a qu'une pensée
et un désir et que tous les Canadiens se groupent autour de la mère
patrie, fiers de savoir qu'elle ne prend pas part à cette guerre pour
un motif égoïste, ni dans un but de conquête, mais pour conserver
son honneur intact, pour remplir ses engagements et pour défendre
la civilisation contre le désir effréné des conquêtes et de la domina-

tion. Nous sommes sujets britanniques, et nous sommes aujourd'hui en face des conséquences qui découlent de cette fière situation. Pendant longtemps nous avons joui des avantages que confère le titre de sujets britanniques, il est maintenant de notre devoir d'accepter les obligations et les sacrifices qu'il impose. Pendant longtemps nous avons dit que, lorsque la Grande-Bretagne est en guerre nous sommes en guerre, et nous comprenons aujourd'hui qu'elle est en guerre et que nous le sommes aussi. Notre territoire peut être attaqué et envahi... J'ai toujours dit et je le répète que le Canada n'a qu'une pensée et qu'un désir. Autrefois, nous avons pu différer d'opinion sur les moyens de rendre service à notre pays et à l'empire. J'ai déclaré plus d'une fois que, si l'Angleterre était en danger — que dis-je? — non seulement en danger — mais engagée dans une lutte qui mettrait sa puissance à l'épreuve, il serait du devoir du Canada de lui venir en aide dans la pleine mesure de ses ressources. Aujourd'hui, l'Angleterre ne soutient pas une lutte ordinaire... Je sais fort bien que le faible contingent d'environ 20,000 hommes que nous enverrons devra se doubler de courage et de fermeté s'il veut se distinguer parmi les milliers d'hommes qui se dirigent vers la frontière de France où se décidera ce combat de géants. Mais le gouvernement anglais est d'avis, comme le révèle la correspondance qui a été déposée hier, que le concours de nos soldats, si humble qu'il soit, sera apprécié, soit pour sa valeur réelle, soit pour l'appui moral qu'il apportera. Le monde verra que le Canada, rejeton de la vieille Angleterre, entend la défendre dans cette formidable lutte. Nous répondrons aussitôt à l'appel par la formule classique usitée en Angleterre: « Ready, aye, ready ». Si mes paroles ont une répercussion hors de cette enceinte, dans ma province natale, parmi ceux de mon sang, je voudrais qu'ils se souvinssent que c'est un double honneur pour eux de prendre place dans les rangs de l'armée canadienne afin de soutenir la cause des nations alliées. Pour eux la cause qu'ils sont appelés à défendre est doublement sacrée... (*Ibid.*, le 19 août, 8-10.)

ROBERT BORDEN: ... La guerre éclatant, le Gouvernement fut obligé de faire des démarches extraordinaires dont quelques-unes exigeront la ratification du Parlement. Nous avons compris, comme tous le comprendront, que nous étions en face d'une terrible responsabilité. Aussi, puis-je assurer à toute la députation que nous n'avons pris sur nous de faire que ce que le devoir nous semblait exiger avant qu'il fût possible de convoquer une session. Ces démarches vous seront expliquées subséquemment... De tous les points du Canada nous avons eu des preuves de la détermination du peuple de ce pays de soutenir la métropole en même temps que les autres dominions unis entre eux par le lien le plus fort de tous, celui de l'absolue liberté anglaise et le lien de la parfaite autonomie. Ces liens unissent entre elles les provinces du Canada dans ce Dominion. Ces liens unissent à la mère patrie les possessions autonomes de l'empire, et nous nous réjouissons de savoir que, dans un temps d'extrême tension et peut-être de péril, ils se sont montrés les liens les plus forts qu'aurait pu imaginer n'importe lequel des gouvernements du monde... Il ne convient pas de prolonger ce débat. A l'aube terrible de la plus grande guerre que le monde ait jamais vue, à l'heure où l'empire est menacé par des dangers auxquels il n'a pas eu à faire face depuis cent ans, toute parole inutile et vaine semble être une discordance. Nous sommes tous d'accord sur notre devoir; dans cette querelle, nos cœurs battent à l'unisson avec ceux de l'Angleterre et des autres colonies anglaises. Nous ne saurions manquer de remplir notre devoir comme l'exige l'honneur du Canada, non pour l'amour des combats, non pour le désir des conquêtes, non pour l'avidité de posséder, mais pour défendre la cause de l'honneur, pour maintenir des engagements solennels, pour soutenir les principes de liberté, pour s'opposer aux forces qui voudraient convertir le monde en un camp retranché. Oui, c'est au nom même de la paix, que nous voulons maintenir à tout prix, sauf par le déshonneur, que nous sommes entrés en guerre et si nous sommes sérieusement conscients des résultats terribles qu'elle peut entraîner et de tous les sacrifices qu'elle peut imposer, nous ne reculons pas devant eux, mais nous attendons d'un cœur ferme le dénouement. (*Ibid.*, le 19 août, 16-19.)

19. - *Luttes scolaires en Ontario*

(1912-1918)

En 1910, les Franco-Ontariens fondèrent l'Association canadienne-française d'éducation d'Ontario pour veiller au bon fonctionnement de leur système scolaire. Dès 1912, l'Association dut livrer bataille pour défendre les droits scolaires de la minorité canadienne-française. Le gouvernement ontarien adopta un règlement restreignant l'usage du français dans les écoles bilingues. Ce règlement, connu sous le nom de Règlement XVII, devint loi en 1915. Les catholiques de langue anglaise n'appuyèrent pas leurs coreligionnaires de langue française; plusieurs se montrèrent même hostiles aux Canadiens français. Cette division parmi la minorité catholique ajouta à la confusion et à l'aigreur de la lutte. La question scolaire franco-ontarienne, au moment même où s'engageait un violent débat au sujet du service militaire obligatoire outre-mer, contribua à surexciter les émotions populaires. Le Canada traversait une grave crise d'unité. Les Franco-Ontariens s'adressèrent aux tribunaux canadiens et au Conseil privé pour obtenir justice. Le pape intervint à deux reprises pour pacifier les esprits. La seconde lettre de Benoît XV apporta un grand réconfort à la minorité persécutée. Celle-ci n'abandonna pas la lutte et, en 1927, le gouvernement ontarien abrogeait le Règlement XVII. Voir Lionel Groulx, *L'Enseignement français au Canada*, 2: 194-239.

À NOTRE CHER FILS LOUIS-NAZAIRE BÉGIN, CARDINAL PRÊTRE DE LA SAINTE ÉGLISE ROMAINE, ARCHEVÊQUE DE QUÉBEC ET À NOS VÉNÉRABLES FRÈRES LES ARCHEVÊQUES ET ÉVÊQUES DU CANADA BENOÎT XV PAPE

Notre cher Fils, vénérables Frères

Salut et bénédiction apostolique.

Par Nos Lettres Apostoliques *Commisso divinitus* que Nous vous adressâmes le 8 septembre 1916, Nous Nous efforcions d'exhorter le clergé et le peuple catholique de votre pays à se désister des luttes et des rivalités provenant soit de questions de races, soit de la diversité du langage, et en même temps Nous recommandions qu'au cas où, pour ces motifs, il surviendrait à l'avenir des discussions, elles fussent terminées en sauvegardant la charité, comme il convient aux « saints », *qui ont à cœur de conserver l'unité d'un même esprit par le lien de la paix.*

Notre exhortation, grâce à Dieu, n'a pas été vaine, et Nous Nous en félicitons: elle fut en effet reçue par l'ensemble des fidèles, non seulement avec le respect et la déférence voulus mais encore avec un joyeux empressement, au point de faire espérer que la tranquillité et la concorde régneraient dorénavant parmi les catholiques du Canada.

Cependant, au bout de quelque temps, il survint des incidents fâcheux, qui tout en ne paraissant pas attribuables à la malignité de qui que ce soit, ne laissèrent pas cependant de troubler ce commencement de pacification, et de jeter dans les esprits de nouvelles semences de discorde. Il s'ensuivit que de part et d'autre on recourut à Nous et on fit appel à Notre décision pour ramener la concorde.

Il s'agit, en fait, de la loi scolaire promulguée dès l'année 1913 par le gouvernement de l'Ontario, pour les écoles bilingues anglo-françaises. Cette loi, d'aucuns la traitèrent d'injuste, et crurent devoir l'attaquer de toutes leurs forces; d'autres, par contre, estimèrent qu'elle ne devait, ni être jugée si sévèrement, ni combattue avec tant d'acharnement. La diversité des opinions amena la séparation des esprits.

La question tout entière ayant été déférée à Notre jugement, Nous l'avons examinée avec le plus grand soin, eu égard à son importance, et Nous l'avons fait étudier par les Emes Cardinaux de la S.C. Consistoriale. C'est pourquoi, tout étant bien considéré, voici ce que Nous avons jugé devoir décider et décidons:

Les Franco-Canadiens peuvent, sans manquer à la justice, demander au Gouvernement des déclarations opportunes, touchant la dite loi scolaire; ils peuvent également désirer et chercher à obtenir certaines concessions plus amples. De ce nombre serait assurément: que les inspecteurs pour les écoles *séparées* soient des *catholiques;* que pendant les premières années où les enfants fréquentent l'école, au moins pour quelques matières de classe, surtout et de préférence au reste dans l'enseignement de la doctrine chrétienne, l'usage de la langue maternelle soit concédé; qu'il soit permis aux catholiques d'établir des écoles *normales* pour la formation des maîtres. Cependant ces avantages et d'autres encore qui pourraient être utiles, ne doivent pas être demandés et réclamés par les catholiques avec la moindre apparence de révolte, ni en recourant à des procédés violents ou illégitimes, mais pacifiquement et avec modération, en employant tous les moyens d'action que la loi et les usages légitimes concèdent aux citoyens pour réaliser les améliorations auxquelles ils estiment avoir droit. Ce que Nous venons de dire, Nous l'affirmons dans la question présente en toute assurance et liberté; car la suprême autorité civile elle-même [le pape fait ici allusion au jugement du Conseil privé rendu le 2 novembre 1916] a reconnu et avoué que la loi scolaire édictée par le Gouvernement de l'Ontario n'était pas exempte d'une certaine obscurité et qu'il n'était pas facile de déterminer quelles peuvent en être les limites.

Ainsi donc, en se renfermant dans ces bornes et ces procédés les Franco-Canadiens seront libres de réclamer pour la loi scolaire les interprétations ou même les mutations qu'ils souhaitent. Que personne toutefois, à l'avenir, en cette matière qui est du ressort de tous les catholiques, ne se permette d'aller devant les tribunaux civils et d'engager des procès, à l'insu et sans l'approbation de son Evêque, lequel, en des questions de ce genre, ne décidera rien qu'après s'être consulté avec les autres Prélats, qui y sont plus particulièrement intéressés.

Et maintenant, c'est à tous Nos frères de l'Episcopat canadien, que Nous voulons Nous adresser et renouveler de tout cœur et du plus profond de Notre âme l'exhortation que Nous leur faisions, il y a deux ans: à savoir qu'ils ne soient qu'un cœur et qu'une âme, qu'il n'y ait pas entre eux de scission, ni au point de vue des races ni au point de vue du langage. C'est en effet, un seul et même Esprit, qui les a établis pour gouverner l'Eglise, à savoir, un Esprit d'unité et de paix.

C'est ainsi assurément, Vénérables Frères, qu'étant les modèles du troupeau par une vertu sincère, vous aurez plus d'autorité et d'efficacité pour prescrire à vos prêtres (comme Nous vous ordonnons de le faire) qu'ils gardent la concorde entre eux et qu'ils s'efforcent, par la parole et par l'exemple, de la faire garder à leurs fidèles. A cette fin Nous aimons à réitérer tant et plus la recommandation faite dans nos précédentes Lettres Apostoliques: *que tous les prêtres s'appliquent à posséder la connaissance et la pratique de l'une et l'autre langue, anglaise et française, et qu'écartant toute susceptibilité ils se servent tantôt de l'une, tantôt de l'autre, selon les besoins des fidèles.*

Enfin que tous les catholiques se le rappellent: ils ne peuvent et ne doivent avoir rien de plus à cœur que de garder la charité les uns envers les autres, car c'est par là qu'ils se montreront les disciples du Christ: *In hoc cognoscent omnes quia discipuli mei estis, si caritatem habueritis ad invicem* [Jean, XIII, 35]. Et s'il est des circonstances où l'on doit surtout s'y conformer, c'est assurément quand des causes de dissensions proviennent de la divergence des opinions ou de l'opposition des intérêts. Nous voulons que des avertissements sévères soient donnés à quiconque, parmi le clergé ou les fidèles, à l'encontre de la doctrine évangélique et de Nos prescriptions, oserait à l'avenir nourrir ou exciter les animosités qui ont divisé les Canadiens jusqu'à ce jour. Que si, ce qu'à Dieu ne plaise, quelqu'un refusait d'obéir, les Evêques ne devront pas hésiter, avant que le mal s'aggrave, d'en référer au Siège Apostolique.

Comme gage des dons célestes et témoignage de Notre particulière bienveillance, à Vous, Notre cher fils, et à Vous Vénérables frères, ainsi qu'aux fidèles confiés à Vos soins, Nous accordons de tout cœur la Bénédiction Apostolique.

Donné à Rome près Saint-Pierre, le 7 juin, en la fête du Sacré-Cœur de Jésus, 1918, de Notre Pontificat, la quatrième année.

Benoît XV, Pape.

(Texte donné dans *L'Action française*, 2 (1918): 526-528.)

20. - *Ratification du traité de Versailles*

(1919)

A la fin de la guerre, le Canada avait pris conscience de sa puissance et de son influence. Son armée comptait près d'un demi-million de soldats et avait joué un rôle qui n'était pas négligeable sur les champs de bataille. Sa production agricole et industrielle avait largement contribué à la victoire de la Grande-Bretagne et de ses alliés. Les dirigeants du Canada et ceux des autres colonies britanniques n'entendaient plus laisser à l'Angleterre seule l'initiative de la politique extérieure de l'empire. Le gouvernement anglais avait tenu compte de ce désir en invitant les premiers ministres des Dominions à faire partie d'un cabinet impérial de guerre. A la Conférence de la Paix, Robert Borden, premier ministre du Canada, exigea et obtint pour les colonies britanniques une représentation distincte. Chacune d'entre elles signa séparément les traités qui mirent fin à l'état de guerre et le premier ministre soumit le traité de Versailles à l'approbation du parlement canadien. Celui-ci se réunit en session spéciale du 1er septembre au 10 octobre 1919. La procédure suivie par le cabinet fédéral indiquait que le Canada ne se considérait plus, dans ses relations avec l'ancienne mère-patrie et avec les autres pays, comme une simple colonie. La guerre avait fait de notre pays une nation autonome au sein du Commonwealth des nations britanniques. Voir Robert Laird Borden, *The War and the Future* (Toronto, 1917), 123-162; Robert Laird Borden, *Cana-*

dian *Constitutional Studies* (Toronto, 1922), 96-141; J. W. Dafoe, « Canada and the Peace Conference of 1919 », *Canadian Historical Review*, 24 (1943): 233-248; Robert MacGregor Dawson, *The Development of Dominion Status, 1900-1936* (Toronto, 1937), 17-36, 169-202; T. Glazebrook, *Canada at the Peace Conference* (Toronto, 1942).

(1)

Discours du Trône

Honorables Messieurs du Sénat,

Messieurs de la Chambre des Communes,

... L'urgence de procéder immédiatement à l'examen du Traité de paix entre les Puissances alliées et l'Allemagne, signé à Versailles le vingt-huitième jour de juin mil neuf cent dix-neuf, m'a forcé de vous convoquer pour reprendre vos travaux qui, je l'espère, ne seront pas de longue durée.

Mes conseillers sont d'avis que ce Traité ne devrait pas être ratifié au nom du Canada sans avoir été approuvé par le Parlement...

(Lu par le Gouverneur général lors de l'ouverture de la session spéciale, le 1er septembre 1919, *Débats de la Chambre des Communes*, session spéciale de 1919, 1: 1-2.)

(2)

Débat sur l'Adresse en réponse au discours du Trône

H.P. WHIDDEN [choisi par le gouvernement pour proposer l'adresse en réponse au discours du Trône]: ... Le fait que le Parlement du Canada étudie ce traité de paix est en lui-même une preuve que nous avons franchi une étape dans la marche vers un plus complet développement de notre vie nationale. Bien que beaucoup aient aidé à atteindre ce but, il est bon, en signalant les progrès qui ont été faits dans cette direction, de ne pas perdre de vue le rôle important que nous y a fait jouer notre premier ministre...

J.C. McINTOSH [choisi par le gouvernement pour appuyer la motion présentée par M. Whidden]: ... il n'était que juste que le Canada fût convoqué à prendre part à la Conférence de la paix avec les autres puissances pour dicter les conditions à nos ennemis vaincus. La base même de nos libertés politiques repose sur le principe que nous ne devons pas débourser les deniers publics sans représentation; le principe doit donc s'appliquer avec bien plus de force encore lorsque nous avons fait le sacrifice du plus pur de notre sang. Le Canada a été dignement et habilement représenté à la Conférence de la paix par le premier ministre, sir Robert Borden, et l'univers a rendu un hommage mérité à la grande tâche qu'il a accomplie là-bas...

D.D. McKENZIE [député libéral de Cap-Breton-Nord-et-Victoria]: ... D'après les commentaires du motionnaire du projet d'adresse et de celui qui l'a appuyé, surtout du premier, il semble et nous croyons que ce traité renferme des clauses qui pourraient altérer la situation et les rapports qui ont existé jusqu'ici entre notre beau pays et la métropole. Si une décision de cette Chambre doit avoir pour objet ou pour effet de modifier nos rapports avec la mère patrie, de changer le statut constitutionnel du Canada, il nous faudra aborder l'examen de questions pareilles avec une extrême prudence. Nous vivons en pays démocratique, dans un pays où l'on prétend agir conformément à la volonté que le peuple exprime librement au scrutin. Jamais encore la question de modifier les rapports entre le Canada et la mère patrie n'a été soumise à la population canadienne, et si le traité de paix a pour objet d'effectuer une modification semblable sans que le corps électoral en soit préalablement saisi, nous devons user de beaucoup de soin et de circonspection...

Sir ROBERT BORDEN: ... il est incontestable que ce traité doit être soumis à l'étude et à l'approbation de ce Parlement avant d'être ratifié au nom du Canada. La ratification officielle est naturellement donnée au nom du souverain; mais en ratifiant le traité pour le compte du Canada, Sa Majesté agit nécessairement à la demande de ses conseillers constitutionnels dans ce pays. Nous avons pris l'engagement de soumettre le traité au Parlement avant sa ratification et nous rachetons maintenant cette promesse...

Il me reste maintenant à examiner le caractère de la représentation que le Canada a pu s'assurer dans la conférence, sa position à titre de signataire des traités que l'on y a conclus et son rang comme membre de la Ligue des nations et de la convention internationale du travail. Dès le début de la guerre, on avait annoncé dans les différents parlements de l'empire que les colonies autonomes seraient consultées sur toutes les conditions de la paix. Les séances du cabinet impérial de guerre tenues au printemps de 1917 et dans l'été de 1918 ont dans une certaine mesure fourni le moyen de donner effet à cette entente... Peu avant l'armistice, le premier ministre du

Royaume-Uni me pressa vivement de me rendre à Londres le plus tôt possible et je partis d'Ottawa le 8 novembre dernier avec trois de mes collègues [George Foster, A.-L. Sifton et C.J. Doherty]. Immédiatement vint sur le tapis la question de savoir dans quelle mesure les Dominions prendraient part aux délibérations de la conférence de la paix, et ce fut l'objet d'un vif débat. Divers arrangements furent suggérés, au sujet desquels il serait inutile de donner ici des explications. Bref, je proposai pour chaque Dominion une représentation distincte, semblable à celle que l'on accordait aux petites Puissances alliées et, en outre, que le choix des cinq représentants de l'Empire britannique se fit de jour en jour d'après une liste formée de représentants du Royaume-Uni et des Dominions. Cette proposition fut adoptée par le cabinet impérial de guerre. Des conversations eurent lieu à Londres dans les premiers jours de décembre entre les représentants de l'empire britannique, de la France et de l'Italie en vue de la paix à établir, et la proposition que j'avais déjà formulée fut en principe acceptée. La conférence préliminaire de la paix tint sa première séance à Paris le 12 janvier 1919, et les représentants des principales Puissances alliées et associées, communément appelés par la suite le conseil des dix, abordèrent immédiatement la question du mode de procédure à suivre dans la circonstance, y compris celle de la représentation. Au début, le projet d'une représentation des dominions britanniques souleva une vive opposition, mais on finit par l'accepter, à la suite d'un débat qui eut lieu parmi les délégués de l'empire britannique, débat au cours duquel on protesta énergiquement contre tout écart de la décision prise à Londres...

Il y a lieu de relever une importante évolution des usages constitutionnels concernant la signature des divers traités adoptés au congrès. Jusqu'à présent, on insérait une clause ou condition relativement à l'adhésion des dominions. Vu le rang nouveau obtenu par les représentants des dominions et le rôle qu'ils ont rempli pendant les délibérations du congrès, nous avons cru que cette pratique ne convenait pas et ne devait pas être suivie à l'égard du traité de paix. J'ai donc proposé que l'assentiment du roi, à titre de haute partie contractante aux différents traités, fût constaté, en ce qui avait trait aux dominions, par la signature de leurs plénipotentiaires, et que le préambule et les clauses des traités fussent rédigés en conséquence. Cette proposition a été adoptée sous la forme d'un mémoire par tous les premiers ministres des dominions, à une réunion que j'ai convoquée, et je l'ai ensuite transmise en leur nom à la députation de l'empire britannique qui l'a acceptée. Plus tard, le congrès l'a adoptée et les différents traités ont été rédigés conformément à cette proposition, de sorte que les dominions figurent dans ces traités à titre de signataires et que leur adhésion est donnée de la même manière que celle des autres nations... Le rang nouveau et bien défini occupé par les dominions à la Conférence de la paix ressort encore de la constitution de la Société des nations... La cause des dominions fut énergiquement soutenue, et le texte définitif, tel qu'il a été corrigé et incorporé dans le traité de paix avec l'Allemagne, reconnaissait entièrement le rang des dominions à l'égard de leurs membres et représentants à l'assemblée et au conseil [de la Société des Nations]. Ils seront signataires du traité et le texte du document n'établit aucune distinction entre eux et les autres signataires. J'ai obtenu une déclaration officielle au sujet de la vraie portée et du sens des clauses du traité à ce sujet, et cette déclaration est consignée dans les archives de la Conférence de la paix.

La même difficulté a surgi relativement à la constitution de l'organisation ouvrière internationale. Au conseil de la Société se rattache une commission de régie ouvrière composée de délégués choisis par un nombre restreint de gouvernements. Sous sa forme primitive, la convention ouvrière ne reconnaissait pas assez le rang des dominions... Grâce à ma démarche, la convention ouvrière fut enfin modifiée de manière à mettre les dominions sur le même pied que les autres membres de l'organisation ouvrière internationale, et à permettre que les délégués de leurs gouvernements puissent devenir, comme d'autres, membres de la commission de régie. La Chambre, je l'espère, se rendra compte que le rang accordé aux dominions britanniques à la Conférence de la paix n'a pas été conquis sans des tentatives persistantes et de fermes instances...

D'autres nations, même une nation aussi intimement alliée à l'empire britannique par l'origine, la langue et le caractère de ses institutions que le sont les Etats-Unis d'Amérique, comprennent imparfaitement quelle est sa charpente constitutionnelle. Cela ne doit pas causer de surprise, car les rapports entre la métropole et les grands dominions autonomes se sont transformés pendant des années et l'évolution n'est pas encore complète. Les rapports futurs des nations de l'empire devront être réglés au gré de la mère patrie et de chaque dominion à une conférence constitutionnelle qui sera convoquée à une date rapprochée. A n'en pas douter, les nations seront sur le même pied à cette conférence... Au nom de mon pays, j'ai fermement défendu cette thèse inébranlable — que, dans cette guerre, la plus grande de toutes les guerres, où étaient en jeu la liberté, le droit et les destinées du monde, le Canada a marché à la tête des démocraties des deux Amériques. Sa décision a donné l'élan; ses sacrifices ont été remarquables; ses efforts se sont maintenus jusqu'à la fin. Le même esprit indomptable qui l'a rendu capable de ces efforts et de ces sacrifices l'a empêché d'accepter au Congrès de la paix, dans la Société des nations, ou ailleurs, un rang inférieur à celui qu'on accordait à des nations qui avaient fait moins de progrès que lui, qui possédaient moins de richesses, de ressources et d'habitants, qui jouissaient d'une autonomie moindre et dont les sacrifices avaient été moins éclatants...

WILLIAM STEVENS FIELDING [député libéral de Shelburne-et-Queens]: En tant que partie de l'empire, le Canada, dans tous ses rapports internationaux, ne serait-il pas lié par la ratification de Sa Majesté le roi et du parlement anglais ?

Sir ROBERT BORDEN: Sa Majesté le roi et ses conseillers ont reconnu à ce parlement le droit d'exprimer son avis au sujet de ce traité. J'ai pris cet engagement envers le Parlement et je l'ai fait reconnaître au gouvernement anglais. Celui-ci s'est rendu compte de la situation et ne veut pas s'occuper du traité, en tant qu'il concerne le Canada, sans l'approbation du Parlement canadien... les membres du cabinet anglais ont admis que la ratification de ce traité doit être proposée au parlement canadien, et que nous désirons, que nous exigeons que notre Parlement se prononce sur ce traité avant de conseiller à Sa Majesté de le ratifier au nom du Canada.

(Séance du 2 septembre 1919, *Débats de la Chambre des Communes*, session spéciale de 1919, 1: 5-23.)

21. - Le problème industriel
au Canada français

(1921)

Le recensement de 1911 avait démontré que la population urbaine de la province dépasserait bientôt sa population rurale. Cette révélation en surprit plusieurs. Ce phénomène démographique, commun à toute l'Amérique du Nord, était dû aux progrès rapides de l'industrie. L'industrialisation des années de guerre accéléra cette évolution. Les dirigeants de l'Association catholique de la Jeunesse canadienne-française jugèrent opportun d'inviter leurs membres à étudier le problème industriel au Canada français. Les congressistes se réunirent à Québec du 1er au 3 juillet. M. Joseph Versailles, financier influent de Montréal, prononça un discours qui impressionna beaucoup les délégués. Reprenant les idées émises par Errol Bouchette dès 1905 — voir son livre *L'Indépendance économique du Canada français* (3e édition, Montréal, 1913), mais en les complétant quelque peu, il déclara à ses auditeurs que les Canadiens français devaient être maîtres de toute leur vie économique s'ils voulaient assurer véritablement leur survivance. Une politique économique canadienne-française ne devait pas se limiter presque exclusivement à la colonisation agricole. Toutefois, très peu de dirigeants canadiens-français s'en rendaient alors compte.

... Nous ne désirons rien de plus que de vivre librement à côté de nos concitoyens d'autres langues. Mais nous ne pouvons pas être vraiment libres si nous n'avons pas notre part dans le domaine économique et financier. Et croyez-moi bien, notre part, nous ne l'aurons que si nous la prenons. Savez-vous, par exemple, qu'il est à peu près impossible pour un Canadien français d'être admis à faire partie de la Bourse de Montréal ? Nous devons tendre à placer notre race sous l'empire de ses propres institutions, c'est-à-dire à la rendre libre de la domination économique étrangère... Loin de moi l'idée de diviniser la matière et ce qui s'y rapporte; mais ne croyez-vous pas que la matière est le corps de l'esprit; que sans elle l'esprit ne demeure pas sur terre, comme sans l'esprit la matière reste inerte, inutilisée... pour être canadien, il ne suffit pas de naître, d'exister sur les bords du Saint-Laurent, et de nous écrier: « Grand fleuve tu refléteras notre gloire »; il faut plutôt, faisant fi des grands mots, nous appliquer aux grandes choses, et la plus grande, dans l'ordre économique, c'est, pour une race, de pouvoir vivre sans le secours de l'étranger, vivre par elle-même, dans une complète indépendance du dehors et dans une parfaite domination chez elle...

Au point de vue financier, notre industrie se trouve dans une situation particulière, manquant de finance, ce moteur de toute affaire. En effet, nous ne pouvons pas, d'une façon générale, à l'instar des autres, nous adresser aux Américains ou aux Anglais, qui ne comprennent rien à notre langue ni à notre mentalité. Français, nous ne pouvons pas nous adresser à la France, et ceci pour des raisons multiples qui ont changé avec les temps. En face de nos seules économies encore éparses, nous restons isolés, non dans un pays clos, où nous pourrions peut-être vivre la vie idyllique de bergers et de pasteurs, mais dans un pays ouvert où la lutte nous est apportée, que nous ne pouvons pas refuser et que nous devons mener victorieusement, si nous voulons dominer.

Il nous faut donc grouper, organiser nos épargnes, comme on réunit et encadre les éléments épars d'une armée de défense nationale.

J'explique ici le mot *dominer:* je veux dire que nous devons être les seuls maîtres de notre respiration, de notre boire et manger, du transport de nos personnes, de notre vêtement, que nous voulons conserver, libres dans notre tête, nos idées, et forte, dans notre cœur, notre volonté, que nous voulons continuer à gouverner nos relations mutuelles selon nos vieilles lois, naître et mourir dans la foi de nos pères.

Deux choses ne peuvent pas exister ensemble pour nous: demeurer libres et ne pas dominer notre propre race. Et nous cessons de dominer chaque fois que, par négligence, nous laissons l'étranger s'emparer de nos forces économiques, armes modernes, moyens de domination.

Voilà, Messieurs, des idées qui doivent être admises sans retard. Le temps est maintenant à l'action. Si nos meilleurs hommes, depuis soixante ans, s'étaient appliqués à développer les richesses que le sol mettait à leur disposition, ces richesses mises en valeur auraient fourni de l'ouvrage et des carrières à ceux des nôtres que la misère a contraints de laisser le pays et qui sont maintenant perdus pour nous, comme force nationale. Au lieu d'être en minorité dans le Canada, nous serions en majorité, et au lieu d'avoir été à peu près dominés jusqu'ici, même dans la province de Québec, nous aurions, Messieurs, fait sentir notre influence de l'Atlantique au Pacifique.

... Nous nous sommes toujours imaginé que nous produisions tout ce qui était nécessaire à notre vie, naturellement, sans effort. Nous restions le regard sidéré par quelques-unes de nos entreprises qui n'avaient pas péri. Nous aurions mieux fait de voir tout ce qui autour de nous vient de l'étranger, nous tient sous sa domination. Le mouvement de l'étoffe du pays de 37 semblait nous avoir affranchis et nous tenir libres à jamais. Un simple coup d'œil sur notre portefeuille peut nous convaincre que non seulement nous achetons de l'étranger, mais que nous lui fournissons le capital, ce capital qui nous manque tant à nous-mêmes pour transformer la matière première, que nous extrayons souvent de nos mains de notre propre sol et que l'étranger nous revend à gros profit. Quelle est la maison où il y a de l'épargne qui n'ait pas à s'accuser de fournir des armes aux adversaires ?

Encourageons ceux des nôtres qui ont de la valeur et qui, dans le domaine des affaires, offrent des garanties de sécurité. N'ayons pas trop peur de donner aux Canadiens le goût de s'enrichir...

Le jeune homme, en effet, délicatement formé dans nos excellents collèges, se tourne tout naturellement, lorsque le moment vient de choisir une carrière, vers celle qui comporte un idéal et promet la considération. Il faudrait donc lui fixer, comme idéal, la race souveraine chez elle, et lui indiquer les carrières économiques comme des voies conduisant au succès, à la considération au moins aussi grande de la part de ses concitoyens que s'il avait été un professionnel ou un membre du clergé. Car l'appât du gain seul n'est pas suffisant à l'attirer.

Nous lui enseignerons le mépris des tentations électorales et des sinécures politiques, espoirs d'esclaves, appétits d'affranchis ! Nous cultiverons dans son âme la dignité, ce reflet de la puissance. Personne ne songera plus à se faire payer pour des services imaginaires, mais tous voudront gagner un argent légitime et honorable au moyen d'un travail compétent, produisant des choses réelles et utiles à la communauté. Capables d'occuper les postes difficiles, nous ne chercherons plus les emplois faciles. Nous ne serons plus la mouche du coche. Nous négligerons l'ombre, préférant la proie. Les honneurs, ces miettes de la table, ne nous tenteront plus. La livrée de maître d'hôtel et de surveillants d'autres valets ne nous donnera plus l'illusion d'être maître de céans. Cessons de servir nos ennemis. La puissance matérielle soutenant sa force morale, la race se tiendra debout et au rang d'honneur !

Ah ! je sais, Messieurs, que je blesse ici bien des susceptibilités, mais vous le voyez, il s'agit pour nous d'être ou de ne pas être, demain... Pour réussir, il faut nous déterminer à lancer nos jeunes gens les plus solides dans les carrières économiques et financières. Les esprits chagrins qui craignent d'accorder aux biens matériels l'importance voulue, trouveront un motif de consolation dans la pensée que ces cerveaux calculateurs et pratiques, ces volontés froides, mais solides, que je réclame, sauront procurer la subsistance corporelle au génie, des temples à l'idéal, une population plus nombreuse à la civilisation française et catholique, en soumettant les forces de la nature pour les faire servir aux besoins de la race.

Que l'on change donc quelque chose afin que le jeune homme puisse apercevoir les nouvelles carrières; au lieu d'aller user inutilement sa vie dans les professions déjà encombrées, il apportera au mouvement national une action directe, fruit d'une intelligence d'élite et d'une volonté bien formée. Ces carrières cesseront de lui paraître mystérieuses. Les sciences financières, ces clés maîtresses de toutes les routes que les adversaires n'ont jamais manqué de nous laisser croire inaccessibles aux Canadiens français et que nous redoutions peut-être nous-mêmes presque à l'égal de l'enfer, nous livreront la puissance économique.

Et dans ces temps heureux, plus personne, même dans le petit peuple, ne verra un avantage quelconque à passer à l'étranger, et nos concitoyens de la province de Québec, se touchant les coudes, foulant de plus en plus nombreux le sol gardé à leur race, réaliseront enfin nos vœux, Messieurs, d'un pays français ne craignant plus pour ses lois, ses traditions, et ne relevant, dans toutes les branches de l'activité humaine, que des Français qui l'habiteront...

(Discours de M. Joseph Versailles, fondateur et maire de Montréal-Est, président de la maison bancaire Versailles, Vidricaire & Boulais, premier président général de l'A.C.J.C. en 1904, dans *Le Problème industriel au Canada français* (Montréal, 1922), 100-110.)

22. - *Négociation des traités*

(1923)

Selon la coutume établie, chaque fois que le Canada ou un autre Dominion entrait en pourparlers avec une puissance étrangère, l'ambassadeur ou le ministre anglais accrédité auprès de cette dernière, même s'il ne prenait pas toujours part aux négociations, était invité à se joindre aux plénipotentiaires coloniaux pour la signature du traité ou de la convention. Le 2 mars 1923, le Canada en venait à une entente avec le gouvernement des Etats-Unis au sujet de la pêche du flétan sur la côte du Pacifique. Ernest Lapointe, ministre de la marine et des pêcheries dans le cabinet King, qui avait dirigé toutes les négociations à Washington à titre de plénipotentiaire canadien nommé par Sa Majesté, rompit cette tradition en signant seul le traité conclu avec la république voisine. Ce geste provoqua des commentaires très divers dans la presse et au parlement. Nous donnons: (1) le texte de la résolution présentée au parlement par le premier ministre, le 27 juin 1923; (2) les explications données, à cette même séance, par Ernest Lapointe au chef de l'opposition, Arthur Meighen, qui reprochait au gouvernement canadien et au ministre de la marine et des pêcheries l'attitude adoptée à l'égard de l'ambassadeur britannique à Washington. Voir Robert MacGregor Dawson, *The Development of Dominion Status, 1900-1936*, 54-132; Arthur R. M. Lower, *Colony to Nation: A History of Canada*, 483; Edgar McInnis, *Canada: A Political and Social History*, 468-469.

(1)

Résolution proposée par William Lyon Mackenzie King, le 27 juin, *Débats de la Chambre des Communes,* session de 1923, 5: 4450:

La Chambre est d'avis qu'il y a lieu pour le Parlement d'approuver le traité intervenu entre Sa Majesté et les Etats-Unis d'Amérique décrétant des mesures efficaces pour la protection des pêcheries du flétan dans le nord de l'océan Pacifique, lequel traité a été signé à Washington le 2 mars 1923, dont copie a été soumise au Parlement, et qui a été signé au nom de Sa Majesté agissant pour le Canada, par le plénipotentiaire nommé; et la Chambre l'approuve.

(2)

ERNEST LAPOINTE: ...Il [le chef de l'opposition, Arthur Meighen] prétend que nous avons fait preuve d'indélicatesse. Il a même dit je crois que c'était un affront, ou du moins un manque de courtoisie envers l'ambassadeur de l'Angleterre à Washington. Eh bien, monsieur l'Orateur, quand un homme a atteint l'âge de vingt et un ans qui est l'âge donné si souvent par mon très honorable collègue à cette nation, il n'est pas indélicat de sa part de signer ses billets promissoires sans demander à son tuteur de les contresigner. Lorsque le gouvernement canadien prend l'engagement d'appliquer certains règlements au Canada, cet engagement est-il nul parce qu'il n'est pas endossé ? Nous ne sommes pas en 1830; nous sommes en 1923 et personne ne devrait l'oublier. Monsieur l'Orateur, je dis qu'il n'y aucune indélicatesse; au contraire, c'était une gracieuseté de la part de Sa Majesté le Roi, de désigner des Canadiens pour signer des traités du Canada en son nom. Loin d'ébranler l'unité de l'empire, cela la consolide, la confirme tout en faisant reconnaître l'autonomie de chacune des parties de l'empire... En somme, tout ce qui a été fait au Canada et dans n'importe quelle autre partie de l'empire pour obtenir un gouvernement responsable et le statut d'une nation a toujours été jugé comme une dangereuse initiative Tout ce qui a été fait dans ce sens au Canada l'a toujours été contre la volonté et en dépit des clameurs de ceux que l'avenir effraye et qui imaginent la destruction et la séparation. Mais monsieur l'Orateur, plus on a accordé de liberté, plus on a assuré l'unité de l'empire... Nous n'avons pas lieu de redouter la concession d'une plus grande somme de liberté pourvu que nous maintenions l'union; et c'est le désir de tous les Canadiens. En terminant, laissez-moi ajouter que le traité en discussion a la même force et la même valeur, après avoir été signé par un Canadien, que s'il l'eut été par le représentant de l'Angleterre. *(Ibid.,* 5: 4460.)

23. - *Rapport Balfour*

(1926)

Les délégués à la conférence impériale de 1926 confièrent à un comité présidé par lord Balfour l'étude des relations inter-impériales. Ce comité présenta, signé par son président, un rapport qui fut adopté à l'unanimité le 19 novembre. Lord Balfour soulignait le caractère tout à fait original de l'empire britannique et rappelait l'évolution qui s'était accomplie depuis un demi-siècle dans les relations entre l'ancienne métropole et les pays autonomes qui avaient été autrefois ses colonies. Ce rapport reconnaissait une situation de fait qui exigeait une reconsidération générale du problème des relations interimpériales. Voir documents Nos 20 et 22.

ARTICLE II

Statut de la Grande-Bretagne et des Dominions

Le comité est d'avis qu'il n'y a rien à gagner à essayer de préparer une constitution pour l'Empire britannique. Ses parties, très éloignées les unes des autres, ont des caractéristiques très différentes, et elles n'ont pas toutes atteint le même degré de développement; tandis que, si on le considère dans son ensemble, l'Empire défie toute classification et n'a aucune ressemblance véritable avec les organisations politiques existantes non plus qu'avec aucune de celles qui ont existé dans le passé. Il y a toutefois un élément de la plus haute importance qui, du point de vue strictement constitutionnel, a pris un développement complet au sujet des questions d'importance vitale: nous voulons parler du groupe de pays autonomes composé de la Grande-Bretagne et des Dominions.

On peut définir tout de suite leur position et leurs relations mutuelles. Ce sont, au sein de l'Empire britannique, des collectivités autonomes de statut égal; elles ne sont d'aucune manière subordonnées les unes aux autres à aucun point de vue domestique ou extérieur; mais elles sont unies par une allégeance commune à la même couronne et associées librement comme membres du Commonwealth des nations britanniques.

Un étranger qui essaierait de comprendre le véritable caractère de l'Empire britannique à l'aide de cette seule définition pourrait penser qu'il fut conçu plutôt pour rendre impossible toute intervention mutuelle que pour faciliter toute coopération d'ensemble.

Une telle critique, toutefois, ne tiendrait aucun compte de la situation historique. L'évolution rapide des Dominions depuis les dernières cinquante années a nécessité plusieurs adaptations compliquées de l'ancienne organisation politique aux conditions nouvelles. La tendance vers un statut égal était à la fois juste et inévitable. Les conditions géographiques, et autres, ont empêché d'atteindre ce but par voie fédérative.

La seule alternative qui se présentait était l'autonomie et c'est dans cette voie qu'on a toujours recherché une solution. Chaque gouvernement autonome de l'Empire est maître de ses destinées. En fait, sinon toujours apparemment, il n'est sujet à aucune sorte de contrainte.

Mais toute définition, quelque juste qu'elle puisse être, de l'aspect négatif des relations entre les Dominions et la Grande-Bretagne, ne peut faire plus qu'exprimer une partie seulement de la vérité. L'Empire britannique n'est pas fondé sur des attitudes négatives. Sinon d'une manière formelle, il dépend essentiellement d'idéals positifs. Sa vie est dans les institutions libres, son instrument est la libre coopération. La paix, la sécurité et le progrès sont parmi ses principaux objets. On a discuté au cours de la présente conférence les différents aspects de ces grands thèmes. Il en a déjà découlé d'excellents résultats; et quoique chaque Dominion soit maintenant et reste toujours le seul juge de la nature et de l'étendue de sa coopération, aucune cause commune ne sera jamais, croyons-nous, en péril.

L'égalité de statut, en ce qui concerne la Grande-Bretagne et les Dominions, est la base principale des relations interimpériales. Mais les principes d'égalité et de similarité, appropriés au statut, ne s'étendent pas universellement à toutes les fonctions. Ici, il nous faut plus que des dogmes immuables.

Par exemple, nous avons besoin d'une organisation flexible pour traiter des questions diplomatiques et des questions de défense — une organisation que l'on puisse, de temps à autre, adapter aux nouvelles conditions dans le monde. Nous avons aussi étudié cet aspect de la question. La suite de ce rapport démontre que nous avons essayé non seulement d'émettre une théorie politique, mais aussi de l'appliquer à nos communs besoins.

(*Conférence impériale, 1926* (Ottawa, 1927), 12-13. Le rapport Balfour couvre les pages 11 à 24 de cette publication du gouvernement fédéral.)

24. - Statut de Westminster

(1931)

La participation des colonies britanniques à la guerre de 1914 et leur admission à la Société des Nations avaient grandement modifié les relations interimpériales. En plusieurs occasions, de 1922 à 1926, le Canada et les autres Dominions manifestèrent leur volonté d'être considérés comme des nations jouissant de leur pleine autonomie. La conférence impériale de 1926 étudia la question des relations entre la Grande-Bretagne et les autres membres de l'empire à la lumière des récents développements (voir document No 23). Un comité spécial, formé en 1929, prépara un rapport détaillé qui fut soumis aux délégués à la conférence impériale de 1930. Celle-ci compléta le travail commencé quatre ans auparavant. En 1931, le parlement britannique adoptait le Statut de Westminster. Cette loi du parlement impérial reconnaissait officiellement l'évolution constitutionnelle qui s'était opérée, depuis quelques années, dans la structure interne de l'empire britannique. L'unité de celui-ci reposait uniquement sur une allégeance commune des nations membres de cet empire à un même souverain. Cette allégeance était donnée librement et l'ancienne mère-patrie n'avait aucun moyen de cœrcition pour l'imposer aux nations autonomes qui formaient le Commonwealth. Nous donnons: (1) le texte de la loi votée par le parlement anglais; (2) les opinions émises par quelques chefs politiques canadiens, entre 1931 et 1939, au sujet du Statut de Westminster; l'interprétation qu'on en a donnée varie grandement selon les milieux. Voir Robert MacGregor Dawson, *The Development of Dominion Status, 1900-1936*, 54-132, 234-455; Lionel Groulx, *L'Indépendance du Canada* (Montréal, 1949), 63-95; P.-B. Mignault, « Quelques aperçus sur le développement de l'autonomie au Canada avant et depuis le « Statute of Westminster » de 1931 », *Mémoires* de la Société royale du Canada, section I, série 3 (mai 1932), 26: 45-64; Antonio Perrault, « Le Canada et le Commonwealth », *Action nationale*, 13 (1939): 225-252; Mason Wade, *The French Canadians*, 781- 857.

(1)

STATUT DE WESTMINSTER DE 1931

(22 George V, chapitre 4)

Loi donnant suite à certains vœux émis aux Conférences impériales de 1926 et de 1930. (Sanctionnée le 11 décembre 1931.)

Considérant que les délégués des gouvernements de Sa Majesté pour le Royaume-Uni, le Dominion du Canada, le Commonwealth d'Australie, le Dominion de la Nouvelle-Zélande, l'Union sud-africaine, l'Etat libre d'Irlande et Terre-Neuve aux Conférences impériales tenues à Westminster en 1926 et en 1930, ont, d'un commun accord, fait les déclarations et émis les vœux énoncés dans les procès-verbaux desdites Conférences;

Considérant que la Couronne est le symbole de la libre association des membres du Commonwealth des nations britanniques, que le lien qui unit ceux-ci tient à leur commune allégeance à la Couronne, et qu'il y a, en conséquence, lieu de déclarer par manière de préambule à la présente loi qu'il conviendrait, eu égard à la situation bien établie dont les différents membres du Commonwealth jouissent au point de vue constitutionnel dans leurs rapports mutuels, de n'apporter désormais à la loi aucun changement touchant la succession au Trône ou les titres de Sa Majesté, sans que les parlements de tous les Dominions aussi bien que celui du Royaume-Uni y aient donné leur assentiment;

Considérant qu'il convient, eu égard à cette situation bien établie au point de vue constitutionnel, qu'aucune loi ultérieure du parlement du Royaume-Uni ne devienne partie de la législation d'un desdits Dominions, si ce n'est à la demande et avec l'assentiment de ce Dominion;

Considérant que, pour ratifier, confirmer et sanctionner certaines déclarations et certains vœux desdites Conférences, il est nécessaire que le parlement du Royaume-Uni, usant de son autorité, fasse et édicte une loi dans les formes requises;

Considérant que le Dominion du Canada, le Commonwealth d'Australie, le Dominion de la Nouvelle-Zélande, l'Union sud-africaine, l'Etat libre d'Irlande et Terre-Neuve ont, chacun pour soi, demandé et consenti de saisir le parlement du Royaume-Uni d'un projet de loi sur les sujets susdits et portant adoption des dispositions législatives ci-après;

A ces causes, Sa très excellente Majesté le Roi, sur l'avis conforme et avec l'assentiment des lords spirituels et temporels et des communes assemblés en session du présent parlement, et en vertu de l'autorité de celui-ci, décrète ce qui suit:

1. Le mot « Dominion » employé dans la présente loi s'entendra de chacun des Dominions ci-après énumérés, savoir: le Dominion

du Canada, le Commonwealth d'Australie, le Dominion de la Nouvelle-Zélande, l'Union sud-africaine, l'Etat libre d'Irlande et Terre-Neuve.

2. 1) Le *Colonial Laws Validity Act* de 1865 ne s'appliquera à nulle loi que le parlement d'un Dominion édictera postérieurement à l'entrée en vigueur de la présente loi.

2) Nulle loi ou disposition législative que le parlement d'un Dominion édictera postérieurement à l'entrée en vigueur de la présente loi ne sera nulle ou inopérante à raison de son incompatibilité, soit avec le droit anglais, soit avec les dispositions d'une loi existante ou ultérieure du Royaume-Uni, soit avec un arrêté pris, une règle établie ou un règlement rendu en vertu d'une telle loi du Royaume-Uni; et les pouvoirs du parlement d'un Dominion comprendront la faculté d'abroger ou de modifier une telle loi, un tel arrêté, une telle règle et un tel règlement dans la mesure où ils feront partie de la législation de ce Dominion.

3. Il est déclaré et décrété que le parlement d'un Dominion a plein pouvoir pour édicter des lois ayant une portée extra-territoriale.

4. Nulle loi du parlement du Royaume-Uni édictée postérieurement à l'entrée en vigueur de la présente loi ne fera partie ni ne sera considérée comme faisant partie de la législation d'un Dominion, à moins qu'il n'y soit formellement déclaré qu'elle a été édictée à la demande et avec l'assentiment dudit Dominion.

5. Sans préjudice de la portée générale des dispositions précédentes de la présente loi, les articles 735 et 736 du *Merchant Shipping Act* de 1894 seront interprétés comme si la mention qui y est faite de la législature d'une possession britannique ne visait pas le parlement d'un Dominion.

6. Sans préjudice de la portée générale des dispositions précédentes de la présente loi, l'article 4 du *Colonial Courts of Admiralty Act* de 1890, qui prescrit que la sanction de certaines lois doit être réservée au bon plaisir de Sa Majesté ou qu'elles doivent contenir une clause en suspendant l'entrée en vigueur, et cette partie de l'article 7 de la même loi qui prescrit que tout règlement établi par une cour relativement à la pratique et à la procédure d'une cour coloniale d'amirauté doit être approuvé par Sa Majesté en conseil, cesseront d'avoir force de loi dès l'entrée en vigueur de la présente loi.

7. 1) Nulle disposition de la présente loi ne sera considérée comme visant l'abrogation ou la modification des lois édictées de 1867

à 1930 concernant l'Amérique du Nord britannique, ou de tout arrêté pris, de toute règle établie ou de tout règlement rendu en vertu de ces lois.

2) Les dispositions de l'article 2 de la présente loi seront applicables aux lois édictées par toute Province du Canada, ainsi qu'aux pouvoirs des législatures des Provinces canadiennes.

3) Les pouvoirs que la présente loi confère au parlement du Canada ou aux législatures des Provinces canadiennes ne les autorisent à légiférer que sur des sujets qui sont de leur compétence respective.

11. Par dérogation aux dispositions de l'*Interpretation Act* de 1889, le mot « Colony » employé dans toute loi du parlement du Royaume-Uni édictée postérieurement à l'entrée en vigueur de la présente loi ne s'entendra d'aucun Dominion, non plus que d'aucune Province ou d'aucun Etat faisant partie d'un Dominion.

12. La présente loi pourra être citée sous le titre de « Statut de Westminster de 1931 ».

(2)

Opinions émises sur le Statut de Westminster

R.B. BENNETT, séance du 30 juin 1931, *Débats de la Chambre des Communes,* session de 1931, 3: 3155, 3158: ...je comprends que c'est [le Statut de Westminster] le résultat de longs efforts, depuis l'époque où nous étions une colonie jusqu'au moment où nous sommes devenus un dominion autonome comme nous le sommes aujourd'hui. ...Je n'ai pas besoin de signaler à l'attention de la Chambre qu'une conférence comme celle dont je viens de parler [conférence impériale de 1930 qui a préparé l'adoption du Statut de Westminster] n'a jamais songé à contester la suprématie du parlement impérial, de peur que l'on ne vît en cela comme une rupture des liens qui unissent sous la couronne tous les dominions d'outre-mer. Par conséquent, la conférence a bien établi que le parlement impérial n'agirait en matière de législation qu'à la demande du dominion intéressé et le jour où ce dernier l'aura expressément demandé [voir art. 4 du Statut de Westminster]. Il n'y avait pas lieu, dans le temps, de prendre des mesures officielles en vue de supprimer ou d'amoindrir les relations qui existent entre le parlement impérial et notre parlement au point de vue des questions à l'étude.

ERNEST LAPOINTE, séance du 30 juin 1931, *ibid.*, 3: 3162, 3167: ...les diverses nations de la communauté britannique ont défini, en termes non équivoques, ce que seraient leurs relations mutuelles. Elles ont déclaré qu'elles constituent des sociétés autonomes au sein de l'empire britannique, égales quant à la condition politique, en aucune façon subordonnées l'une à l'autre par rapport aux affaires intérieures ou extérieures, bien qu'unies par une commune allégeance à la couronne et librement associées à titre de membres du Commonwealth des nations britanniques. C'était là l'affirmation formelle et claire de leur statut de nations. C'était la reconnaissance du fait que l'égalité de statut constitue le principe fondamental sur lequel s'appuie l'empire britannique. ... Avant de terminer, monsieur l'Orateur, je désire rendre hommage aux hommes publics de Grande-Bretagne et des autres parties de l'empire pour avoir réglé ces questions avec largeur de vue et avoir compris que la meilleure façon de maintenir l'empire est d'accorder la plus grande mesure de liberté, d'autonomie et d'égalité possible. Je suis sûr que les liens qui nous unissent, au lieu d'être affaiblis, sont raffermis par ce nouvel état de choses qui dépend de la bonne volonté de tous les citoyens de l'empire. Je suis heureux de constater que tous les Canadiens pensent ainsi et que les citoyens des autres parties de l'empire en sont venus à la même conclusion. Nous sommes unis dans la même nationalité, par notre loyauté à la même couronne et au même roi, ce qui constitue un lien beaucoup plus fort que toute loi inscrite dans nos statuts qui accorderait la prédominance à une partie de l'empire sur les autres parties.

ARMAND LAVERGNE, séance du 30 juin 1931, *ibid.*, 3: 3167: Comme l'honorable député de Québec-Est [Ernest Lapointe] l'a dit, notre allégeance commune au roi est le lien le plus fort qui maintient l'empire. Reconnaissant les grands avantages dont nous jouissons sous le régime monarchique, et reconnaissant également nos devoirs envers le roi-empereur, il est temps, je crois, de donner à ce sentiment une forme tangible. Je suis un de ceux qui autrefois s'intitulaient « nationalistes », et je crois encore en la politique du « Canada d'abord », mais je suis également un de ceux qui reconnaissent leurs devoirs envers le roi et l'empire. Je crois que les dominions, ou les royaumes de l'empire, devraient maintenant adopter une loi nous obligeant à contribuer de notre part à la liste civile du roi et de la famille royale. Ce serait une manière de reconnaître les bienfaits de la monarchie bien préférable à celle de nous confondre en protestations de très nobles sentiments.

HENRI BOURASSA, séance du 30 juin 1931, *ibid.*, 3: 3177, 3182: Nous pouvons nous féliciter mutuellement du progrès réalisé ces dernières années dans le sens de l'autonomie complète de toutes les nations associées sous cette désignation de commonwealth. ... Je me permets donc, monsieur l'Orateur, de conclure en disant que je fais des vœux pour voir progresser non pas trop vite mais d'une façon constante le principe contenu dans cette loi [Statut de Westminster] et pour voir venir le jour où le Canada sera de nouveau à l'avant-garde, et non plus à l'arrière-garde, en ce qui concerne son affranchissement et son autonomie.

WILFRID GARIEPY, député de Trois-Rivières, séance du 10 mars 1939. M. Gariépy avait présenté un projet de loi ayant pour objet de proclamer jour férié le 11 décembre, anniversaire de la promulgation du Statut de Westminster, *Débats de la Chambre des Communes,* session régulière de 1939, 2: 1807: Le Statut de Westminster est la loi par excellence du Canada; c'est le geste qui couronne son histoire; c'est le dernier pas de notre marche merveilleuse vers le progrès, la civilisation, la liberté et le statut mondial. Nous avons atteint le sommet, après des siècles de luttes et de labeurs physiques et intellectuels. C'est le résultat constitutionnel le plus important que nous ayons obtenu depuis la fondation de notre pays, résultat obtenu graduellement et progressivement par consentement mutuel et grâce au génie déployé par les maîtres de l'opinion publique.

T. CHURCH, député de Broadview, séance du 10 mars 1939, *ibid.,* 2: 1811: Voyons donc ce qu'est devenue la situation des dominions depuis l'adoption de ce statut. Si nous commençons par le Canada, nous constatons que cette mesure a conduit au séparatisme. L'histoire en remonte jusqu'à 1919. Mes reproches ne s'adressent pas exclusivement au régime actuel, attendu que plusieurs membres de notre propre groupe [le parti conservateur] ont été mêlés à cette politique il y a quelques années. ... Le Canada est cosignataire du Statut de Westminster. Dans le statut dont j'ai parlé dans ce débat et que je viens d'indiquer, nous avons été vendus, pieds et poings liés. [M. Church exprime ici la conviction des impérialistes de tradition coloniale. Pour eux le Statut de Westminster signifiait une rupture de l'empire.]

ERNEST LAPOINTE, séance du 10 mars 1939, *ibid.,* 2: 1814: ...il y eut bien des difficultés à surmonter. Chaque étape de ce progrès a été marquée par des luttes où l'on a le plus souvent recouru à des arguments comme ceux qu'a invoqués ce soir l'honorable député de Broadview [T. Church]. Je dirai que même ceux qui acceptent aujourd'hui le Statut de Westminster, qui non seulement l'acceptent mais le commémorent en diverses occasions, se sont montrés plutôt indifférents à cette époque, et que quelques-uns d'entre eux n'étaient pas sans appréhension. On a prétendu que c'était là du séparatisme, que cela équivalait à nous écarter de l'empire britannique, comme l'honorable député de Broadview l'a dit ce soir. Bien entendu, c'est tout le contraire. C'est un symbole d'union; c'est l'unité dans la liberté, c'est le lien qui unit les diverses partie. lu commonwealth sous un même souverain. C'est la liberté qui cimente l'union de toutes ces nations, et si le peuple du Canada et ceux des divers pays du commonwealth étaient animés de sentiments comme ceux qu'a exprimés l'honorable député de Broadview, ce serait à mon sens, un facteur de division, de désunion et de dislocation.

25. - Enquête sur les prix et les conditions de travail

(1934)

Au cours de la session de 1934, H. H. Stevens, ministre du Commerce dans le cabinet Bennett, dirigea une enquête parlementaire sur les méthodes d'affaires des grands magasins de détail et de certaines industries. Le public apprit avec indignation les profits exorbitants que plusieurs compagnies réalisaient en trompant la clientèle sur la qualité des marchandises mises en vente. L'enquête révéla aussi qu'une concurrence effrénée et un surplus de main-d'œuvre, dû au chômage forcé d'une partie de la population, avaient livré les ouvriers et les ouvrières à une exploitation sans merci. Voir *Comité spécial d'enquête sur les écarts de prix et l'achat en masse: procès-verbaux et témoignages* (3 vol., Ottawa, 1935).

(1)

(A la séance du 28 février 1934, le Comité interroge M. Gustave Francq, président de la Commission des salaires minima des femmes pour la province de Québec.)

D. Il en reste cependant que ces industries établies dans les districts ruraux payent des salaires de beaucoup inférieurs à ceux qui sont payés dans les mêmes industries à Montréal et elles font concurrence aux fabriques de Montréal ? — R. Oui.

D. Et ces bas salaires ont leur influence sur les salaires payés dans les grandes fabriques de Montréal ? — R. Exactement.

D. Et le résultat c'est l'abaissement général des salaires dans toutes les fabriques de chaussures de la province de Québec ? — R. Voilà tout le problème.

D. Sous ce rapport vous devez avoir des exemples très pénibles de salaires de famine payés par certains industriels dans la chaussure ? — R. Oui.

D. Vous avez eu connaissance du cas d'un fabricant qui payait ses filles à peine 2 cents l'heure, ce qui représentait $1.50 par semaine de 75 heures ? — R. Oui.

Le président: Expliquez cela clairement.

D. Ce fabricant payait ses filles à peine $1.50 par semaine de 55 heures ? — R. Plus que la semaine ouvrable.

D. Plus qu'une semaine ouvrable ? — R. Oui, de 72 à 75 heures.

D. Vous dites que vous les avez traduits devant les tribunaux ? — R. Oui.

D. Et ils ont été condamnés à l'amende ? — R. $10 pour une première contravention.

D. Dix dollars ? — R. Oui. Je crois devoir m'expliquer. Il faudrait une nouvelle législation. Cela va bien pour les villes. Mais vous ne pouvez pas contrôler ces choses en dehors. Suivant ma propre expérience dans le domaine des activités industrielles, j'estime que la mentalité d'un homme qui doit aborder les problèmes de la ville diffère totalement de la mentalité de celui qui est habitué à vivre à la campagne. Les juges ne font pas exception à cette règle. Chaque fois que vous avez une cause dans un district rural vous devez faire deux fois plus d'efforts auprès d'un juge de campagne qu'il ne sera nécessaire devant un juge de Montréal si vous voulez faire imposer une amende.

D. Une autre question, s'il vous plaît. Ces filles appartiennent-elles à une union ou organisation ouvrière quelconque ? — R. Non.

D. A aucune union ? — R. Non.

D. N'y a-t-il pas d'unions dans la province ou dans ces localités ? — R. Non, pas dans les districts ruraux, monsieur Factor. Même dans les villes, il est difficile d'organiser les filles.

D.   Elles ne font pas partie d'aucune union ? — R. Quelques-unes dans les principaux métiers.

(*Comité spécial d'enquête sur les écarts de prix et l'achat en masse* (3 vol., Ottawa, 1935), 1: 92-93.)

(2)

(Témoignage de M. T.B. Hurson, investigateur spécial pour le Comité, séance du 20 juin.)

M. T.B. Hurson est appelé et assermenté.

D.   Vous vous occupez de l'enquête relative à cette compagnie ? — R. Oui, monsieur.

D.   Sur le compte de laquelle nous nous informons. Combien d'ouvriers sont mariés ? — R. 126.

D.   Sur combien ? — R. 172.

D.   Vous êtes-vous enquis des conditions de travail dans cette fabrique ? — R. Oui, monsieur.

D.   Que dites-vous des conditions de travail que vous avez constatées d'après votre enquête auprès des employés ? — R. Les salaires y étaient très, très bas.

M. Factor [l'un des membres du comité]: Nous sommes au courant de cela.

Le témoin: La conduite du propriétaire ? Il faisait la tournée et guettait les hommes aux machines, leur disant: « Pourquoi est-ce que je vous paye $6 par semaine ? Quelle lenteur ! Hâtez-vous ! » Alors dans les deux dernières semaines, il y eut deux accidents. Un homme perdit un doigt et un autre se fit enlever une partie du pouce. J'ai confirmé le fait par des procès-verbaux d'accidents adressés à la commission québécoise.

D.   Parlez un peu plus fort, s'il vous plaît. Vous dites qu'il y a eu deux accidents par suite de cet aiguillonnement ? — R. Oui.

D.   De la part du propriétaire ? — R. Qui se tenait derrière les machines.

D.   Il s'approchait et guettait ses hommes ? — R. Oui.

D.   Vous êtes-vous informé si ces hommes mariés avaient des familles à faire vivre ? — R. Oui. Le nombre total des enfants de ces 126 hommes est de 401.

D.   Vous avez appris que ces 126 hommes avaient en tout 401 enfants ? — R. Enfants à faire vivre.

D.   A faire vivre ? — R. Oui.

M. Edwards [l'un des membres du comité]: Ces hommes gagnaient $6 par semaine ?

Le témoin: Les uns $6, les autres $7.

M. Factor: Les plus hauts salaires étaient $9.80.

D.   Comment vivaient ces gens ? — R. Je n'ai parlé qu'aux Autrichiens. J'ai demandé à l'un d'eux comment il vivait. Il m'expliqua qu'ils vivaient quatre familles ensemble. Il ajouta: « J'apporte une tranche de pain pour mon dîner. C'est tout ce que j'ai. »

M. Edwards: Ce sont des Européens et non des Canadiens ?

Le témoin: Des Autrichiens et des Italiens.

Le président: Ils habitent le Canada.

M. Boulanger [un autre membre du comité]: Ce sont des êtres humains. (*Ibid.*, 3: 3734-3735.)

26. - *Enquête Rowell-Sirois*

(1937)

La crise économique persistait toujours. Quelques provinces ployaient sous leurs charges financières. En plusieurs milieux, on souhaitait une plus grande intervention du pouvoir central dans la politique intérieure. Le ministère, dirigé par M. King, décida de créer, en août 1937, une commission royale dans le but d'étudier à fond la question délicate des relations entre le Dominion et les provinces. Les enquêteurs reçurent instruction de porter une attention toute spéciale aux problèmes financiers, sociaux et économiques de l'heure. La Commission, présidée d'abord par le juge Newton W. Rowell et, après la démission de celui-ci, par le notaire Joseph Sirois, siégea dans les principales villes du pays de novembre 1937 à décembre 1938. Les commissaires firent appel à plusieurs spécialistes, entendirent des centaines de témoins et réunirent une documentation considérable. Leur rapport parut en mai 1940. Cette enquête et ce rapport soulevèrent de nombreux débats entre les partisans d'une plus grande centralisation administrative à Ottawa et les défenseurs de l'autonomie des provinces. Nous donnons quelques extraits de cet important *Rapport de la Commission royale des relations entre le Dominion et les provinces* (3 vol., Ottawa, 1940), 2: 9, 23-24, 288, 290.

... Ces recommandations ont pour but de mettre le régime fédératif du Canada en état de résister aux tensions et aux malaises qui se sont fait sentir au cours des soixante-dix ans écoulés depuis son établissement, et d'assurer ainsi le maintien de l'unité nationale... Au cours de notre travail, nous avons appris à apprécier comme jamais auparavant l'œuvre des Pères de la Confédération. Leur œuvre a posé les fondements de l'unité nationale et du régime fédératif, deux choses que notre mandat nous enjoint de respecter...

Nous nous sommes efforcés de nous rappeler sans cesse l'idéal de bien-être humain qui devrait déterminer la nature des systèmes politiques et économiques. Nous comprenons pleinement l'importance de maintenir et d'accroître, le plus rapidement possible, le revenu national, lamentablement insuffisant pour assurer le niveau de bien-être que les Canadiens ont désormais adopté. C'est cette nécessité d'un relèvement dans le revenu national qui nous a guidés à l'égard des vœux que nous avons exprimés dans le but de simplifier notre régime financier, d'alléger le plus possible le grand fardeau de la dette publique, d'assurer la collaboration dans la direction des futurs placements de l'Etat sous forme d'emprunts et d'éliminer ces caractéristiques de notre fiscalité qui impliquent des frais élevés de perception ou qui ont une tendance marquée à enrayer les immobilisations et à réduire ainsi le nombre des emplois.

Mais on ne doit pas rechercher seulement l'expansion du revenu national. Le bien-être général exige une meilleure répartition du revenu national et une plus grande mesure de sécurité sociale et économique pour les contribuables des catégories inférieures de revenus. Nous n'avons pas cherché, cela va de soi, à tracer un modèle de législation sociale au Canada, mais, conformément aux instructions que nous avons reçues, nous nous sommes efforcés de préparer la voie à l'établissement du genre probable de législation future en émettant des vœux au sujet de la responsabilité concernant son adoption ou son ajournement...

Seul le gouvernement fédéral peut assurer, d'une façon équitable et efficace, les dépenses variables, mais élevées, nécessitées par le chômage. Ses pouvoirs fiscaux illimités mettent à sa portée tous les revenus d'un caractère national dérivés de toutes sources, et il peut y puiser les sommes nécessaires par les méthodes les moins dommageables aux œuvres de prévoyance sociale et entreprises productives. Le contrôle que le gouvernement fédéral exerce sur le régime monétaire lui permet de financer les déficits temporaires résultant de l'augmentation soudaine des dépenses, sans que son crédit en souffre au même point que celui des gouvernements locaux dont le budget est en sérieux déséquilibre. Les pouvoirs monétaires et fiscaux du Dominion lui permettent d'adopter, pendant les crises économiques, une politique budgétaire volontairement déficitaire et de rembourser la dette à même les surplus des périodes de prospérité; en général, une telle politique n'est à la portée ni des provinces ni des municipalités.

...s'il est donné suite aux recommandations de la Commission, le pouvoir fédéral assumerait aujourd'hui la responsabilité de dettes provinciales tout comme il l'a fait en 1867. Ensuite, de même qu'en 1867 on tenait à ce que le Dominion possédât la principale autorité fiscale de l'époque (douane et accise), ainsi, en vertu des propositions de la Commission, on s'attend aujourd'hui que l'Etat fédéral prenne à son compte la perception des autres impôts majeurs de notre époque (impôt sur le revenu personnel, impôt sur les corporations et droits successoraux). En troisième lieu, le Dominion devait, en 1867, subventionner les provinces afin de leur permettre d'exercer leurs fonctions sans être contraintes de recourir à un régime fiscal oppressif. Si l'on donne effet aux vœux de la Commission, c'est à ces mêmes fins précises que le Dominion versera des subventions d'après la norme nationale [les commissaires proposaient au gouvernement fédéral de verser aux provinces des subventions annuelles basées non plus sur la population comme auparavant mais sur le revenu national; ajoutée à une législation sociale due à l'initiative fédérale, cette aide financière assurerait aux habitants de tout le pays un niveau de vie à peu près identique]. ... les moyens varient, mais le but reste le même, c'est-à-dire le maintien de gouvernements provinciaux en état de suffire aux besoins réels de leur population.

... il semble à propos d'introduire dans les relations fédérales canadiennes un pouvoir de délégation. La Commission recommande que ce pouvoir soit d'application tout à fait générale: que le Dominion puisse déléguer à une province, et réciproquement, le droit d'exercer n'importe lequel de ses pouvoirs législatifs. Le mandat devrait comporter des dispositifs élastiques permettant d'aborder certaines questions spécifiques au fur et à mesure qu'elles se posent, sans restreindre au préalable soit le pouvoir du Dominion soit celui des provinces. Il pourrait arriver qu'une ou plusieurs provinces soient disposées, à l'encontre des autres, à déléguer leurs droits au Dominion; dès lors, c'est dans la souplesse de la méthode qu'apparaîtront les avantages que peut avoir le pouvoir de délégation...

Le but de la Commission a été d'énoncer des propositions qui, si on leur donne suite, assigneront l'autorité sur les services sociaux

aux gouvernements les plus aptes à les organiser et à les gérer; et cela, non pas simplement dans un but d'économie et d'efficacité technique, mais par égard au point de vue social, culturel et religieux des différentes parties du Canada, conditions essentielles du bien-être véritable de l'homme. Les propositions d'ordre financier devraient permettre à chaque province canadienne de compter toujours, en temps de guerre comme en temps de paix, pendant les années maigres comme pendant les années grasses, sur des revenus suffisants pour exercer les fonctions importantes qui lui ont été attribuées. Elles visent de plus à conserver au Dominion, en matière de fiscalité, un pouvoir aussi étendu en fait qu'il l'a toujours été en droit, de telle sorte qu'il puisse disposer de la richesse de la nation selon que peut l'exiger l'intérêt national.

... La Commission ne croit pas que l'ensemble de ses propositions conduise plus à la centralisation qu'à la décentralisation; elle croit plutôt qu'il en résultera, entre ces deux tendances, l'équilibre sain qui constitue l'essence d'un régime fédératif véritable, et, par conséquent, la base sur laquelle l'unité nationale du Canada peut reposer en toute sécurité.

27. - L'opinion publique
et la politique étrangère du Canada
(1934-1938)

La politique étrangère divisa profondément l'opinion canadienne pendant la période de l'entre-deux-guerres. On discerne quatre écoles principales de pensée: les impérialistes de tradition coloniale, les internationalistes, les isolationnistes et les impérialistes autonomistes ou nationalistes.

Les impérialistes de tradition coloniale soutenaient qu'en politique étrangère le Canada devait se mettre à la remorque de la Grande-Bretagne. Pour eux, celle-ci demeurait toujours la tête et le cœur de l'Empire. Cette école groupait la minorité.

Les internationalistes affirmaient que le Canada avait un rôle important à jouer comme membre de la Société des Nations.

Ils croyaient sincèrement en la possibilité d'établir la sécurité collective et voulaient que le Canada y collaborât activement.

Les isolationnistes, fortement influencés par l'exemple des Etats-Unis et de tous les pays du continent américain, avaient la conviction que le Canada devait se dissocier autant que possible sinon complètement de la Société des Nations et proclamer sa neutralité. La Grande-Bretagne et les autres pays du Commonwealth sauraient ainsi à quoi s'en tenir en cas de guerre. Bon nombre d'internationalistes, déçus par la faillite des divers projets de sécurité collective et perdant complètement foi en la Société des Nations, se joignirent aux isolationnistes, à partir de 1936 tout particulièrement. Cette école rallia la majorité des Canadiens français. Ceux-ci, au cours du XIXe siècle, s'étaient habitués à croire que le Canada demeurerait toujours neutre dans les conflits internationaux. La longue période de paix qui suivit la conquête anglaise avait donné naissance à cette illusion. La guerre des Boers et la première grande guerre n'avaient pas modifié leur point de vue. L'évolution constitutionnelle du Canada de 1919 à 1931 fortifia leur isolationnisme traditionnel.

Les impérialistes autonomistes ou nationalistes ne niaient pas les obligations du Canada comme nation du Commonwealth britannique et comme membre de la Société des Nations. Cependant, fidèles à la tradition établie par Macdonald et Laurier, ils refusaient d'engager inconsidérément et à l'avance le Canada en faveur d'une politique d'intervention ou de neutralité. Alarmés par les divisions qui se manifestaient violemment dans l'opinion publique et cherchant avant tout à sauvegarder l'unité nationale, ils adoptèrent une ligne de conduite prudente et quelque peu opportuniste. Telle fut, en particulier, la politique de W. L. Mackenzie King. Elle reçut l'appui des chefs libéraux de la province de Québec.

En 1937, le gouvernement décida d'augmenter le budget du ministère de la Défense nationale. Ce projet suscita au Parlement et dans le public de longues discussions. Celles-ci révélèrent que le pays était plus divisé que jamais sur les questions de politique étrangère.

Nous donnons quelques déclarations faites au Parlement et dans les campagnes électorales de 1934 à 1938. Lire Michel Brunet, *Canadians et Canadiens* (Montréal, 1954), 119-152; du même auteur, *La Présence anglaise et les Canadiens* (Montréal, 1958), 240-252; G. P. de T. Glazebrook, *A History of Canadian External Relations* (Toronto, 1950), 369-437; R. A. MacKay et E. B. Rogers, *Canada Looks Abroad* (Toronto, 1938); F. H. Soward, The *Department of External Affairs and Canadian Autonomy, 1899-1939* (Ottawa, 1956); F. H. Soward et autres, *Canada in World Affairs: The Pre-War Years* (Toronto, 1941).

Sénateur A.D. McRAE (conservateur, Colombie britannique), séance du 17 avril 1934. Le sénateur McRae avait présenté une résolution demandant que le Canada se retire de la Société des Nations, *Débats du Sénat du Canada,* session de 1934, 254: Il n'y a pas de langage pour décrire les horreurs de la guerre. Les quelques vraies batailles que j'ai vues durant la dernière guerre [le sénateur McRae avait été major-général pendant la guerre] me laissaient toujours la même impression: le monde est devenu fou. Les mots manquent pour décrire une guerre moderne. C'est peut-être pour cela qu'on en discute si rarement. Tous s'accordent à dire que la prochaine guerre sera infiniment plus horrible. La pensée même m'en épouvante. Dites, si vous voulez, que je suis un pacifiste international; mais je ne veux plus que nos jeunes Canadiens se battent dans des guerres à l'étranger.

W.L. MACKENZIE KING (premier ministre), séance du 18 juin 1936, *Débats de la Chambre des Communes,* session de 1936, 4: 3942, 3946: ... nous ne croyons pas qu'il soit possible pour le Canada de se désintéresser des affaires mondiales. Dans notre monde actuel, toutes les nations dépendent les unes des autres. Rien d'important ne se produit à l'étranger qui n'ait quelque répercussion sur nos fortunes et notre avenir. Il est vrai, qu'à la différence de maints pays moins heureux, le Canada n'est pas exposé à un danger direct et imminent d'attaque et de conquête. Nous sommes heureux tant dans nos voisins que dans notre absence de voisins. Il se peut que cette situation heureuse ne résulte d'aucune vertu spéciale de notre part, qu'elle tienne à un accident de géographie et d'histoire, mais il suffit de visiter n'importe quel pays d'Europe aujourd'hui pour se rendre compte de notre situation relativement heureuse et de la folie qu'il y aurait à risquer de la perdre... En ce qui concerne le Canada, il n'y a pas de plus grande menace à notre unité nationale et à notre rétablissement économique qu'une participation dans une guerre prolongée.

Sénateur ADRIAN K. HUGESSEN (libéral, province de Québec), séance du 19 janvier 1937, *Débats du Sénat du Canada,* session de 1937, 7: Je ne crois pas qu'on puisse nier que l'opinion publique de notre pays n'approuverait jamais l'idée que le Canada devrait intervenir par la force armée dans un conflit, si peu important ou si éloigné de notre pays qu'il soit, simplement parce qu'une autre partie de l'Empire est engagée dans ce conflit.

Sénateur RAOUL DANDURAND (libéral, province de Québec), séance du 19 janvier 1937, *ibid.*, 16: Nous sommes en ce pays dans une situation fort difficile. Une partie considérable de l'opinion est en faveur d'accourir à la défense de la mère-patrie. J'admire ce sentiment; j'en connais la source et je le respecte, mais je suis d'avis qu'en ce moment le Canada se doit de veiller à la protection de son propre littoral et de mettre au point son organisation militaire, et d'attendre les événements.

Sénateur GUSTAVE LACASSE (libéral, Ontario), séance du 20 janvier 1937, *ibid.*, 26: Honorables membres, il serait non seulement inéquitable mais dangereux de notre part de ne pas prêter l'oreille à la voix de l'opinion publique, et Dieu sait quelle véhémente hostilité à notre participation à des guerres étrangères elle exprime aujourd'hui.

Sénateur F.B. BLACK (conservateur, Nouveau-Brunswick), séance du 20 janvier 1937, *ibid.*, 28: Je ne veux pas de guerre mais je tiens à ce que le Canada soit en état de faire sa part au besoin. Je ne veux pas voir un seul Canadien combattre à l'étranger, mais je veux que tous les patriotes canadiens soient en mesure de défendre leurs rives si jamais elles sont attaquées.

J. S. WOODSWORTH (chef du parti C.C.F., Winnipeg-Nord-Centre, Manitoba), séance du 25 janvier 1937, *Débats de la Chambre des Communes*, session de 1937, 1: 249. Bien que je ne veuille pas qu'on dise que je fais tout simplement appel aux sentiments, je maintiens que, dans l'histoire actuelle de notre pays, nous sommes dans une situation où tout citoyen bien pensant doit chercher par tous les moyens possibles à éviter la guerre; et de plus que, si la guerre est déclarée, le Canada n'y sera pas entraîné.

W. L. MACKENZIE KING (premier ministre), séance du 25 janvier 1937, *ibid.*, 252, 255, 256: Ces crédits [militaires] n'ont pas été établis avec l'idée d'une participation à des guerres européennes... Je veux dire clairement que le simple fait que nous faisons partie de l'Empire britannique ne nous impliquera pas nécessairement dans une guerre à laquelle pourront participer d'autres parties de l'Empire britannique. Il appartient à notre Parlement de décider si nous devons ou non participer à une guerre où d'autres parties de l'Empire pourraient s'engager... Toutefois, il y a entre les deux [le premier ministre venait de parler de l'attitude des impérialistes croyant en la nécessité d'une politique étrangère commune à tout l'Empire et de celle des partisans de l'isolationnisme, les « nationalistes intégraux » comme il les appelle] une attitude moyenne qu'adoptent la plupart des Canadiens, il me semble. Dans ce juste milieu, on peut trouver une diversité de vues et de programmes qui ont, cependant, une chose en commun: c'est que cette politique doit être avant tout canadienne, et qu'elle ne doit être ni impérialiste, non plus qu'elle ne doit favoriser l'isolement. Ces partisans croient qu'il leur appartient de décider des questions de défense ou de politique étrangère conformément aux intérêts du Canada. Notre pays doit en premier lieu prendre des décisions qui intéressent le Canada. En envisageant son propre bien-être, le Canada tiendra naturellement compte des intérêts de tous les pays avec lesquels il peut être associé, mais dans ce cas encore, l'attitude du Canada s'inspirera de son propre intérêt, eu égard à la situation du moment.

Mlle AGNES MACPHAIL (du parti des Fermiers-Unis, Grey-Bruce, Ontario), séance du 25 janvier 1937, *ibid.*, 1: 262: Je suis d'opinion qu'il est temps, même à l'heure actuelle, de déclarer clairement à la Grande-Bretagne que le Canada n'est pas dans les mêmes dispositions qu'il était en 1914; qu'il n'est pas probable que le Canada s'aventure dans un conflit européen sans y avoir longuement réfléchi; et si tout le monde pensait comme moi, il ne s'y aventurerait pas du tout.

ERNEST LAPOINTE (ministre de la Justice) séance du 4 février 1937, *ibid.*, 1: 558, 559, 563: Je hais la guerre de toutes les fibres de mon être. Je ferai tout en mon pouvoir pour empêcher le Canada d'y être entraîné... Je poserai une autre question à mon honorable ami [M. Woodsworth]: a-t-il sérieusement réfléchi à la portée d'une déclaration de neutralité absolue comme celle que sa résolution préconise ? A-t-il considéré que, d'après toutes les autorités en questions constitutionnelles, cela signifierait que le Canada se sépare du Commonwealth britannique ? Je ne pense pas que mon honorable ami veuille aller jusque là... Cette question du droit des dominions à une stricte neutralité est une des questions encore à régler, et sa solution n'est pas celle que préconise mon honorable ami... Nous sommes prêts à faire quoi que ce soit pour la défense du Canada. Je ne crois pas, cependant, que nos gens [ses compatriotes du Québec] aimeraient à être entraînés dans une guerre qui pourrait se déclarer entre le communisme et le fascisme, parce qu'ils les détestent tous les deux. Ils sont prêts à défendre leur propre pays... Nous ne sommes pas engagés. Quand le temps en sera venu, nous déciderons si oui ou non nous participerons à une guerre. J'espère bien que les conditions permettront alors au Canada de ne se trouver mêlé à aucun conflit.

FERNAND RINFRET (secrétaire d'Etat), séance du 4 février 1937, *ibid.*, 1: 569: Nous pouvons décider de participer ou de ne pas participer à une guerre étrangère. Nous sommes libres de prendre une attitude à cet égard. J'affirme sans hésitation qu'il faudrait certes des circonstances exceptionnelles pour me convaincre que nous devons prendre part à un conflit européen, mais la neutralité, c'est autre chose... Nous devons comprendre que cette proposition [la résolution de neutralité présentée par M. Woodsworth] revient à ceci : Rien que pour le fantasque caprice de le dire, et sans aucune bonne raison, nous disons à la Grande-Bretagne: « Quoi qu'il arrive, quelle que soit la guerre dans laquelle vous soyez engagée, qu'importe que vous soyez à la veille de la défaite et de la destruction, nous ne vous aiderons pas. » Je suis trop bon britannique pour parler ainsi. C'est là une attitude que nul pays ne prendrait à l'égard d'un pays ami.

J. S. WOODSWORTH (chef du parti C.C.F.,), séance du 4 février 1937. M. Woodsworth soutient que les déclarations de MM. King et Lapointe se contredisent au sujet du droit qu'aurait le Canada d'être neutre lorsque la Grande-Bretagne est en guerre. Il précise, *ibid.*, 1: 575, 576: ... comme l'a expliqué aujourd'hui le ministre de la Justice, par le fait même que l'Angleterre est en guerre, nous sommes automatiquement en guerre... Le Canada n'a jamais déclaré la guerre ni fait la paix de son propre chef et, avec l'état de choses actuel, il ne pourrait pas le faire.

C. G. MACNEIL (C.C.F., Vancouver-Nord, Colombie), séance du 15 février 1937, *ibid.*, 1: 906: Je soutiens que l'on nous invite à favoriser des mesures de défense qui ne comportent aucune défense. On nous demande de compromettre notre sécurité nationale et de perpétuer des inégalités sociales, sans nous assurer que nous serons mieux protégés contre le danger de la guerre. Au nom de la défense nationale, nous envisageons des engagements qui signifient toute autre chose que la défense du sol ou des foyers canadiens. Nous désirons la paix et nous nous engageons dans la voie qui mène à la guerre.

MAXIME RAYMOND (libéral, Beauharnois-Laprairie, Québec), séance du 15 février 1937, *ibid.*, 1: 932: Mon mandat est de m'opposer à ce que le Canada participe à toute guerre en dehors de son territoire...

J. T. THORSON (libéral-progressiste, Selkirk, Manitoba), séance du 16 février 1937, *ibid.*, 1: 947: Je m'oppose au projet d'augmenter le budget des armées de terre, de mer et de l'air. Les dépenses projetées ne sont ni nécessaires, ni efficaces pour les seules fins de la défense nationale contre un agresseur... Je le crains, nous assistons à l'inauguration d'un programme d'action bien différent, dont l'objet est de préparer le Canada à participer à une nouvelle guerre.

SAMUEL FACTOR (libéral, Spadina, Ontario), séance du 16 février 1937, *ibid.*, 1: 969: J'ai reçu depuis quelques jours des centaines, oui, des centaines de lettres de citoyens de ma circonscription qui s'opposent à l'augmentation des crédits du ministère de la Défense nationale... Ce ne sont pas des gens d'origine étrangère, pour la plupart, mais de bons anglo-saxons. J'ai aussi reçu nombre de lettres de pasteurs, de professeurs de l'Université de Toronto, d'étudiants, d'associations féminines et de présidents de cercles domestiques et scolaires, s'opposant tous à l'augmentation des dépenses du ministère de la Défense nationale et les considérant comme des préparatifs de guerre et comme une entrée du Canada dans la course aux armements. Tout cela est bien troublant et déconcertant.

MAURICE LALONDE (libéral, Labelle, Québec), séance du 18 février 1937, *ibid.*, 1: 1021: Je suis Canadien de toutes les fibres de mon être et je ne sacrifierai jamais mes fils, lorsqu'ils auront l'âge de porter les armes, au salut de l'Angleterre ou de n'importe quelle autre nation étrangère.

W. L. MACKENZIE KING (premier ministre), séance du 19 février 1937, *ibid.*, 2: 1085: En faisant ce que nous faisons pour le Canada [la politique de réarmement], dis-je, nous croyons fournir ainsi la contribution la plus efficace à la protection de la sécurité de tous les autres pays ayant les mêmes institutions, les mêmes idéals, les mêmes principes de liberté à préserver que les nôtres.

T. C. DOUGLAS (C.C.F., Weyburn, Saskatchewan), séance du 19 février 1937, *ibid.*, 2: 1091: Je suis opposé à une augmentation d'armements. S'ils devaient contribuer à quelque système de sécurité collective, ce serait toute autre chose. Mais on demande à la Chambre de payer pour l'attitude faible et vacillante qui a caractérisé les affaires internationales. Quant à moi, jamais je ne parlerai ni ne voterai pour que nous envoyions nos jeunes gens faire le sacrifice suprême à cause de l'incompétence, et, bien souvent, la stupidité de ceux qui ont dirigé la politique étrangère de ce pays.

E. G. HANSELL (créditiste, Macleod, Alberta), séance du 19 février 1937, *ibid.*, 2: 1091: Nous pourrons en dire ce que nous voulons, mais le Canada est partie intégrante de l'Empire britannique, et, si celui-ci était entraîné dans un conflit international, que cela nous convienne ou non, le Canada y serait entraîné à son tour.

Sénateur A.D. McRAE (conservateur, Colombie britannique), séance du 16 mars 1937, *Débats du Sénat du Canada,* session de 1937, 183: En ce qui a trait à la participation du Canada à la prochaine guerre européenne ... je suis nettement opposé à notre participation.

Sénateur J.P. MOLLOY (libéral, Manitoba), séance du 5 avril 1937, *ibid.*, 295, 296: ... je n'exagère pas en affirmant que 90 p. 100 des Canadiens sont opposés à toute nouvelle participation du Canada aux guerres européennes. J'irai plus loin, j'affirme que 99 p. 100 des étudiants de nos maisons d'enseignement et de nos universités sont opposés à ...la conscription... Si une guerre européenne éclatait demain, — et peu m'importe quel pays devrait en porter le blâme, tous sont blâmables, car pour qu'il y ait querelle, il faut être plus d'un, — sommes-nous tenus à participer à la guerre, qu'elle soit juste ou non, parce que nous appartenons au Commonwealth des nations britanniques ? Je dis que non. De plus, je crois que le peuple canadien a décidé de ne plus le faire. Nous en avons fait l'expérience une fois, et elle a été joliment amère.

C.G. POWER (ministre des Pensions et de la Santé dans le cabinet fédéral), discours prononcé à Saint-Flavien-de-Lotbinière, le 19 décembre 1937. Power parlait en faveur de J.-N. Francœur, ancien ministre provincial et candidat officiel du parti libéral à l'élection complémentaire du comté de Lotbinière, voir *La Presse,* 20 décembre 1937: La guerre, j'y suis allé, j'en suis revenu, je n'y retourne plus et je n'y enverrai personne.

J.-N. FRANCOEUR, à la même assemblée politique, voir *La Presse,* 20 décembre 1937: Suivant en cela la politique de mes chefs [deux ministres du cabinet fédéral assistaient à l'assemblée], si je suis en faveur des crédits pour les armements pour assurer la police du Canada, afin de se protéger à l'intérieur contre les menées subversives, je suis nettement opposé à ce que l'on dépense un centin pour équiper ou pour envoyer un seul soldat aux guerres extérieures.

ERNEST LAPOINTE (ministre de la Justice), à la même assemblée politique, voir *Le Canada,* 20 décembre 1937: Ces dépenses militaires, c'est pour vous que nous les avons faites, pour vous protéger contre la guerre. Y a-t-il un seul Canadien qui veut s'opposer à cela ? Que disions-nous en 1917 lorsque nous nous opposions à la conscription ? Exactement ce que nous disons aujourd'hui. S'il faut des actes pour défendre le pays, nous y sommes. Mais Ernest Lapointe ne serait plus ministre s'il y avait quelque chose de plus que cela dans ces crédits... On dit qu'on veut vous envoyer à la guerre. Ce n'est pas aller à la guerre que de se protéger contre la guerre; c'est pour empêcher qu'on y aille... M. Francœur dit qu'il est contre toute participation du Canada aux guerres étrangères, mais qu'il reste en faveur de la défense chez lui: c'est là une politique nationale.

CAMILLIEN HOUDE, discours prononcé lors d'une assemblée politique au Collège de Saint-Henri, le 9 janvier 1938. Houde se présentait comme candidat indépendant à l'élection complémentaire du comté de Montréal-Saint-Henri, voir *La Presse,* 10 janvier 1938: Depuis plusieurs années, depuis vingt ans, on entend dire que les armements c'est dangereux, que ça mène à la guerre, que ce n'est pas fait pour décorer des arbres de Noël. Depuis vingt ans, les libéraux, comme d'autres de vos amis, ont répété que les armements c'est dangereux. J'en suis venu à les croire, mais je ne vous promets pas de les croire s'ils disent le contraire...

P.-J.-ARTHUR CARDIN (ministre des Travaux Publics dans le cabinet fédéral), discours prononcé, le 11 janvier 1938, en faveur du candidat libéral, Joseph A. Bonnier, à l'élection complémentaire de Montréal-Saint-Henri, voir *La Presse* et *Le Canada* du 12 janvier 1938: Ce ne sont pas les armes du Canada qui ont fait participer le Canada à la guerre [en 1914], c'est l'état d'esprit des chefs qui le dirigeaient. Les soldats canadiens ne sont pas allés à la guerre parce que le Canada avait de vieux fusils, mais parce qu'on avait décidé que le Canada devait y participer. Nous n'avons pas l'intention de conquérir d'autres pays, en modernisant nos armements. Nous voulons rester tranquilles sur notre terre et la défendre.

FERNAND RINFRET (secrétaire d'Etat dans le cabinet fédéral), discours prononcé, le 12 janvier 1938, en faveur du candidat libéral dans l'élection de Montréal-Saint-Henri, voir *La Presse,* 13 janvier

1938: Je n'hésite pas à affirmer sur l'honneur, ici ce soir, que des $35,000,000 affectés à notre défense nationale, pas un seul sou — je ne dis pas: pas un seul dollar — pas un seul sou n'est dépensé pour fins de participation à quelque guerre étrangère que ce soit.

P.-J.-ARTHUR CARDIN, autre discours prononcé le 13 janvier 1938, voir *La Presse* et *Le Canada* du 14 janvier 1938: Dans une guerre qui n'intéresserait pas le Canada, même si celle-ci se déclarait entre l'Angleterre et l'Italie [l'orateur répond ici à une question du candidat indépendant, Camillien Houde], je dirais ceci à mes compatriotes: Canadiens, restez chez vous... Je suis citoyen du Canada, d'un Canada qui veut avoir la paix et qui n'a pas d'affaire à se déranger pour défendre un pays étranger au sien. Telle est ma politique, telle est la politique de mes collègues et du gouvernement libéral actuel.

MAURICE LALONDE (député du comté de Labelle aux Communes), lors d'une assemblée en faveur du candidat libéral dans Montréal-Saint-Henri, voir *Le Canada,* 17 janvier 1938: Moi-même, on me passera sur le corps avant d'envoyer un seul Canadien participer à un conflit extérieur.

J.-N. FRANCOEUR (élu député de Lotbinière lors de l'élection complémentaire du 27 décembre 1937), séance du 31 janvier 1938. Le gouvernement l'avait choisi pour proposer l'adresse en réponse au discours du Trône, *Débats de la Chambre des Communes,* session de 1938, 1: 19: ... nous avons soutenu, mes amis et moi, dans toutes les assemblées publiques [pendant la campagne électorale qui avait précédé son élection], que nous étions en faveur de la défense du pays, que, si nous croyions que la première ligne de défense était maintenant au Canada, nous ne voulions pas contribuer un seul centin pour armer ou équiper un soldat afin de l'envoyer dans un corps expéditionnaire, et, en résumé, que nous n'entendions pas participer aux guerres extérieures. C'est ainsi que nous avons soumis le problème et c'est de cette façon également que les électeurs du comté de Lotbinière l'ont compris...

IAN MACKENZIE (ministre de la Défense nationale), séance du 24 mars 1938. Le ministre défendait son budget, *ibid.,* 2: 1694, 1696: Ces crédits sont fondés sur le principe qu'il faut voter des sommes raisonnables et censées nécessaires pour assurer la défense du territoire canadien... La seconde nécessité qui s'impose concerne notre commerce extérieur. Le Canada est un pays exportateur et importateur. Nous produisons d'énormes quantités de vivres et, advenant une situation critique entre deux belligérants, voilà qui pourrait avoir d'énormes conséquences au point de vue économique. Par conséquent, le Canada doit être prêt à préserver sa neutralité et à se défendre lui-même contre les incursions d'où qu'elles viennent... Le Canada se refuse absolument, d'après moi, à prendre le moindre engagement à l'étranger et à être mêlé à la moindre complication extérieure. D'un autre côté, l'opinion publique au Canada est en faveur d'une politique rationnelle composée de mesures raisonnables pour la défense du pays et c'est, en définitive, l'opinion du peuple qui réglera, sans tenir compte de ce qu'un gouvernement pourra faire ou ne pas faire, les questions qui pourront surgir au Canada à l'avenir.

C. G. MACNEIL (C.C.F., Vancouver-Nord, Colombie britannique), séance du 25 mars 1938, *ibid.*, 2: 1767: Il me semble évident que les fins indiquées par le ministre [l'hon. Mackenzie] ne s'accordent pas exactement avec le programme [d'armements] que l'on a déjà commencé à exécuter. Il est évident que nous nous préparons pour une fin plus vaste que la seule défense de nos côtes.

W. L. MACKENZIE KING (premier ministre), séance du 24 mai 1938, *ibid.*, 3: 3254: Il ressort de la contradiction entre les responsabilités indépendantes reconnues des diverses communautés du Commonwealth ... qu'il est possible qu'une proclamation de guerre par le roi, à l'égard de certains de ses dominions, puisse entraîner dans le conflit les autres parties de l'Empire. Autrement dit, nous avons trouvé une solution satisfaisante et durable pour ce qui a trait aux relations entre les différents pays de l'Empire britannique en temps de paix, mais nous n'avons pas encore trouvé une solution complètement logique en ce qui concerne ces relations en temps de guerre.

28. - Le Canada et la participation aux guerres extérieures

(1939)

La politique d'expansion et d'agression de l'Allemagne hitlérienne et de l'Italie fasciste menaçait l'équilibre des nations et conduisait l'Europe vers une autre guerre générale. Au Canada, l'opinion commençait à s'alarmer. Le premier ministre exposa, deux semaines après l'occupation de la Tchécoslovaquie par les troupes allemandes, quelle serait la politique du Canada si la Grande-Bretagne était entraînée dans un conflit européen. Voir discours du très honorable William Lyon Mackenzie King, le 30 mars 1939, *Débats de la Chambre des Communes,* session de 1939, 3: 2447-2467.

...il peut se présenter des circonstances où la guerre ne pourra être évitée, où un grand conflit pourra se déclarer en Europe. On se demande quelle sera alors l'attitude du Canada.

Pour ce qui est du présent Gouvernement, son attitude a été maintes fois nettement établie, et rien n'est aujourd'hui changé dans cette attitude. Si le Canada se trouve dans la nécessité de prendre une décision sur la question la plus grave et la plus importante que puisse envisager une nation, celle de participer ou de ne pas participer à une guerre, le principe du gouvernement responsable, qui a été notre guide et notre but depuis un siècle, exige que cette décision soit prise par le Parlement du Canada. De même, le système de gouvernement que nous avons hérité de l'Angleterre, et qui comporte des relations étroites et essentielles entre la législature et le cabinet, impose au Gouvernement le devoir de proposer au Parlement une ligne de conduite répondant aux problèmes de l'heure et d'y subordonner sa propre existence.

D'aucuns ont prétendu que cette politique est insuffisamment nette et catégorique. Quel gouvernement, je vous le demande, fait des déclarations catégoriques et irrévocables sur la politique qu'il suivra, que son peuple suivra, sans tenir compte des contingences, des questions en jeu, de l'attitude des autres pays ?...

L'attitude du Canada relativement à des engagements automatiques, comportant la participation possible ou réelle à une guerre, a été maintes fois énoncée, tant au Parlement canadien qu'à Genève. Qu'il se soit agi de l'application de sanctions, sous le régime de l'article XVI du Pacte de la Société, ou de la participation à des guerres tout à fait indépendamment de la Société des Nations, l'attitude du Canada a été la même, c'est-à-dire que dans l'un ou l'autre cas l'approbation du Parlement serait nécessaire. [...]

Nous avons une tâche énorme à accomplir chez nous, celle de fournir des logements aux Canadiens, de prendre soin des vieillards et des impotents, de soulager la misère due à la sécheresse et au chômage, de construire des routes, de faire face à l'énorme fardeau de la dette nationale, de préparer la défense du Canada et d'élever notre niveau de vie et de civilisation dans la mesure que nous le permettent nos connaissances actuelles. Nous n'aurons pas trop de nos propres ressources pour ces fins; nous devons donc, dans une mesure plus ou moins grande, choisir entre vaquer aux affaires de notre pays et essayer de sauver l'Europe et l'Asie. Bien des gens tiennent pour un cauchemar et une pure folie l'idée que notre pays devrait, tous les vingt ans, automatiquement et tout naturellement participer à une guerre outre-mer pour la défense de la démocratie ou pour assurer la souveraineté d'autres petites nations, ou qu'un pays dont toutes les énergies doivent être employées à sa propre administration devrait être tenu de sauver, à certaines époques fixes, un continent qui ne peut se tirer d'affaire lui-même, et cela au prix de la vie de ses propres habitants, en s'exposant à la faillite et à la désunion politique.

[Le premier ministre parle de nos relations avec les Etats-Unis et l'Amérique du Sud. Il souligne l'intérêt croissant que le Canada porte aux affaires de l'Europe.]

Notre sollicitude pour la puissance et la sécurité du Royaume-Uni provient d'un intérêt encore plus profond et constitue un facteur capital dans l'élaboration de la politique canadienne. Ce sentiment repose sur des liens de parenté et de contact personnel. Pour la plupart des gens, sans doute, le centre de gravité politique tend, à mesure qu'ils avancent en âge, à passer de la terre de leurs ancêtres à celle de leurs enfants. La plupart de ceux dont les ancêtres sont venus des Iles Britanniques sont probablement à mi-chemin à cet égard entre nos concitoyens de langue française, dont les ancêtres sont venus s'établir au Canada il y a trois siècles, et les plus récemment arrivés, dont la manière de voir est encore, en certains cas, influencée par la vie et les coutumes de la patrie qu'ils ont quittée. En tout cas, le sentiment d'intérêt personnel qu'éprouvent l'ensemble des Canadiens à l'égard de ce qu'ils appellent affectueusement le vieux pays constitue encore un facteur capital et déterminant.

Bien entendu, cela n'est pas la seule raison pour laquelle le sort de la Grande-Bretagne nous préoccupe spécialement. Sans doute, les liens commerciaux sont forts, mais plus forte encore est l'admiration, non restreinte aux Canadiens d'origine britannique, pour ce que la Grande-Bretagne représente et pour ce qu'elle a donné au monde: les institutions libres qu'elle a fait naître, la tolérance et la faculté de concilier des points de vue contraires, qui marquent sa vie politique, l'insistance sur la liberté personnelle, l'attachement à l'intérêt public et l'empressement à servir le public sans enrégimentement et sans récompense.

A une époque comme la présente, on apprécie surtout le fait que la Grande-Bretagne aujourd'hui, quoi qu'il ait pu en être par le passé, n'a aucune visée territoriale, aucun dessein de porter atteinte aux possessions ou à la liberté de n'importe quel autre peuple, et que son influence constitue la principale garantie de la paix du monde. Un monde où la Grande-Bretagne serait faible serait beaucoup plus dangereux pour les petits pays qu'un monde où elle est forte. Enfin, il y a des liens historiques et politiques: l'allégeance à un même roi; un même intérêt humain dans les titulaires de la couronne; la libre association dans le même commonwealth. De plus, à la puissance de la Grande-Bretagne se rattache le sentiment de notre propre sécurité. Aujourd'hui surtout, quand se manifeste un désir de dominer le monde par la force, avons-nous raison de croire que la tentative d'un agresseur de subjuguer la Grande-Bretagne constituerait une menace à la liberté de chaque nation du commonwealth britannique. Tous ces éléments concourent à faire de notre préoccupation pour la sécurité de la Grande-Bretagne un facteur profond et capital dans l'élaboration de la politique canadienne...

Mais ces changements importants, changements dans la situation mondiale, changements dans les relations politiques, changements dans la situation de la défense, changements même dans les relations constitutionnelles entre les membres du commonwealth, n'altèrent pas nécessairement la situation formelle et juridique, la situation qui existait incontestablement, il y a une génération, à savoir que le Canada devient automatiquement un pays belligérant si le Royaume-Uni est en guerre.

[M. King se demande s'il est opportun pour le Canada d'affirmer officiellement par une procédure encore à déterminer son droit, en cas de guerre, de choisir entre la belligérance et la neutralité.]

Une mesure de ce genre, à l'heure actuelle, serait une aide et un réconfort pour tout pays enclin à attaquer les pays démocratiques ou le Royaume-Uni en particulier. Un tel pays en viendrait inévitablement à la conclusion, fondée ou non en logique, que le fait que nous cherchons, dans la situation présente du monde, à préserver le pouvoir juridique de déclarer notre neutralité, implique la décision arrêtée de garder la neutralité dans tout conflit que le pays en question pourrait déclencher. Ce serait une conclusion tout à fait injustifiable, une conséquence des plus déplorables. Aucun pays n'a actuellement lieu ou ne devrait avoir le moindre motif de compter qu'en cas d'une attaque contre le Royaume-Uni le Canada a décidé de rester à l'écart et est déterminé à ne pas prendre une part convenable au conflit, advenant que la lutte fût imposée à la métropole.

La façon d'agir que l'on propose n'est réellement pas opportune. J'apprécie à leur valeur les motifs de ceux qui la préconisent, mais j'estime qu'ils exagèrent l'importance des formes et formules juridiques. Dans aucun cas possible à prévoir, la décision du Canada ne sera déterminée par la situation juridique. Nous ne nous engagerons pas dans une guerre simplement à cause de l'incertitude juridique quant à notre pouvoir de rester à l'écart. Ce n'est pas simplement parce que nous nous serions assuré une liberté juridique indiscutable que nous refuserions d'entrer en guerre. Les décisions de notre pays sur des questions si vitales seront fondées, maintenant ou plus tard, sur des forces plus profondes; elles dépendront des convictions et des sentiments de notre population...

29. - Deuxième Grande Guerre
(1939)

En 1914, l'entrée en guerre de la Grande-Bretagne avait décidé de la participation du Canada au conflit (voir document No 18). Lorsque la deuxième guerre mondiale éclata au début de septembre 1939, le gouvernement canadien, tel que l'avait promis le premier ministre (voir document No 28), convoqua le parlement et lui proposa une politique d'intervention. Au cours du débat sur l'adresse en réponse au discours du trône, les principaux chefs politiques insistèrent sur la nécessité d'adopter une politique prudente capable de rallier la majorité et de sauvegarder l'unité nationale. Après l'adoption de l'adresse en réponse au discours du trône, le gouvernement déclara officiellement la guerre à l'Allemagne, au nom du Canada, le 10 septembre 1939.

(1)

Discours du Trône

Honorables membres du Sénat,

Membres de la Chambre des Communes.

Comme vous ne le savez que trop, tous les efforts tentés en vue de maintenir la paix en Europe ont échoué. Le Royaume-Uni, pour honorer des engagements souscrits avec l'intention d'éviter les hostilités, a été entraîné dans une guerre avec l'Allemagne. Vous avez été convoqués le plus tôt possible afin que le Gouvernement puisse obtenir l'autorisation de prendre les mesures nécessaires à la défense du Canada, et à la collaboration dans la lutte entreprise résolument contre toute nouvelle agression, et enfin d'empêcher le recours à la force plutôt qu'aux méthodes pacifiques dans le règlement des différends internationaux. Déjà la milice, le service naval et le corps d'aviation ont été appelés en service actif. Des dispositions additionnelles, relatives à la défense de nos côtes et à notre sécurité intérieure, ont été prises en conformité de la loi des mesures de guerre et d'autres pouvoirs existants. Vous serez saisis sans délai de propositions visant à rendre plus efficace l'effort du Canada.

Membres de la Chambre des Communes,

Vous serez appelés à étudier les prévisions budgétaires des dépenses qu'a déjà causées ou que causera l'état de guerre actuel.

Honorables membres du Sénat,

   Membres de la Chambre des Communes,

   Point n'est besoin de souligner l'extrême gravité de l'heure. Il n'en a guère été de plus critique dans l'histoire du monde. La population du Canada fait face à la crise avec la même force d'âme qui, présentement, soutient les peuples du Royaume-Uni et d'autres nations du Commonwealth britannique. Mes ministres sont convaincus que le Canada est disposé à s'unir en un effort national pour défendre de son mieux les libertés et les institutions qui constituent un patrimoine commun.

   (Lu par le Gouverneur général à l'ouverture de la session spéciale de guerre, le 7 septembre 1939, *Débats du Sénat du Canada*, 1.)

(2)

Débat sur l'Adresse en réponse au discours du Trône au Sénat

Sénateur NORMAN P. LAMBERT: ... Qu'il me suffise de dire que je désire pour l'instant appuyer la politique du Gouvernement telle qu'elle a été énoncée dans le discours du trône. Le Canada, d'accord avec le Royaume-Uni et les autres membres du Commonwealth britannique, se trouve en état de guerre. Ce Dominion doit jouer et jouera son rôle de son mieux dans cette guerre.

Sénateur JULES PRÉVOST: ... Le Canada, pays britannique, pays autonome et libre, et qui entend demeurer tel, ne peut se désintéresser de la lutte gigantesque où la Grande-Bretagne et la France sont engagées pour défendre une cause éminemment juste dont le triomphe est pour nous une question vitale... Tout Canadien réfléchi comprend que notre titre ou, mieux, notre état de nation autonome dans le Commonwealth britannique, ne comprend pas seulement des droits, mais aussi des devoirs.

Sénateur ARTHUR MEIGHEN: ... Certaine confusion a régné dans l'opinion publique et dans l'esprit de plusieurs d'entre nous jusqu'aujourd'hui quant à la politique du ministère; il s'est produit certaine confusion et l'on s'est demandé si oui ou non nous étions réellement en guerre... J'ai toujours compris que le présent régime a pris l'engagement que le Parlement déciderait dans quelle mesure nous participerons à une guerre. Apparemment, on a interprété cela d'une manière large, comme si le Parlement doit décider si nous sommes en guerre ou non. C'est fini maintenant... Je n'ai jamais cru que le Canada avait autorité de décider si nous sommes en guerre ou non.

Je n'ai pas changé d'avis. Nous faisons partie de l'empire britannique ou nous n'en faisons pas partie, et nous savons que la première proposition est la vraie. Nous ne pouvons être en paix quand la tête de l'Empire est en guerre. Le postulat de Laurier demeurera toujours.

Sénateur RAOUL DANDURAND: ... Prenant pour acquis qu'il exprime la volonté de la nation, le Gouvernement demande maintenant au Parlement de le soutenir et de se rallier à la Grande-Bretagne en tant que membre de la Communauté des nations britanniques... Il est difficile de faire partager à tous les Canadiens une commune sympathie et un sentiment d'union, quand on leur demande d'intervenir dans un conflit international, où il ne semble pas, au premier abord, que leur intérêt particulier et spécial soit engagé. Les intérêts du Royaume-Uni et de l'Europe n'ont pas la même importance pour tous... Mais au-dessus de toutes les raisons qui expliquent et justifient notre action, il en est une qui les dépasse toutes: le Canada est partie du Commonwealth des nations britanniques, la majorité de son peuple réclame que le Canada porte assistance à la mère-patrie. Sentiment noble et bien naturel et qui n'admet aucun démenti. Un dicton français trouve ici son application: « Le cœur a des raisons que la raison ne connaît pas. » Ceux de mes compatriotes, en ce pays, qui ne sont pas soulevés par cette émotion irrésistible, ont le devoir de la respecter. C'est dans un esprit de noblesse et de fraternité qu'ils la respecteront; et en montrant qu'ils comprennent parfaitement le sentiment et la conduite de leurs compatriotes, ils seront en meilleure posture pour leur demander en retour de ne pas transformer en *devoir national* un sentiment que l'ensemble de la nation ne partage pas au même degré. C'est de cette façon, et de cette façon seule, que l'unité nationale du Canada sera sauvegardée. (Débat au Sénat, le 9 septembre 1939, *Débats du Sénat du Canada,* session spéciale de guerre, 6-15.)

(3)

Débat sur l'Adresse en réponse au discours du Trône à la Chambre

M. J.-A. BLANCHETTE (Compton): ... Notre pays, qui fait partie de la Société des nations britanniques, ne peut rester indifférent dans la lutte qui s'ouvre. On ne peut sérieusement prétendre que nous sommes membres de cette association des nations britanniques, à laquelle nous sommes tous fiers d'appartenir, uniquement pour en retirer des bénéfices ou des avantages. Qui peut sérieusement contester qu'une déclaration de neutralité de la part de notre pays équivaudrait à une déclaration d'indépendance ? ... J'ai donc raison de croire que j'exprime l'opinion de la majorité des électeurs de la province que j'habite ainsi que celle de toutes les provinces, en déclarant que je suis favorable à une coopération raisonnable et mesurée, conforme à nos intérêts et à nos moyens d'action.

R. J. MANION (chef de l'opposition): ... L'honorable député de Compton (M. Blanchette) a prononcé un discours modéré et raisonnable. Je n'ai pas l'intention de le discuter en détail, mais je puis dire que j'approuve absolument l'appel qu'il a fait à la fin de ses observations en faveur de la modération et de la tolérance. Nous n'avons jamais senti plus vivement le besoin de modération dans notre pays qu'au cours de la présente crise. Si j'osais ajouter quelque chose aux paroles de l'honorable représentant de Compton, je voudrais dire qu'à mon tour j'espère bien que non seulement au sein du Parlement mais aussi au dehors on se montrera tolérant envers les opinions des autres Canadiens... Monsieur l'Orateur, nous participerons fatalement à cette guerre. Nous sommes sujets britanniques, nous appartenons à l'Empire britannique et, je répète ce que j'ai dit ailleurs, je me demande comment nous pourrions rester membres et en dehors de l'empire britannique en même temps... En tant que partie de l'Empire britannique, nous sommes aujourd'hui en guerre. Cela ne saurait être mis en doute. On peut discuter certains aspects techniques et juridiques, mais à mon sens, telle est bien notre position.

W. L. MACKENZIE KING (premier ministre): ... Nous préconiserons la défense du Canada; nous préconiserons la coopération de notre pays avec la Grande-Bretagne et si la Chambre ne nous accorde pas son appui dans cette politique, elle devra se trouver un autre gouvernement qui assumera les responsabilités actuelles. Nous nous sommes engagés à adopter cette ligne de conduite et, si je ne m'abuse, quand les divers groupes de la députation auront exprimé leur avis, nous constaterons que la Chambre nous appuie fermement... Je n'ai jamais douté que, lorsque le moment fatal se produirait, le libre esprit du peuple canadien s'affirmerait en faveur de la préservation et de la défense de la liberté, comme il est arrivé il y a un quart de siècle. J'ai eu aussi le souci de ce que, quand sonnerait l'heure inévitable, notre peuple fût unanime, d'un océan à l'autre, à reconnaître l'ampleur du problème, et unanime dans sa résolution à y faire face avec toute la puissance et la force dont il dispose. Comme chef de mon parti et comme chef du Gouvernement, je me suis donc efforcé par-dessus tout de veiller à ce qu'aucune menace, déclaration ou décision hâtive ou prématurée ne créât de la méfiance et des divisions parmi les divers éléments dont se compose la population de notre vaste Dominion, et à ce que tous aient une telle compréhension de la question, le moment de la décision venu, que l'union des volontés, des cœurs et des énergies puisse marquer notre effort national... J'ai affirmé depuis le début, en ce qui concerne l'entrée du Canada en guerre et les obligations qui en découlent, qu'aucun engagement ne serait pris avant la réunion des Chambres et que le Parlement serait appelé à se prononcer sur la question importante de paix ou de guerre, sur la question de notre participation au conflit. Je tiens à exprimer clairement que le Parlement est aujourd'hui réuni et convoqué pour trancher cette question. Celle-ci n'est pas encore décidée. Le Gouvernement a adopté une ligne de conduite, il a annoncé sa politique et c'est aux honorables membres de cette Chambre de dire s'ils approuvent ou s'ils désapprouvent la politique du Gouvernement telle qu'elle a été et qu'elle est formulée aujourd'hui... La mesure que nous prenons aujourd'hui, et toutes celles que le Parlement pourra autoriser, c'est volontairement que le pays la prend ou les prendra, non parce que notre statut est celui d'une colonie ou un statut inférieur par rapport à la Grande-Bretagne, mais parce que en raison de l'égalité de statut, nous sommes une véritable nation, un membre du commonwealth des pays britanniques, jouissant de la même liberté que la Grande-Bretagne elle-même, liberté pour la préservation de laquelle nous devons tous nous unir.

MAXIME RAYMOND (Beauharnois-Laprairie): ... Avant de s'engager dans une guerre dont les conséquences seront pour le moins ruineuses, on a bien le droit de se demander pourquoi on irait se battre, pour quelle fin, dans quel intérêt ? Nous battre... Pourquoi ? Pas pour défendre le territoire canadien, il n'est ni attaqué, ni menacé. Pas pour repousser une agression contre l'Angleterre, — c'est elle qui a déclaré la guerre à l'Allemagne. Nous irions nous battre pour défendre le territoire de la Pologne, parce que la Grande-Bretagne, « pour faire honneur aux garanties données et à ses obligations en vertu des traités », a décidé de déclarer la guerre à l'Allemagne à la suite de l'invasion de la Pologne. Mais sommes-nous obligés de nous battre chaque fois que l'Angleterre décide de se battre ? Sûrement non. Pays souverain, — on nous l'a dit et répété sur tous les tons — nous sommes libres. Où est la justification, alors ?

ERNEST LAPOINTE (ministre de la Justice): ... Monsieur l'Orateur, notre roi est en guerre et le Parlement siège pour décider si nous allons faire nôtre sa cause... La vie ou la mort de l'Angleterre dépendra de nos ressources et toute neutralité dite favorable serait directement désavantageuse à l'Angleterre et à la France. Je dis donc à tous les membres de la Chambre et à tous les citoyens du Canada qu'en ce faisant, en restant neutres, nous prendrions bel et bien parti pour Adolf Hitler... La province entière de Québec — et je parle ici avec toute ma responsabilité et la solennité que je puis donner à mes paroles — ne voudra jamais accepter le service obligatoire ou la conscription en dehors du Canada. J'irai encore plus loin. Quand je dis toute la province de Québec, je veux dire que telle est aussi mon opinion personnelle. Je suis autorisé par mes collègues de la province de Québec dans le cabinet ... à déclarer que nous ne consentirons jamais à la conscription, que nous ne serons jamais membres d'un Gouvernement qui essaiera d'appliquer la conscription et que nous n'appuierons jamais un tel Gouvernement. Est-ce assez clair ? ... Nous sommes prêts, pourvu que l'on comprenne bien ces points, à offrir nos services sans restriction et à vouer le meilleur de nous-mêmes au succès de la cause que nous avons tous à cœur.

(Séances des 8 et 9 septembre 1939, *Débats de la Chambre des Communes,* session spéciale de guerre, 10-72.)

30. - *L'autonomie provinciale et la guerre*

(1939)

Le 24 septembre 1939, le premier ministre de la province de Québec annonça que la législature provinciale avait été dissoute et qu'une élection générale aurait lieu le 25 octobre. Le parti de l'Union nationale, dirigé par Maurice Duplessis, n'était au pouvoir que depuis l'été de 1936. Un communiqué remis aux journalistes expliqua les raisons de cette décision, voir *La Presse,* 25 septembre 1939.

Le gouvernement de la province, soucieux des droits du peuple, a décidé de soumettre à l'électorat des questions de la plus haute importance dont quelques-unes, les plus vitales, ont surgi récemment.

Le gouvernement de l'Union Nationale désire consulter les électeurs sur les questions qui doivent leur être soumises dans tout régime démocratique et parlementaire.

Depuis plusieurs années, une campagne a été conduite et des tentatives directes et indirectes ont été faites, en vue d'amoindrir considérablement et même d'anéantir l'autonomie provinciale dans le but de ne former qu'un seul gouvernement dirigé par Ottawa.

L'Union Nationale considère que l'autonomie provinciale, garantie par le pacte fédératif, est essentielle aux meilleurs intérêts de la province, conforme à ses traditions, à ses droits et à ses prérogatives indispensables.

Invoquant le prétexte de la guerre déclarée par le gouvernement fédéral, une campagne d'assimilation et de centralisation, manifestée depuis plusieurs années, s'accentue de façon intolérable.

Des arrêtés ministériels ont été passés par Ottawa en vertu de la « loi des mesures de guerre », avec le désir et l'effet de centraliser à Ottawa, pour des fins de guerre, toute la finance des particuliers, des municipalités, des provinces et du pays.

Le gouvernement de l'Union Nationale a formé une administration composée de libéraux, de conservateurs et d'indépendants, qui a à cœur les meilleurs intérêts de notre province, et, en particulier, le respect de l'autonomie provinciale, à laquelle nous tenons comme à la prunelle de nos yeux, parce qu'elle constitue, au point de vue humain, le rempart le plus solide de nos institutions, de nos traditions les plus chères et de nos droits fondamentaux.

Toutes tentatives, d'où qu'elles viennent, dont l'effet et les conséquences sont de priver les provinces des revenus dont elles ont besoin et qui leur appartiennent, en justice et en vertu de la Constitution, afin d'assurer le plein exercice de leurs droits et pour répondre aux besoins de leur population, constituent un attentat des plus répréhensibles contre les prérogatives provinciales.

La loyauté de Québec ne peut être mise en doute, car l'histoire l'enregistre en des termes élogieux et justes, mais Québec considère que le premier élément d'une saine loyauté c'est d'abord d'être loyal envers soi-même. Quant à nous, être loyal, c'est d'abord et surtout de garantir le progrès et la prospérité du Canada en général et de la province en particulier.

Québec ne peut pas et ne doit pas se prêter à des manœuvres médiates ou immédiates qui détermineraient la ruine de l'autonomie provinciale, et conséquemment celle du Canada.

L'opinion que l'électorat de Québec, dans un langage modéré, énergique et traditionnel, pourra exprimer au cours des prochaines élections fera comprendre à tous et à chacun de ceux qui l'oublient ou l'ont oublié que Québec entend conserver sa pleine autonomie et exiger de l'autorité fédérale, quelle qu'elle soit, le respect intégral des droits qui lui sont garantis par la Constitution.

Nous sommes pour la coopération dans la mesure qu'elle respecte les droits de Québec, mais nous n'approuvons pas la collaboration financière ruineuse, anticonstitutionnelle et injuste, et nous ne l'approuverons jamais. La province de Québec est prête à coopérer à toutes mesures progressives et raisonnables qui doivent être conformes à ses droits constitutionnels, à ses ressources financières et aux besoins de sa population, mais elle refuse et refusera l'assimilation, l'union législative et tout ce qui y tend.

Le gouvernement de l'Union Nationale a travaillé sans cesse et travaillera toujours à des œuvres de construction et de reconstruction, mais jamais à des œuvres de destruction.

31. - Campagne électorale dans le Québec

(1939)

La décision de Maurice Duplessis d'en appeler au peuple (voir document No 30) déclencha une campagne électorale très animée. Les représentants de la province de Québec dans le cabinet fédéral décidèrent d'y prendre part. Ernest Lapointe et P.-J.-Arthur Cardin exigèrent de la part de leurs compatriotes un vote de confiance et demandèrent à l'électorat d'appuyer le parti libéral provincial. Le pays tout entier suivit la lutte avec intérêt. Même la radio allemande s'y intéressa. La question de la conscription militaire revint sur le tapis. Les problèmes de la politique provinciale passèrent à l'arrière-plan et l'élection se transforma en une consultation populaire sur la participation au conflit européen.

Voir Michel Brunet, *La Présence anglaise et les Canadiens*, 244-245; Robert MacGregor Dawson, *Canada in World Affairs: Two Years of War, 1939-1941* (Toronto, 1943), 17-19; Robert Rumilly, *L'Autonomie provinciale* (Montréal, 1948), 112-121; Mason Made, *The French Canadians*, 916-931.

ADÉLARD GODBOUT (chef du parti libéral de la province de Québec), discours-manifeste prononcé à la radio, le 30 septembre 1939, texte dans *La Presse*, 2 octobre 1939: Ma seule réponse aux déclarations équivoques de l'honorable M. Duplessis sur l'autonomie de la province, la seule que je ferai de toute la campagne électorale, c'est que les libéraux de la province de Québec combattraient ouvertement n'importe quel régime fédéral qui tenterait d'y porter atteinte en temps de paix ou en temps de guerre... Comme chef du parti libéral de la province de Québec (et je suis sûr d'exprimer le sentiment de tous vos ministres canadiens-français dans le cabinet fédéral), je vous affirme avec toute la force dont je suis capable que le Gouvernement d'Ottawa ne décrétera jamais la conscription militaire tant que vous laisserez la politique libérale diriger vos destinées. Et si mes paroles ne sont pas assez vigoureuses, si vous pensez qu'elles sont peut-être dictées par les circonstances, je m'engage sur l'honneur, en pesant chacun de ces mots, à quitter mon parti et même à le combattre si un seul Canadien français, d'ici la fin des hostilités en Europe, est mobilisé contre son gré sous un régime libéral ou même un régime provisoire auquel participeraient nos ministres actuels dans le cabinet du très honorable M. King.

MAURICE-L. DUPLESSIS (premier ministre de la province), assemblée inaugurale de sa campagne électorale, aux Trois-Rivières, le 4 octobre 1939, voir *La Presse*, 5 octobre 1939: En 1934, puis en décembre 1937, M. Lapointe disait: « Pour la défense du Canada, j'en suis. Nous resterons ici pour défendre notre territoire et nous n'en sortirons jamais. » En 1938, même discours. Or, à ce sujet, je tiens à déclarer ceci: Je suis, je serai toujours contre la conscription et, de plus, j'entends que notre argent, que nos ressources servent à la prospérité du pays. Commençons par répondre à nos besoins. Travaillons pour « chez nous » d'abord et protégeons les garanties de l'avenir. Messieurs, un vote pour Maurice Duplessis, c'est un vote pour l'autonomie... contre la conscription. Par contre, un vote pour Lapointe, c'est un vote pour la participation, l'assimilation, la centralisation.

P.-J.-A. CARDIN (ministre des Travaux publics dans le cabinet fédéral), assemblée tenue à Saint-Denis-sur-Richelieu, le 8 octobre

1939, voir *La Presse,* 9 octobre 1939: Je suis en faveur de la participation à la guerre dans la mesure de nos moyens financiers; je suis en faveur du service militaire volontaire; je suis, comme je l'étais en 1917, de toutes mes forces et de toute mon énergie, contre la conscription des hommes. Le très honorable M. King a déclaré, avant et depuis la guerre, qu'il était formellement opposé à la conscription et que son gouvernement ne la décréterait jamais. Mon ami et collègue, le très honorable M. Lapointe, a fait en Chambre une déclaration non moins catégorique. Parlant non seulement en son nom, mais au mien et en celui de ses autres collègues du Québec, il a ajouté qu'il ne ferait jamais partie d'un gouvernement qui l'imposerait, voire qu'il combattrait le parti, quel qu'il soit, qui tenterait de l'imposer. Suis-je assez clair? Mères de familles, soyez tranquilles, ne versez pas de larmes inutiles: vos enfants ne vous seront pas arrachés, ils resteront chez vous tant qu'ils le voudront, avec les libéraux au pouvoir... On parle de l'argent dépensé pour la guerre comme de l'argent perdu. Un grand journal anglais conservateur du Québec a dit, lui-même, ces jours derniers, que cet argent sera dépensé au Canada, donc au profit des ouvriers, qui trouveront de l'emploi, et des cultivateurs, qui auront de meilleurs prix pour leurs produits... Nous avons un mandat à remplir, et nous entendons, nous ministres fédéraux du Québec, le remplir consciencieusement. Vous aurez l'occasion, le 25, de nous dire si vous êtes satisfaits de nous, si vous avez encore confiance en nous et en ceux qui vous gouvernent à Ottawa. Si vous n'êtes pas satisfaits, si vous n'avez plus confiance en nous, nous saurons ce que nous aurons à faire et nous ne vous embêterons pas longtemps...

ERNEST LAPOINTE (ministre de la Justice dans le cabinet fédéral), discours prononcé à la radio, le 9 octobre 1939, texte dans *La Presse,* 10 octobre 1939: Nous luttons avec eux [les peuples anglais et français] contre le nazisme et le bolchévisme, ces deux monstrueuses idéologies que le Pape Pie XI a solennellement condamnées et dont le cardinal Verdier [archevêque de Paris] disait récemment: « Il est frappant et même consolant que les événements les aient rapprochées pour faire le front commun de ce que l'histoire appellera le front de la barbarie moderne. » J'ai toujours cru et j'ai toujours dit que ces deux systèmes néfastes se ressemblaient comme des frères, et la bataille contre eux devient une croisade pour la civilisation... Nous avons dit à nos compatriotes de tout le pays que nous accepterions avec eux les mesures prises en vue d'aider la Grande-Bretagne et la France dans ce conflit, mais que jamais nous ne consentirions à la conscription et que nous refuserions d'appuyer un gouvernement qui essaierait de la mettre en vigueur. C'est à cela que nous avons rallié l'opinion du Parlement et c'est de cette façon que nous avons maintenu l'union canadienne... Mes collègues et moi avons le respect de nos collègues des autres provinces et je crois pouvoir dire que je jouis de la confiance et de la considération de mes compatriotes de langue anglaise dans toutes les parties du Canada. Je crois avoir réussi à les persuader, nous les avons persuadés que l'unité canadienne exige l'absence du service militaire au delà des mers... Nous sommes le rempart entre vous et la conscription. Nous sommes la muraille qui vous protège...

Mes compatriotes du Québec, nous sommes là, mes collègues et moi, non seulement pour représenter vos idées et vos vues, mais aussi pour empêcher que les stupidités qui ont été commises pendant la guerre de 1914 se répètent. Je n'ai pas besoin de vous rappeler ce qui s'est fait alors dans notre province. Nous voulons que nos compatriotes soient traités comme des égaux partout, reçoivent leur part dans les commandements et dans l'administration... J'ai déclaré que j'accepterais le jugement de la province et je suis décidé à l'accepter. Il m'a été donné de voir pendant la grande guerre des hommes prétendant représenter la province dans le gouvernement, alors que la province était unanime contre eux. Cela je ne le ferai pas. Je ne resterai pas là malgré vous, mes collègues du Québec dans le cabinet ne resteront pas là malgré vous... Je suis là pour vous protéger. Si Québec ne veut pas de représentants dans le cabinet et surtout si Québec ne veut pas de nous, nous nous inclinerons... Que votre verdict soit éclatant, qu'il soit clair et non équivoque. Et mes dernières paroles sont pour répéter encore une fois: devant ce verdict, je m'inclinerai.

W.L. MACKENZIE KING (premier ministre du Canada), déclaration remise aux journaux après l'élection, texte dans *La Presse*, 26 octobre 1939: L'on ne saurait surestimer la signification de la victoire d'aujourd'hui dans la province de Québec [le parti libéral provincial avait obtenu 67 des 85 sièges contestés le 25 octobre]. Jamais dans l'histoire du Canada une lutte politique aussi significative n'a eu lieu. Les résultats du scrutin ont montré avant tout que la population de la province de Québec fait sienne la détermination de ses compatriotes des autres provinces d'établir l'unité du Canada dans la collaboration avec la Grande-Bretagne et la France dans la guerre pour la défense de la liberté et de la résistance aux agressions...

Le résultat de l'élection québécoise n'est pas seulement la signification du triomphe d'un parti. C'est une victoire qui surpasse le parti.
C'est une victoire pour la population de la province de Québec sur
tous ceux qui, par une politique isolationniste, ont essayé d'ébranler
la province de Québec de sa fière position historique et qui, en lançant
un défi à la loyauté de la province, au moment actuel, permettaient
que l'on se fît une fausse idée de l'attitude du Canada, en sa qualité
de Dominion senior du Commonwealth britannique.

32. - *Fidélité britannique*

(1942)

Une tradition commune et des liens puissants — économiques,
politiques et autres — ont longtemps uni les peuples d'origine
britannique des pays du Commonwealth. Les habitants de l'Empire — si on excepte les colonies proprement dites, les bases
navales, les comptoirs coloniaux et quelques groupes minoritaires
associés de force à la majorité, comme les Canadiens français et
les Boers — appartiennent à une même famille ethnique. Les
historiens et les observateurs étrangers oublient souvent ce fait
d'importance capitale qui constitue l'originalité et la force centri-
pète de cet empire contemporain. Celui-ci est bien différent des
empires que l'histoire a connus auparavant.

L'ascension graduelle des Dominions, de 1867 à 1931, vers
une plus grande autonomie politique et économique — contrairement à certaines prévisions — n'avait pas diminué la puissance
de ces liens. La guerre le démontra éloquemment. La Grande-
Bretagne demeurait toujours la mère-patrie de millions de Canadiens, d'Australiens, de Néo-Zélandais et de Sud-Africains de
descendance britannique. Aux heures d'épreuve, toutes les nations
anglophones du Commonwealth britannique se sentent solidaires
les unes des autres et sont prêtes à se porter au secours de l'ancienne métropole lorsque celle-ci a besoin d'aide.

Nous avons réuni quelques déclarations d'hommes politiques
canadiens-anglais pour qui la fidélité britannique constituait un
devoir patriotique. La session de 1942 — nous aurions pu, néanmoins, choisir n'importe quelle autre session — est particulièrement révélatrice sur ce point. C'est en 1942, en effet, que le

Parlement canadien approuva le don d'un milliard de dollars en vivres et en matériel de guerre à la Grande-Bretagne et la tenue d'un plébiscite pour relever le gouvernement de ses engagements au sujet du service militaire outre-mer. De 1939 à 1946, l'Angleterre a reçu du Canada, sous forme de dons ou en vertu du plan d'assistance mutuelle au bénéfice de nos alliés, plan adopté à la session de 1943, une aide financière et matérielle qu'on évalue à environ quatre milliards de dollars ($4,000,000,000). Il faut ajouter à cette somme des prêts avantageux pour quelque deux milliards de dollars: un prêt sans intérêt de $700,000,000 en 1942 et un prêt de $1,250,000,000 en 1946. De plus, le Royaume-Uni a bénéficié de réductions appréciables sur le prix des vivres que le Canada lui a vendus pendant les premières années qui suivirent la fin des hostilités. Rappelons que les pays non-britanniques ont reçu du Canada, grâce au plan d'assistance mutuelle, une aide évaluée à $210,000,000.

Voir Michel Brunet, *Canadians et Canadiens,* 119-152; du même auteur, *La Présence anglaise et les Canadiens,* 240-252; Robert MacGregor Dawson, *Canada in World Affairs: Two Years of War, 1939-1941* (Toronto, 1943), 229; André Laurendeau, *La Crise de la conscription: 1942* (Montréal, 1962); Cecil C. Lingard et R.G. Trotter, *Canada in World Affairs: September 1941 to May 1944* (Toronto, 1950), 209, 210, 217, 223; F. H. Soward, *Canada in World Affairs: From Normandy to Paris, 1944-1946* (Toronto, 1950), 74-80, 109-110.

J. L. ILSLEY (ministre des Finances), séance du 4 février 1942, *Débats de la Chambre des Communes,* session de 1942, 1: 322: Quant à moi, je tire mes origines des régions rurales de la Nouvelle-Ecosse. Je représente une population dont les ancêtres, pour la plupart, ont quitté les Iles britanniques il y a des siècles, une population dont l'attachement à l'Empire britannique et la foi en ses institutions sont profondément enracinés, sont en quelque sorte considérés comme chose tout à fait naturelle. Pour elle, c'est l'Empire britannique, non pas le Commonwealth des nations britanniques. La défense territoriale ne la préoccupe pas outre mesure. Depuis des siècles, ses fils ont combattu à l'étranger, sachant que la défense des Iles britanniques est leur propre défense. La distinction entre servir au Canada et servir outre-mer n'a pour eux aucune signification [le gouvernement venait d'annoncer son intention de tenir un plébiscite pour se faire libérer de ses engagements envers l'électorat au sujet de la conscription pour le service militaire outre-mer]. Ces gens estiment qu'il est de leur devoir de défendre ce qu'ils appellent l'Empire britannique, et ce que moi-même je désigne ainsi, dans toutes les parties du monde où l'existence même de cet

Empire est en péril... Pour quelques-uns, cette ambiance, cette attitude, peut paraître vieux jeu, mais peut-on mettre en doute sa justesse inspirée, sa noblesse ?

H. R. JACKMAN (conservateur, Rosedale-Toronto, Ontario), séance du 5 février 1942, *ibid.*, 1: 370: Certains Canadiens français ont encore l'impression que leurs concitoyens de langue anglaise restent étroitement unis à leurs parents et à leurs amis d'Angleterre. Cela est vrai dans une certaine mesure, mais il convient de ne pas se faire une idée exagérée de ces sentiments. Lorsque le premier ministre, au banquet qui lui fut offert à Mansion House [Mackenzie King s'était rendu en Angleterre à la fin de l'été de 1941 et avait prononcé un discours important, le 4 septembre 1941, lors d'une réception officielle donnée en son honneur par le *Lord Mayor* de Londres], a déclaré que le Canada ne serait jamais entré en guerre pour l'Angleterre seule, j'avoue que j'ai eu un accès de honte. Ce n'était rien dont on pouvait se vanter dans un banquet d'Etat. Le Canada français n'a pas cet engouement pour les liens de race qu'éprouvent les gens d'origine britannique; mais il a ce même puissant attachement aux institutions britanniques qui est pour nous tous la plus sûre garantie d'indépendance et de liberté.

J. H. HARRIS (conservateur, Danforth-Toronto, Ontario), séance du 6 février 1942. L'orateur se portait à la défense de M. T.L. Church, député de Broadview et ancien maire de Toronto et répondait à ceux qui avaient accusé un groupe de citoyens influents de cette ville de mener une lutte injuste contre le gouvernement King, *ibid.*, 1: 408: Et depuis lors, quel honorable député niera que chaque fois qu'il a été question de la survivance des liens qui unissent les gens de la grande race anglo-saxonne en Grande-Bretagne et dans tout l'Empire, l'honorable député de Broadview s'est levé pour réclamer le maintien de ces liens qui nous sont si chers à tous. Chaque fois que l'occasion s'est présentée, il a exprimé ses opinions sur l'Empire, opinions qui sont en somme celles d'un grand nombre de membres de cette Chambre non moins que celles des Torontois... Les jeunes gens de cette ville [Toronto] sont disposés, eux aussi, à entreprendre la tâche par excellence, celle d'assurer la plénitude des rangs de nos diverses divisions prêtes à servir l'Empire en cette heure critique.

P. C. BLACK (libéral-conservateur, Cumberland, Nouvelle-Ecosse), séance du 9 février 1942, *ibid.*, 1: 440: M. l'Orateur, nous approchons maintenant le moment décisif de cette guerre, la plus formidable de l'histoire et qui met en jeu tout ce que nous avons de plus précieux. M. Churchill [premier ministre de Grande-Bretagne depuis 1940] a dit que même si l'Empire survit encore mille ans, l'histoire considérera l'heure présente comme notre plus belle. Nous avons tous une responsabilité. Le peuple a sa responsabilité et les membres du Parlement en ont une plus grande encore. En ma qualité de membre du Parlement, je suis prêt à assumer ma responsabilité et à m'en acquitter en harmonie avec ce que je crois être, à l'heure actuelle, l'intérêt du Canada, du peuple anglais et de nos alliés.

A. G. SLAGHT (libéral, Parry-Sound, Ontario), séance du 12 février 1942, *ibid.*, 1: 557: Je ne laisserai personne insinuer que je ne me suis pas toujours efforcé de placer notre pays aux côtés de la mère-patrie et de prendre les mesures les plus efficaces possibles en vue de battre nos ennemis et d'assurer la victoire.

G. T. PURDY (libéral, Colchester-Hants, Nouvelle-Ecosse), séance du 12 février 1942, *ibid.*, 1: 574: La circonscription que j'ai l'honneur de représenter, Colchester-Hants, remonte aux premiers jours de la colonisation dans la Nouvelle-Ecosse... Nos gens sont presque tous d'origine britannique, les ancêtres d'un grand nombre étant des cultivateurs de la Nouvelle-Angleterre ou des préloyalistes qui s'emparèrent des terres d'où les Acadiens avaient été chassés avant la révolution américaine. Ils furent suivis de leurs amis et parents, les loyalistes, et les liens avec les Iles britanniques furent resserrés par l'émigration d'Angleterre, d'Ecosse et d'Irlande... Avec de telles circonstances d'histoire et de milieu ... nous avons formé un peuple loyal à la couronne britannique et aux traditions britanniques, fier de reconnaître l'Union Jack comme son drapeau. Quand s'est fait entendre l'appel du devoir, nos fils et nos filles n'ont pas moins tenu à s'enrôler que dans le passé, et ils servent en ce moment partout où l'on trouve des Canadiens sur les champs de bataille dispersés sur toute la surface du globe.

A. S. RENNIE (libéral, Oxford, Ontario), séance du 17 février 1942, *ibid.*, 1: 672: En ces jours sombres alors que l'Empire est en proie à une crise sans précédent dans son histoire, on ne peut s'empêcher de citer le docteur Macdonald qui a dit un jour: « Ce serait une calamité indicible s'il fallait que cet empire mondial soit démembré et ses morceaux éparpillés. » D'autre part, nous avons la parole rassurante de Burke: « Les liens qui unissent l'Empire ont la souplesse de l'air mais la résistance de l'acier. » Inspirons-nous aujourd'hui des paroles de Burke pour préserver l'Empire britannique.

Les Canadiens ont joué un rôle important dans la première guerre mondiale... Il nous incombe de prouver au monde que le Canada peut aujourd'hui répéter, sur une plus grande échelle, ce qu'il a accompli de 1914 à 1918.

H. A. MACKENZIE (libéral-progressiste, Lambton-Kent, Ontario), séance du 17 février 1942, *ibid.*, 1: 678: Mon père était un jeune émigré écossais. Mes ancêtres maternels viennent également d'Ecosse et j'ai beaucoup d'amour pour la métropole. Je suis Canadien avant tout, il est vrai, mais je crois que le Canada aidera la métropole jusqu'à la limite de ses ressources.

J. K. BLAIR (libéral, Wellington-Nord, Ontario), séance du 17 février 1942, *ibid.*, 1: 682: Nous devrions comprendre que, sous certains rapports, la population du Québec diffère quelque peu du reste de la population canadienne. Il y a trois siècles que les ancêtres de ces gens ont quitté l'Europe, et leurs cœurs sont entièrement acquis au pays de Québec qu'ils ne cessent de chanter. L'honorable député de Peel (M. Graydon) est d'origine irlandaise. Il revêt ses décorations orangistes pour adresser la parole aux réunions orangistes du 12 juillet. Son cœur bat pour la vieille Irlande. Quant à moi, j'éprouve une vive émotion quand j'entends les cornemuses jouer « The Road to the Isles »; nous chantons les chansons de la vieille Ecosse et « Mary of Argyle ». Nos cœurs se tournent vers le pays de nos ancêtres. Ainsi en est-il des *Sons of England*. Quand on se trouve en compagnie des *Sons of England*, à Toronto, on serait porté à croire qu'ils n'existe au monde d'autre pays que l'Angleterre. Mais le Québécois ne pense pas ainsi... n'allons pas [lui] demander d'aimer les Iles Britanniques comme nous-mêmes les aimons. Nos cœurs et nos esprits se tournent vers l'Angleterre. Si nous pensions qu'un malheur pût arriver à la Grande-Bretagne, nous ne saurions comment exprimer nos sentiments. La Grande-Bretagne est le pays de nos ancêtres, et c'est de là que vient cette vaste différence dans nos sentiments à son égard.

R. B. HANSON (chef de l'opposition conservatrice, York-Sunbury, Nouveau-Brunswick), séance du 18 février 1942, *ibid.*, 1: 722: Je passerai maintenant au discours du ministre des Finances (M. Ilsley), discours véhément prononcé au cours du présent débat et durant lequel le ministre a longuement exposé son passé ethnique et celui des gens qu'il représente [voir plus haut]. Il a dit, en somme, qu'ils étaient britanniques et qu'ils pensaient à l'Empire et, si j'ai bien compris, non en isolationnistes. Ces paroles m'ont touché au cœur, car son passé est le mien. Mes électeurs aussi sont britanniques et pensent à l'Empire. Sans doute aucun, ce ne sont pas des isolationnistes... Quoi qu'on puisse dire du parti conservateur, ou de ceux qui en font partie, on ne peut dire et on ne pourra jamais dire que ce parti ait jamais refusé son allégeance à la Couronne britannique, ou rejeté le principe du lien britannique. Il n'a jamais hésité sous ce rapport et, Dieu le veuille, il n'hésitera jamais.

T. L. CHURCH (conservateur, Broadview-Toronto, Ontario), séance du 19 mars 1942, *ibid.*, 2: 1500: ... les Canadiens connaissent la vérité, et, dans leur for intérieur, ils savent que nous devons à la métropole seule notre régime de défense, notre liberté, notre civilisation... L'heure est venue pour le Canada et les autres parties de l'Empire de décider une question importante: le Canada reprendra-t-il la place qui lui revient à titre d'un des plus anciens membres de l'Empire et de Dominion important et défenseur de la métropole dans sa lutte pour le salut de la religion et du monde ou se résoudra-t-il à disparaître à jamais et à laisser s'écrouler notre Empire et ses institutions, comme se sont écroulés d'autres empires dans le passé... Dieu préserve l'Empire d'un tel sort, car il nous apparaît aujourd'hui comme l'ultime rempart de la chrétienté et de la civilisation... La Grande-Bretagne [a été] le pionnier mondial de la liberté et la protectrice du faible contre le fort. L'Amérique a envers elle une dette de reconnaissance dont elle ne pourra jamais s'acquitter devant Dieu.

33. - À la recherche de la sécurité sociale

(1943)

Lorsque la guerre éclata, la crise économique, commencée en 1929, continuait toujours. Les gouvernements, les financiers, les industriels, les hommes d'affaires et les économistes n'avaient pas réussi à corriger une situation malheureuse qui condamnait une partie de la population au chômage et à la misère. La mobilisation militaire et la production de guerre apportèrent soudainement la prospérité.

Une telle constatation rendit les gens soucieux. La fin de la guerre signifierait-elle le retour aux allocations de chômage, à l'indigence partielle? Interrogés sur leurs projets d'avenir, les soldats avouèrent que leur plus grand souci était de se trouver un emploi en revenant au foyer. Nombre d'ouvriers et d'employés, chômeurs ou enfants de chômeurs avant la guerre, se demandaient s'ils conserveraient leur gagne-pain lorsque les contrats de guerre cesseraient. Les industriels et les commerçants n'avaient pas oublié les années maigres de la décade 1930 et envisageaient l'avenir avec une certaine appréhension. La paix ramènerait-elle la stagnation économique?

Les gouvernants des pays en guerre ne pouvaient pas ignorer cette inquiétude presque générale. Elle risquait de miner le moral des armées et de la population civile auxquelles on demandait un effort suprême en vue de la victoire. Elle annonçait de profondes perturbations sociales pour la période d'après-guerre si les prévisions pessimistes de la majorité se réalisaient. Ils promirent à leurs administrés d'adopter une politique économique et sociale qui assurerait à toutes les familles un minimum de bien-être et de sécurité. La plupart des gouvernements s'empressèrent de publier leurs programmes d'après-guerre: plans de démobilisation graduelle offrant aux anciens combattants des bourses d'études, des crédits d'établissement et autres avantages; conversion méthodique de l'industrie de guerre en industrie de paix pour la production des biens de consommation rationnés pendant le conflit; ententes internationales pour favoriser les échanges; systèmes complets d'assurances sociales destinés à protéger les économiquement faibles; pensions de vieillesse plus généreuses et allocations familiales pour augmenter le pouvoir d'achat de la masse des consommateurs; contrôle des mises de fonds publiques et privées afin d'assurer le plein emploi; etc.

La guerre avait appris aux chefs d'Etat et à leurs conseillers qu'il était possible de diriger efficacement la mise en valeur des ressources humaines et matérielles d'un pays. L'ère semblait être à la planification et à la rationalisation. Le Canada s'engagea résolument dans cette voie. Sa politique économique de guerre, entièrement contrôlée par le gouvernement fédéral, avait révélé l'importance des ressources matérielles du pays et sa capacité étonnante de production industrielle et agricole. Les succès remportés encouragèrent les autorités à préconiser un programme audacieux pour l'après-guerre. L'opinion publique, inquiète de l'avenir, l'exigeait.

Le gouvernement fédéral avait institué, en 1927, un système de pensions de vieillesse. Le rapport de la Commission Rowell-Sirois lui avait conseillé de faire davantage dans le domaine de la sécurité sociale (voir document No 26). En 1941, l'assurance-chômage entra en vigueur. Les provinces approuvèrent l'adoption d'un amendement constitutionnel pour permettre au pouvoir fédéral de légiférer dans un domaine réservé jusqu'alors aux gouvernements provinciaux. En 1943, le Parlement forma le

Comité spécial de la sécurité sociale qui reçut la tâche de préparer un programme pour l'après-guerre. Un Comité consultatif de la reconstruction s'organisa sous la présidence de M. F. Cyril James, principal de l'Université McGill, dans le but de conseiller les législateurs et le gouvernement. Le professeur L. C. Marsh prépara à l'intention de ce comité un *Rapport sur la sécurité sociale au Canada* (Ottawa, 1943).

Ces études et ces projets influencèrent l'opinion publique. En 1944, le Parlement adopta un système d'allocations familiales pour venir en aide aux familles nombreuses. Lors de la conférence fédérale-provinciale sur le rétablissement (1945-1946), le gouvernement fédéral annonça un vaste programme de politique économique et sociale (voir document No 34). En 1951, à la suite de la conférence fédérale-provinciale de décembre 1950, le Parlement et les législatures provinciales approuvèrent un nouveau système de pensions de vieillesse. Celui-ci entra en vigueur en janvier 1952.

L'exécution de ces programmes de sécurité sociale pose de graves problèmes de juridiction et d'administration dans un Etat fédératif et bi-ethnique, aussi vaste que le Canada. La législation sociale relève, sans aucun doute, des gouvernements provinciaux. La plupart de ceux-ci, malheureusement, n'eurent jamais et n'ont pas les ressources suffisantes pour s'acquitter de toutes leurs responsabilités. D'autre part, le gouvernement fédéral, au cours des deux guerres mondiales, a dû s'approprier les principales sources de revenus. De plus, il exerce une influence prépondérante sur la vie économique du pays puisqu'il est responsable de la politique étrangère et conserve l'initiative dans le domaine de la monnaie et du crédit (voir document No 34).

Nous donnons: (1) un tableau indiquant les salaires payés au Canada en 1941, ces statistiques laissent deviner un niveau de vie plutôt bas (voir document No 25); (2) quelques extraits du rapport Marsh; (3) le plan complet de sécurité sociale proposé par les conseillers du gouvernement fédéral.

Lire Gérard Lemieux, « Vers une sécurité plus démocratique », *L'Actualité économique*, 28 (avril-juin 1952): 90-104; Maurice Lamontagne, *Le Fédéralisme canadien* (Québec, 1954), 63-90, 105-283; Jean-Marie Nadeau, *Horizons d'après-guerre* (Montréal, 1944), 195-307; D. C. Rowat, « Recent Developments in Canadian Federalism », *The Canadian Journal of Economics and Political Science*, 18 (février, 1952): 1-16.

(1)

SALAIRES DES EMPLOYÉS CANADIENS, HOMMES ET FEMMES, 1941

(Totaux et pourcentage)

Salaires (annuels)	Chefs de famille masculins		Autres salariés masculins		Femmes salariées	
	Citadins	Campagnards	Citadins	Campagnards	Citadines	Campagnardes
Au-dessous de $500	114,900 (11.8)	103,100 (32.2)	219,900 (37.6)	203,900 (67.3)	279,800 (50.0)	107,200 (73.4)
500—750	85,900 (8.9)	48,500 (15.1)	113,400 (19.6)	44,000 (14.4)	132,600 (24.1)	24,300 (16.1)
750—1000	123,200 (12.7)	40,000 (12.4)	90,300 (15.7)	22,700 (7.4)	73,300 (14.1)	10,600 (6.9)
1000—1250	191,200 (20.0)	49,500 (15.2)	76,100 (13.3)	17,600 (5.6)	36,200 (6.7)	3,600 (2.3)
1250—1500	114,900 (12.1)	25,000 (7.6)	30,800 (5.5)	6,200 (2.0)	12,100 (2.3)	1,000 (0.6)
1500—2000	180,400 (19.1)	35,800 (10.8)	32,800 (5.8)	7,700 (2.4)	11,200 (2.1)	800 (0.5)
2000—2500	75,000 (8.0)	12,900 (3.9)	9,000 (1.6)	1,900 (0.6)	2,800 (0.5)	200 (0.1)
2500—3000	27,200 (4.7)	3,700 (1.0)	2,500 (0.5)	400 (0.1)	700 (0.1)	—
3000 et au-dessus	44,800 (4.7)	6,000 (1.8)	2,800 (0.5)	500 (0.1)	500 (0.1)	—
Total	975,700 (100.0)	324,500 (100.0)	577,600 (100.0)	304,900 (100.0)	552,200 (100.0)	147,700 (100.0)

(L.C. Marsh, *Rapport sur la sécurité sociale au Canada* (Ottawa, 1943), 24.)

(2)

La guerre, ou plutôt l'effort de production inouï que la guerre a nécessité au Canada, a modifié la physionomie du pays au point de vue des besoins sociaux et des problèmes de la sécurité sociale. Il ne s'agit pas seulement d'une élimination du chômage généralisé... En dépit des fortes exigences de la trésorerie pour le financement de la guerre, le revenu des consommateurs a augmenté dans divers milieux de la population... L'emploi continu, quelle que soit son urgence particulière en temps de guerre, a éliminé la caractéristique principale que présentait l'assistance sociale dans les années qui ont suivi 1930. Il a rayé de la vie, sinon de la mémoire de milliers de familles, le désespoir et la situation tragique de n'avoir aucun moyen de subsistance en perspective et aucun moyen d'entretien, sauf les allocations versées par les gouvernements municipaux ou provinciaux, un travail déprimant de manœuvre dans des entreprises d'assistance, ou l'assistance accordée par les sociétés de bienfaisance des villes canadiennes où vivaient les chômeurs.

Chose certaine, nombre de gens qui ont un emploi ou qui contribuent maintenant au revenu familial n'ont pas tout à fait oublié ce passé d'insécurité sociale ou économique. Et il est également certain qu'il ne faut pas l'oublier dans nos prévisions relatives à la période d'après-guerre, dans les plans que nous formons d'avance pour prévenir le chômage dans cette période, et dans un ordre plus élevé, pour réaliser les aspirations et les espoirs que les peuples de l'univers expriment avec une clarté croissante, quant aux mesures à prendre dans l'après-guerre pour parer aux risques et aux imprévus d'ordre familial auxquels la plupart des familles laissées à leurs seules ressources sont incapables de parer convenablement.

Ces risques et ces aléas ne sont pas seulement ceux qui proviennent du chômage. Mais si l'on tient compte de la crise économique de la période décennale de 1930, on s'explique que le chômage domine toutes les autres considérations. L'arrêt de la faculté de travailler menace tout le reste... [Nécessairement] des mesures tant économiques que sociales contre le chômage constituent le premier et principal article dans un programme de sécurité adapté à l'économie industrielle moderne. En second lieu, en l'absence d'une organisation pour remédier à des catégories ou types déterminés de besoins et de contingences, l'assistance-chômage — elle-même extension de mesures visant seulement le dénuement de formes multiples — absorbe tous les autres genres de besoins: la maladie, l'invalidité, la viduité, l'abandon, la perte d'un logement convenable et ainsi de suite. L'adoption de mesures pour remédier au dénuement sans étude particulière des causes se justifie à peine quand pareille assistance a peu d'ampleur, comme la chose se produisait dans la petite paroisse ou le petit village d'autrefois, alors que quelques personnes seulement de chaque localité se trouvaient sans moyens de subsistance à un moment donné et hors d'état de se faire entretenir par des proches. C'est une façon de procéder tout à fait indéfendable et de nature à empêcher une administration efficace et pratique quand la chose a une envergure nationale.

Le Canada a éprouvé tous les embarras de l'assistance accordée sans discrimination et les conséquences de l'adoption de peu de mesures ou de l'absence de dispositions pour remédier à des causes déterminées de misère et de gêne. En réalité, ces lacunes ne proviennent pas seulement de ce qu'on appelle d'ordinaire la législation en matière de sécurité sociale. Certaines d'entre elles sont attribuables au fait que les gouvernements municipaux ne possèdent pas les fonds ou les rouages administratifs nécessaires pour régler nombre des problèmes qu'au point de vue constitutionnel on peut encore regarder comme de leur ressort. Aucune mesure radicale n'a été prise, sauf dernièrement pour notre vaste effort de guerre, afin d'adapter à notre époque la structure d'un régime gouvernemental qui, à l'époque de l'établissement de la Confédération, semblait convenir à un pays du Nouveau-Monde qui ignorait les problèmes modernes du chômage ou de la santé publique ou l'existence de groupes économiquement peu favorisés, et qui constituait encore dans une très large mesure une constellation de petits groupements.

Ce serait une erreur de supposer qu'un programme de sécurité sociale se borne à des mesures législatives dont chacune vise seulement un domaine déterminé. L'assurance sociale implique des rouages administratifs dont l'importance pour le Canada résulte, non seulement de sa qualité d'Etat fédéral, mais aussi des problèmes posés au pays par les distances elles-mêmes. Il faut faire l'étude la plus attentive des méthodes convenables de décentralisation et d'administration régionale. Néanmoins, une chose est claire: le seul moyen rationnel de résoudre le problème ample et compliqué de l'insécurité de la vie des travailleurs et de la vie familiale consiste à reconnaître l'existence de catégories ou de domaines particuliers de risques ou de besoins et à légiférer à cette fin. L'une des réalisations accomplies par les assurances sociales, et presque sans que le changement ait été remarqué, c'est l'inauguration de l'entretien ou du traitement par catégories ou ce .qu'on appelle en certains pays l'aide par catégories. Comme nous l'indiquerons plus loin, il y a encore lieu d'étendre ou de rationaliser certaines de ces catégories. Mais d'avance on peut dire ceci: l'assistance organisée pour une seule catégorie de besoins auxquels on peut pourvoir, par exemple au moyen de l'institution de l'assurance-chômage ou de l'assurance-santé, facilite immensément la solution et la détermination des autres catégories de besoins qui restent encore.

La méthode d'assurance sociale

Nous donnerons dans une autre partie des explications sur ces catégories de contingences sociales. D'abord, il est à propos d'indiquer simplement ce que signifie l'assurance sociale et pourquoi il convient d'aborder le problème par l'assurance sociale. Il y a trois raisons fondamentales:

(a) Dans la vie économique moderne, il existe certains risques et aléas auxquels il faut parer. Certains d'entre eux sont tout à fait imprévisibles et, pour d'autres, il y a incertitude quant à la date à laquelle ils se produiront, mais par ailleurs ils sont raisonnablement à prévoir. Les différentes familles peuvent y faire face au petit bonheur, ou bien on peut y remédier par des mesures d'aide collective. Il se peut que certains de ces aléas n'atteignent pas certains individus ou certaines familles, mais nous savons par expérience qu'au point de vue collectif, ces problèmes ou besoins se manifestent toujours quelque part parmi la population.

(b) Un élément considérable de la population gagne un salaire insuffisant pour pouvoir parer à ces contingences par ses propres ressources. Ce n'est pas répondre à cette affirmation que de prétendre qu'il n'en serait pas ainsi si les salaires et rémunérations étaient plus élevés qu'à présent. Pour citer le résumé de la question que donne un des rapports de la Commission Rowell-Sirois: « Il est impossible de déterminer un salaire permettant à tous les travailleurs et à leurs familles de faire face aux dépenses considérables amenées par de graves maladies, un chômage prolongé, des accidents et une mort prématurée. Tous ces imprévus qui bouleversent un budget sont ceux qui frappent le plus inégalement les familles. » Plus d'une enquête sérieuse a fait constater l'insuffisance des revenus même raisonnables à acquitter des frais tels que ceux de maladies graves.

(c) Le troisième principe qui, en réalité, relie les deux premiers est celui de la mise en commun des risques. L'assurance sociale est l'application sur un plan beaucoup plus large du principe de la mise en commun qui depuis longtemps est le fondement de l'assurance entendue dans un sens plus restreint (l'assurance commerciale contre l'incendie, etc.). Un grand nombre de gens peuvent être exposés à un certain risque, mais seulement quelques-uns à un moment déterminé. Lorsque le malheur les atteint, ils peuvent puiser aux ressources accumulées au moyen des cotisations de plusieurs, y compris les leurs. (*Ibid.*, 9-11.)

Assurance sociale et assistance sociale

On peut définir l'*assurance sociale* comme étant une méthode spéciale d'organiser la sécurité sur le plan collectif en obtenant de divers groupes des contributions pour faire face à un besoin dont on ne peut sans danger laisser la charge aux ressources des individus et des familles. Elle a pour but fondamental le relèvement et l'amélioration d'un minimum de bien-être national (dont la nature est expliquée dans des chapitres subséquents). Cette idée générale peut s'appliquer à une grande partie de la population considérée soit au point de vue géographique soit au point de vue des revenus; et l'on tend actuellement à protéger tous les citoyens. L'*assistance sociale*, sous forme d'assistance publique que l'histoire connaît depuis si longtemps, a pour but de soulager les mêmes malaises sociaux, mais sa définition même laisserait supposer qu'elle est restreinte aux groupes de la population dont on soulage les besoins sur une base de compassion et de charité. Il n'est pas toujours évident, malheureusement, qu'elle vise à relever les niveaux de vie au-dessus du niveau de simple subsistance. Il n'est pas inévitable, toutefois, que l'assistance publique soit aussi restreinte qu'elle l'est habituellement. S'il existe une assurance sociale pour permettre un niveau de vie minimum de base pour la majorité de la population, il y a aussi place pour l'assistance publique ou pour des mesures de bien-être public de caractère complémentaire ou même préventif comme, par exemple, quelques-unes de nos meilleures mesures de santé publiques actuelles. L'assistance sociale peut se trouver à n'importe quel point intermédiaire entre deux points extrêmes: d'une part, forme anachronique et défectueuse de secours général pour tous les genres d'indigence et essentiellement conditionnée par la nécessité de prouver le manque absolu de moyens de subsistance; d'autre part, une série moderne et spécialisée de services constructifs de bien-être, et ce n'est pas accidentellement que cette dernière se présente sous cette forme, quand elle se développe ordinairement en rapport avec les pratiques et institutions établies par des méthodes d'assurance. *(Ibid., 17.)*

Au moyen de l'assurance sociale, l'aspect le plus pénible de l'assistance, dans les cas de modicité du revenu, est entièrement et directement éliminé; en effet, l'assurance dispense absolument de la nécessité d'une enquête sur les moyens de subsistance dans chaque cas particulier. La prestation, en vertu d'un plan d'assurance sociale, s'obtient subordonnément à certaines conditions objectives d'admissibilité clairement énoncées et connues de toutes les parties intéressées. Le montant de la prestation est relativement assuré et son paiement est soumis à certaines conditions raisonnables; il en va de même de sa continuité. La personne assurée sait ce qui lui revient « de droit »; la prestation lui est due et n'est pas une aumône qu'on lui fait. En outre, il existe des rouages qui facilitent l'arbitrage en cas de doute ou de contestation.

Voilà quels sont les avantages de l'assurance sociale en ce qui a trait au côté psychologique de l'état d'indigence. Reste cependant une considération d'ordre matériel très importante. Les ressources collectives qui alimentent la caisse d'assistance proviennent d'un groupement beaucoup plus nombreux que celui auquel se limite en général l'obligation de pourvoir dans les cas d'assistance ou de secours, c'est-à-dire la famille et les autres parents, car ce groupement comprend tous ceux qui pourraient se trouver dans une situation identique. Voilà un grand avantage de l'assurance sociale, rendu plus appréciable encore par le caractère obligatoire de cette assurance et qu'on ne saurait attendre d'un régime facultatif d'assistance. L'assurance sociale vise surtout à la protection des groupements qui sont le plus susceptibles d'en avoir besoin alors que plusieurs plans facultatifs d'assurance ne doivent admettre que les personnes dont le niveau d'existence n'est pas des plus bas puisqu'elles doivent être suffisamment pourvues pour défrayer le coût des primes. Et il y a lieu sans doute de mentionner tout particulièrement qu'à peu d'exceptions près, les méthodes de l'assurance sociale sont les seules qui puissent effectivement étendre leur action aux catégories les moins fortunées de la classe moyenne, c'est-à-dire à ceux qui ne peuvent défrayer le coût des soins médicaux, qui sont dans l'impossibilité d'épargner, etc., suffisamment pour se protéger eux-mêmes, qui sont rarement les acheteurs d'assurances individuelles coûteuses mais qui aussi évitent, souvent au prix de grands efforts, de descendre au rang des indigents et de recevoir ainsi des secours gratuitement ou par charité. En général, plus les participants sont nombreux plus grande est la mobilisation du pouvoir d'achat — qui autrement se dirigerait ailleurs — en vue de la protection contre certains risques et certaines situations pressantes qu'il est possible de prévoir si l'on a affaire à une collectivité mais qui ne peuvent être prévus avec précision dans chaque cas individuel. Enfin, on a constaté presque partout que, grâce aux économies de gestion ainsi que pour d'autres motifs, le coût de la protection obtenue, en tenant compte des avantages matériels au point de vue sécurité, conservation de la santé et stabilité familiale, est relativement minime. *(Ibid.,* 33-34.)

Décisions constitutionnelles et administratives

Il a été admis dès le début que la suffisance des mesures de bien-être social au Canada dépend non seulement des textes législatifs mais aussi du rouage administratif, ce qui veut dire, dans un Etat fédératif, qu'elle repose non seulement sur la qualité et la technique de l'art de gouverner mais encore sur la répartition des responsabilités et l'habileté à s'acquitter de ses obligations. La Commission royale d'enquête sur les relations entre le Dominion et les provinces [voir document No 26] s'est bien rendu compte que dans l'exécution du mandat qu'elle avait de concentrer son attention sur les relations financières entre le gouvernement fédéral et les gouvernements provinciaux elle considérait du même coup les éléments des futures mesures législatives d'ordre social...

Il faut évidemment trouver la formule d'un système d'administration dans lequel le gouvernement fédéral et les gouvernements provinciaux comprendront nettement leurs responsabilités respectives. Du point de vue revenu, le problème ne se circonscrit pas aux contributions financières; il s'étend aussi aux moyens économiques de perception. Du point de vue distribution, il ne se limite pas à l'organisation des services, des bénéfices et de la comptabilité qui en dérive; il se relie du même coup à la préparation de tous les programmes pratiques possibles qui se rattachent aux assurances, ainsi qu'aux autres moyens de relever le niveau de bien-être dans tout le Dominion...

Il incombe donc d'envisager le système dans son ensemble et d'y intégrer les unités composantes en faisant la part qui convient à la décentralisation régionale et administrative. Il n'est pas essentiel que chaque unité soit confiée à la gestion de l'Etat fédéral, mais ce serait une catastrophe si tous les extrêmes étaient représentés entre, par exemple, l'assurance-chômage sous forme de système unitaire compréhensif d'une part, et, d'autre part, l'assurance-santé établie sur une base exclusivement provinciale, avec moins de coordination qu'il n'en existe actuellement même dans le domaine des pensions de vieillesse. Les difficultés que soulève la rationalisation pourraient suffire à remettre indéfiniment l'adoption des autres formes d'assurance...

Tout danger serait toutefois évité si, d'avance, toute la situation, d'abord débattue à fond, devenait l'objet d'une entente. A cette fin, il pourrait y avoir conférence entre les représentants du Dominion et ceux des provinces, pour décréter le mode d'exécution, pour maintenant ou plus tard, d'un système complet d'assurance sociale. Le rapport Rowell-Sirois contient sur ce point la déclaration succincte que voici: « Afin de maintenir l'union et l'harmonie dans l'administration, il faut que les gouvernements fédéral et provinciaux arrêtent d'un commun accord les meilleurs moyens d'y arriver. Or, cette entente doit se faire sans délai et sans que de graves compromis affaiblissent la vigueur des mesures adoptées. » (*Ibid.*, 128-130.)

Conclusion: facteurs de répartition au point de vue financier

Pour conclure, et à titre d'indication encore utile lorsqu'il sera possible d'élaborer davantage le calcul des dépenses relatives à la sécurité sociale, il sera bon de résumer les principales considérations susceptibles de recevoir une application générale.

1. En premier lieu, dans une très grande proportion, les déboursés effectués sous le régime des programmes d'assurance sociale ne sont qu'une redistribution du revenu existant...

2. Deuxièmement, dans plusieurs domaines auxquels s'étendrait une législation plus généreuse lorsque l'assurance sociale parerait aux éventualités de pertes de revenu ou de charges de famille, beaucoup de dépenses antérieures ne seraient plus nécessaires...

3. Le barème qui doit avant tout servir à calculer le coût de la sécurité sociale est le revenu national dans son ensemble. Un chiffre qui atteint des centaines de millions de dollars pour l'assurance-santé, la sécurité du vieil âge, ou toute autre mesure, peut sembler en lui-même un fardeau écrasant. Il en est autrement, s'il ne constitue qu'une proportion de 1 ou 2 p. 100 du revenu produit et disponible

d'une année à l'autre, surtout s'il comprend les contributions multiples d'une grande partie de la population. Si le programme est général et bien tracé, il est possible que, dans une certaine mesure, l'on puisse appliquer un « principe de frais décroissants » à la dépense de 10 ou 12 p. 100 du revenu national. Il est aussi possible que l'on obtienne, d'un système intégré et soigneusement préparé, une efficacité et des services plus de cinq fois supérieurs à ceux que fourniraient cinq programmes particuliers, établis à des dates diverses, sans beaucoup de rapport entre eux.

En effectuant des calculs et en prenant des engagements pour l'avenir, on l'a déjà souligné, l'expérience de la production et de l'organisation de guerre au Canada et aux Etats-Unis donne une idée qui semble raisonnable du niveau que notre revenu national normal devrait atteindre. Avec un niveau élevé et plus stable, et la cessation des exigences phénoménales nées des besoins immédiats de la guerre, il y aurait évidemment des possibilités beaucoup plus grandes d'améliorer les mesures de sécurité sociale.

Il a déjà été fait mention d'un aspect spécial de cette question, soit le rôle que la réglementation des dépenses sera appelée à jouer au cours des années où la production de guerre sera restreinte. On a déjà énuméré les difficultés que comporte l'application de méthodes fiscales propres à parer à une crise; il est tout à fait possible, cependant, que l'une des raisons pour lesquelles il serait préférable d'établir immédiatement un système complet d'assurance sociale plutôt que de procéder par étapes échelonnées pendant un certain nombre d'années soit la facilité relative avec laquelle on peut mobiliser les déboursés nécessaires à la sécurité sociale comparativement aux difficultés que rencontreront les entreprises matérielles réclamant une préparation technique soignée et de grandes quantités de matériaux qui peut-être n'abonderont pas immédiatement. C'est là une éventualité, non une certitude; elle souligne simplement qu'il est sage de se préparer aux éventualités d'après-guerre sous plus d'un rapport.

4. Enfin, on doit considérer comme un point évident et essentiel que les deniers affectés aux paiements de l'assurance sociale ne sont pas perdus. Les assurances sociales, et même certains débours purs et simples, comme les allocations aux enfants, sont des placements effectués en vue du moral et de la santé, de l'affermissement de la famille, et, au double point de vue matériel et psychologique, en vue de l'efficacité de rendement de l'humanité. Elles comportent des responsabilités personnelles et collectives; cependant, dans l'esprit de la très

grande majorité des bénéficiaires, elles donnent une signification plus évidente à l'idée de l'effort en commun et de la solidarité nationale. Il n'est pas encore prouvé qu'une démocratie s'affaiblisse ou s'appauvrisse en assurant un minimum de bien-être social à ses citoyens. (*Ibid.*, 137-138.)

PLAN COMPLET D'ASSURANCE

Risque ou prestation	Origine des fonds	Mode d'administration
I. RISQUES UNIVERSELS		
A. *Entière population assurable*		
Soins médicaux (services)	Cotisations	Coopération entre le Dominion et les provinces (cotisations) Administration provinciale (services) Modalités appropriées de coordination provinciale
Subsistance des enfants (allocations)	Recettes fiscales	Administration fédérale
Prestations funéraires	Cotisations	(Se rattachant à un ou à plusieurs des autres modes d'assurance)
B. *Classe entière des salariés* (et les adultes qui sont à leur charge)		
Invalidité permanente (pensions)	Cotisations	Administration fédérale
Veuves, orphelins (pensions)	Cotisations	Administration fédérale
Retraite pour motif de vieillesse (pensions)	Cotisations (Recettes fiscales dans le cas des déficits transitoires)	Administration fédérale
II. RISQUES INHÉRENTS À L'EMPLOI		
A. *Classe entière des salariés normaux*		
Programme d'entreprises nationales	Recettes fiscales	Direction fédérale, programme commun et coordonné
Mesures de formation et d'orientation professionnelles	Recettes fiscales	Plans fédéraux et fédéraux-provinciaux
Entreprises d'assistance-chômage	Recettes fiscales	Plans fédéraux et provinciaux
B. *Ensemble des employés*		
Assurance-chômage (prestations)	Cotisations	Administration fédérale
Prestations de maladie (en espèces)	Cotisations	Administration fédérale (rattachée à l'assurance-chômage)
Prestations obstétricales	Cotisations	Administration fédérale (rattachée à l'assurance-chômage)
Invalidité, accidents industriels	Cotisations (employeurs)	Administration provinciale (Commission des accidents du travail)
Accidents fatals, etc. (industrie)	Cotisations (employeurs)	Administration provinciale (Commission des accidents du travail)

(Ibid., 122.)

34. - Relations fédérales-provinciales

(1945-1946)

Dans un Etat fédératif, les relations entre les gouvernements locaux et le gouvernement fédéral ont une importance capitale. L'histoire enseigne, cependant, qu'il n'est pas toujours facile d'obtenir une collaboration harmonieuse entre les divers gouvernements d'une fédération. Chacun d'eux se montre jaloux de son autorité et les intérêts régionaux viennent souvent en conflit avec l'intérêt général tel que conçu par le gouvernement central.

La constitution canadienne de 1867 chercha à résoudre le problème en accordant au Parlement fédéral et au gouvernement d'Ottawa des pouvoirs très étendus (voir documents Nos 2, 3, 4 et 5). Les Pères de la Confédération, qui pour la plupart favorisaient l'établissement d'une union législative, voulurent réduire les gouvernements provinciaux au rang de simples conseils de comtés. Rappelons, par exemple, que le gouvernement fédéral se réserva le droit de désavouer les lois provinciales et s'appropria les grandes sources de revenus de l'époque: l'impôt indirect et les droits de douane (voir articles 90 et 91 de la constitution, document No 5). Autre fait significatif: les provinces, privées de leurs anciennes sources de revenus, reçurent du gouvernement central une subvention annuelle pour défrayer les frais de leur administration (voir article 118 de la constitution, document No 5).

L'évolution historique modifia la situation en faveur des gouvernements provinciaux. Quelques décisions du Conseil privé, reconnaissant les provinces comme des Etats souverains dans leur sphère propre, eurent pour effet de limiter les pouvoirs du gouvernement central et d'étendre ceux des gouvernements locaux (voir document No 10). Le gouvernement fédéral dut se montrer très prudent dans l'exercice de son droit de désaveu; bientôt, il n'osa plus s'en servir. Les provinces avaient conservé le droit exclusif de légiférer dans le domaine de la propriété et des droits civils (voir article 92 de la constitution, document No 5). Elles purent ainsi contrôler l'exploitation de leurs ressources naturelles et faire reconnaître leur autorité absolue en matière de législation sociale. La Cour suprême du Canada et le comité judiciaire du Conseil privé ont rendu des jugements très explicites sur ce point. En limitant les gouvernements provinciaux à la taxation directe, même si le Parlement fédéral pouvait avoir recours « à tout mode ou système de taxation » (voir article 91 de la constitution, document No 5), les Pères de la Confédération ont créé une situation qui a permis à quelques défenseurs de l'autonomie provinciale (voir document No 39) de prétendre que les provinces avaient un droit de priorité sur les principales sources de revenus des Etats contemporains: l'impôt sur le revenu personnel, l'impôt sur les corporations et les droits successoraux. Cette évolution, que Macdonald et Galt n'avaient certes pas prévue, a changé le caractère fondamental de la fédération canadienne. Le gouvernement fédéral semblait incapable, sauf en temps de guerre, de jouer le rôle que la constitution de 1867 avait voulu lui donner. On s'en rendit bien compte pendant la crise économique de 1929.

Les partisans d'un gouvernement central puissant soutinrent qu'il fallait reconquérir le terrain perdu de 1883 à 1937. La création de la Société Radio-Canada (1932) et la fondation de la Banque du Canada (1934) constituèrent les premières étapes d'un programme de centralisation. Le rapport Rowell-Sirois, inspiré par cette école de pensée, traça les grandes lignes d'une politique destinée à faire du gouvernement fédéral un véritable gouvernement national (voir document No 26). Les défenseurs de l'autonomie des provinces se préparèrent à une lutte importante dans laquelle tous les atouts n'étaient pas de leur côté.

La guerre, en effet, plaça le gouvernement fédéral dans une position avantageuse. Au mois de janvier 1941, Ottawa convoqua une conférence de tous les premiers ministres du pays dans le but de faire approuver les recommandations de la Commission d'enquête sur les relations entre le Dominion et les provinces. Invoquant les nécessités de l'heure, les autorités fédérales demandèrent aux gouvernements provinciaux de leur abandonner les impôts directs et offrirent en compensation une subvention annuelle. La conférence échoua; mais, dès l'année suivante, toutes les provinces consentirent à signer une entente fiscale avec Ottawa pour la durée du conflit. Elles s'engagèrent à ne pas percevoir d'impôts sur les revenus des particuliers et sur les profits des corporations.

Bientôt, le gouvernement central annonça son intention d'appliquer un vaste programme de politique économique et sociale pour la période d'après-guerre (voir document No 33). Il devenait évident que les dirigeants du pays, encouragés d'ailleurs par l'opinion publique, entendaient suivre les recommandations du rapport Rowell-Sirois. En 1944, le parlement fédéral adopta une loi instituant les allocations familiales.

Les premiers ministres provinciaux rencontrèrent de nouveau les autorités fédérales en 1945 et en 1946. Ce fut ce qu'on a appelé la « Conférence du rétablissement » (6 au 10 août 1945 et 29 avril au 3 mai 1946). Le gouvernement d'Ottawa exposa son programme d'après-guerre et invita les provinces à collaborer avec lui pour le mettre en vigueur. Il fit savoir qu'il avait absolument besoin des impôts directs et offrit en retour une subvention annuelle aux provinces. Les délégués ne purent en venir à une entente. Le gouvernement fédéral décida alors de négocier des accords séparés avec chaque gouvernement provincial. Toutes les provinces, sauf le Québec et l'Ontario, acceptèrent les propositions fédérales pour une période de cinq ans (1947-1952). Voir François-Albert Angers, *Essai sur le centralisme* (Montréal, 1960); Michel Brunet, *Canadians et Canadiens*, 17-32, *La Présence anglaise et les Canadiens*, 167-190, 253-292; *Conférence du Dominion et des provinces: 14 janvier et 15 janvier 1941* (Ottawa, 1941); *Conférence fédérale-provinciale du rétablissement: propositions du gouvernement du Canada* (Ottawa, 1945); *Conférence fédérale-provinciale: mémoires du Dominion et des provinces et délibérations de la conférence plénière* (Ottawa, 1946); Wilfrid Eggleston, *The Road to Nationhood: A Chronicle of Dominion-Provincial Relations* (Toronto, 1946); Paul Gérin-Lajoie, *Constitutional Amendment in Canada* (Toronto, 1950); Lionel Groulx, *Histoire du Canada français*, 4: 204-213; Maurice Lamontagne, *Le Fédéralisme canadien: évolution et problèmes* (Québec, 1954); A.R.M. Lower et autres, *Evolving Canadian Federalism* (Durham, 1958); J. A. Maxwell, *Recent Developments in Dominion-Provincial Fiscal Relations in Canada* (New York, 1948); D.C. Rowat, « Recent Developments in Canadian Federalism », *The Canadian Journal of Economics and Political Science,* 18 (février 1952): 1-16; Robert Rumilly, *L'Autonomie provinciale* (Montréal, 1948), 142-302; S.A. Saunders et E. Back, *The Rowell-Sirois Commission* (Toronto, 1940).

(1)

Programme du gouvernement fédéral

J.L. ILSLEY (ministre des Finances), séance du 7 août 1945, *Conférence fédérale-provinciale: mémoires du Dominion et des provinces et délibérations de la conférence plénière* (Ottawa, 1946), 126-127: Au mois d'avril de cette année, le ministre de la Reconstruction [M. C.D. Howe] a déposé devant le Parlement, au nom du Gouvernement, un Livre blanc sur le Travail et les Revenus. Dans ce Livre, le Gouvernement a déclaré qu'il voulait maintenir un haut niveau d'embauchage et de revenus et que c'était là le premier but du programme. Certaines mesures de reconstruction qui avaient déjà été mises en vigueur, et les dispositions qui seront prises pendant la deuxième étape de la guerre [la guerre en Europe avait pris fin au mois de mai mais elle se poursuivait encore en Asie] ont été exposées d'une manière précise. D'autres mesures concernant la période d'après-guerre, spécialement dans les domaines des mises de fonds publiques et de la sécurité sociale [voir document No 33], ont été esquissées dans leurs grandes lignes seulement. Pour la mise en œuvre complète de ces mesures, on a déclaré qu'il était absolument nécessaire de conclure avec les provinces des arrangements financiers et administratifs satisfaisants.

En soumettant ce projet à la Conférence, le Gouvernement fédéral a indiqué bien clairement quelles sont ces mesures concernant la période d'après-guerre et quels sont les arrangements financiers et administratifs avec les provinces qu'il jugerait satisfaisants. Cet exposé constitue la seconde partie, qui est importante au programme de reconstruction du Gouvernement fédéral.

Certaines propositions particulières pourront être modifiées à la lumière des discussions qui auront lieu, ou devront peut-être être modifiées s'il est impossible de s'entendre sur les autres propositions.

D'une façon générale, il est proposé que le Gouvernement fédéral prenne l'initiative en vue d'assurer l'embauchage et les revenus: (1) en concluant les accords les plus avantageux possibles avec les autres Nations Unies dans le domaine des relations économiques, accords qui encourageraient et permettraient l'expansion du commerce mondial et le plein usage de nos ressources; (2) en adoptant des politiques fiscales et autres qui créeront des conditions favorables dans lesquelles l'initiative, l'expérience et les ressources de l'industrie privée pourront contribuer à l'expansion du commerce et de l'embauchage; (3) en administrant ses mises de fonds publiques et en rendant financièrement avantageuse aux gouvernements municipaux et provinciaux l'administration de leurs mises de fonds de sorte qu'elles contribuent à la stabilité et non pas à l'instabilité de l'embauchage; de plus, en dépensant ces fonds surtout pour développer et conserver nos ressources naturelles, ajoutant ainsi à la prospérité du peuple canadien et améliorant la situation financière des gouvernements provinciaux qui administrent ces ressources; (4) en maintenant et en stabilisant par un ensemble de mesures sociales [assurance-chômage, assistance-chômage, allocations familiales, pensions de vieillesse, assurance-santé et autres projets d'assurance sociale] les revenus qui sont dépensés surtout pour la consommation, et en contribuant ainsi à la santé, au bien-être et à la capacité productive du peuple canadien et à son embauchage.

Pour arriver à ces fins sans détruire l'organisation fédérale, le Gouvernement est d'avis qu'il devrait être seul à taxer les revenus personnels et corporatifs ainsi que les successions, afin que les effets restrictifs de l'imposition double et concurrentielle soient évités et afin que les revenus et les richesses amassés par la nation puissent être taxés entièrement et efficacement aux fins nationales et à l'avantage mutuel de toutes les provinces.

Le Gouvernement fédéral conçoit ce programme comme étant vraiment une politique nationale compatible avec un Etat fédératif et favorable à son plein et florissant développement. Au sein d'un Etat ainsi organisé, le Gouvernement fédéral peut exercer ses pouvoirs constitutionnels d'une manière plus étendue et plus favorable au bien-être national. Dans un tel Etat, les gouvernements provinviaux peuvent aussi exercer leurs pouvoirs constitutionnels d'une façon plus ample et plus indépendante qu'ils ne pouvaient le faire d'après les arrangements qui existaient avant la guerre. Ces propositions ne sont ni révolutionnaires ni disruptives; elles sont fondées sur le meilleur jugement que nous dicte l'expérience du passé, mais elles ne comportent aucun engagement irrévocable pour l'avenir; elles ne demandent qu'un essai loyal. Elles ont pour but de résoudre de façon pratique les problèmes nationaux et fédéraux qui sont la principale préoccupation de tous.

Le Gouvernement fédéral demande qu'on étudie avec soin et beaucoup de réflexion ces propositions qu'il est désireux de discuter librement et à fond avec les gouvernements provinciaux. Il demande qu'elles soient étudiées à la lumière des obligations que chaque gouvernement a envers le peuple. Puisse-t-on ne tenir compte d'aucun autre intérêt que celui du peuple canadien.

(2)

Mémoire de la province de Québec

Les autorités fédérales déclarent que l'acceptation de leurs propositions aurait pour effet de sauvegarder l'autonomie des provinces, d'appliquer une politique sociale progressive, de répondre aux besoins du pays en même temps qu'aux besoins des provinces, et cela, tout en diminuant les impôts publics.

Il est bien difficile de comprendre comment il serait possible d'augmenter les revenus des provinces, d'augmenter les revenus du gouvernement d'Ottawa et de diminuer les taxes en même temps. Cette théorie est évidemment illogique.

L'autonomie des provinces ne peut pas être sauvegardée en substituant un subside fédéral à l'indépendance financière des provinces.

La souveraineté et l'autonomie des provinces sont à l'antipode de toute tutelle fédérale. La province de Québec, entre autres, a atteint sa majorité il y a longtemps. Il est facile de convenir que la tutelle ou la curatelle est incompatible avec les droits, prérogatives et libertés qui sont l'apanage de la province et qui lui sont reconnus par la constitution canadienne.

Les droits exclusifs des provinces en matières de législation sociale, d'éducation, de droit civil, etc., etc., doivent être intégralement conservés et sauvegardés, si la Confédération doit survivre. Les propositions fédérales telles que formulées et expliquées par les autorités fédérales portent atteinte sérieusement et directement aux droits inaliénables de toutes les provinces.

Les propositions fédérales tendent à la centralisation, contraire à l'esprit du pacte fédératif; elles tendent à établir et à accroître une bureaucratie qui ne convient et ne pourra jamais convenir ni à une démocratie, ni à un pays régi par les institutions parlementaires...

La province de Québec est en faveur d'une saine législation sociale, domaine exclusivement réservé aux provinces.

La véritable sécurité sociale doit offrir des éléments de durée et de stabilité que seuls peuvent lui procurer le respect de la constitution et le respect des droits de chacun des contribuables en particulier. La constitution canadienne est le résultat d'une coopération bien comprise entre les provinces; cette coopération doit se continuer pour le plus grand bien du pays. Les propositions du gouvernement fédéral semblent contraires à cet esprit de coopération.

De l'avis du gouvernement de la province de Québec, le pays a besoin de trois choses: la clarification et la délimitation précise des pouvoirs de taxation du gouvernement fédéral et des provinces, suivant l'esprit et la lettre de la constitution canadienne, c'est-à-dire en tenant compte du passé, du présent et du futur.

Deuxièmement, la simplification de la taxation publique pour en diminuer le coût et en faciliter la perception.

Troisièmement, la collaboration de tous les pouvoirs pour en arriver à la modération dans le domaine de l'impôt et pour diminuer le fardeau imposé à un éternel oublié: le payeur de taxes.

Ces trois qualités fondamentales peuvent se réaliser facilement en constituant un comité permanent composé des représentants attitrés des dix gouvernements du pays, étudiant et travaillant en véritables frères de la grande famille canadienne respectueuse et soucieuse des droits, prérogatives et libertés de chacun de ses membres.

Pendant le temps nécessaire à l'étude et au règlement de ces problèmes canadiens, une convention temporaire, précise, claire et catégorique dont la durée serait déterminée en tenant compte et des besoins du fédéral et des besoins des provinces pourrait être conclue comme mesure transitoire mais fondée sur les bases mêmes de la constitution canadienne.

Bref, il serait possible de louer, et nous insistons sur l'expression louer, moyennant une juste compensation, non seulement matérielle mais même constitutionnelle, certains pouvoirs de taxation actuels des provinces, qui pourraient être raisonnablement loués sans diminuer en rien la marche ascendante de la province, son progrès, sa prospérité.

Nous vous réitérons donc le sincère désir de la province de Québec de collaborer et de coopérer à la prospérité et à la grandeur du pays. Cet idéal ne pourra certainement pas se réaliser sans que la grandeur et la prospérité des provinces autonomes soient également garanties et sauvegardées. (Conclusion du mémoire présenté, le 25 avril 1946, par Maurice-L. Duplessis, premier ministre de la province de Québec, *ibid.*, 407-408.)

(3)

Quelques opinions émises au cours des délibérations

ANGUS L. MACDONALD (premier ministre de la Nouvelle-Ecosse), séance du 29 avril 1946, *ibid.*, 465-466: Dans quelle situation les propositions [du gouvernement fédéral] placent-elles les provinces ? Elles jouissent exclusivement de deux domaines fiscaux, dont l'un est sans valeur [la propriété immobilière qui constitue, dans la plupart des provinces, l'unique source de revenus des gouvernements municipaux]. Dans d'autres domaines moins importants, comme celui de l'impôt sur l'essence, les spectacles, l'électricité et le reste, elles partagent le droit d'imposition. Viennent ensuite les subventions projetées, que le Dominion a établies à $15 par tête, et qui augmentent à mesure que s'intensifie la production du pays. On nous demande en retour de céder notre droit à la perception de l'impôt sur le revenu et de l'impôt sur les compagnies, deux domaines qui, encore une fois, ont produit l'an dernier un peu plus d'un milliard et demi de dollars. Il nous faut donc céder nos droits à ces deux impôts qui, je le répète, ont produit l'an dernier un peu plus d'un milliard et demi de dollars. Voilà la situation qu'on propose aux provinces. Je vous le demande, monsieur le président [W.L. Mackenzie King, premier ministre du Canada], je le demande aux délégués ici présents, qu'ils représentent le gouvernement fédéral ou les provinces, je le demande à quiconque peut m'entendre, je le demande à cet important corps social auquel, à titre de serviteurs publics, nous sommes comptables, les citoyens de nos provinces et ceux du Canada, je le demande à tout le monde, est-ce là une position juste, honorable et digne, dans laquelle placer les provinces du Dominion ? C'en sera fait de l'autonomie provinciale. L'indépendance provinciale s'évanouira. La dignité provinciale disparaîtra. Les gouvernements provinciaux deviendront de simples rentiers d'Ottawa. La vie publique provinciale — et je ne juge pas l'expression trop forte — sera avilie, dégradée. Je ne crois pas que ce soit là un état de choses que souhaitent les représentants du gouvernement canadien ici présents, mes collègues d'autrefois [il avait été ministre fédéral pendant la guerre]. Je suis certain qu'ils ne désirent pas imposer une pareille situation au pays; je ne puis croire non plus que notre population le désire elle-même.

J.B. McNAIR (premier ministre du Nouveau-Brunswick), séance du 29 avril 1946, *ibid.*, 467: Je suis contraint de déclarer, au nom du Nouveau-Brunswick, que les propositions [revisées depuis la première rencontre au mois d'août] du Dominion nous paraissent encore insuffisantes, surtout parce qu'elles omettent d'accorder aux provinces nécessiteuses des subventions supplémentaires fondées sur leur état financier.

STUART GARSON (premier ministre du Manitoba), séance du 30 avril 1946, *ibid.*, 491: On s'est opposé à la conclusion d'un accord pour diverses raisons. On a soutenu, par exemple, qu'une entente compromettrait les droits constitutionnels des provinces, puisque ces dernières céderaient au gouvernement central certains pouvoirs d'imposition. Nous affirmons au contraire que la constitution accorde clairement au gouvernement fédéral des pouvoirs d'imposition illimités, que les provinces ne sauraient augmenter ou restreindre au moyen d'accords ni autrement.

Les provinces conviendraient, par un accord, de ne pas exercer leur droit de percevoir les impôts sur les sociétés, le revenu et les successions pour une période de trois ans. En guise de dédommagement, le pouvoir central verserait aux provinces une somme annuelle d'environ 200 millions de dollars, dépassant considérablement les recettes qu'elles ont retirées de ces taxes par le passé. Le pouvoir central, en consentant cette indemnité, reconnaîtrait, plutôt qu'il nierait, les droits fiscaux des provinces.

On ne loue pas une maison sous l'empire d'un bail pour déclarer ensuite qu'on ne la possède pas.

Après une épreuve de trois ans, les provinces ne seraient pas tenues, si l'accord leur paraissait désavantageux, de le renouveler. Nous nous refusons à considérer cette solution comme un empiétement sur les droits provinciaux. Sinon, nous la rejetterions.

J.L. ILSLEY (ministre des Finances), séance du 1er mai 1946, *ibid.*, 558-562, 564: Il y a trois raisons majeures pour que le Dominion prélève seul des impôts sur les revenus et sur les sociétés; mais ces raisons sont loin d'être aussi valables dans le cas d'impôts tels que ceux sur l'essence et sur les amusements...

La première de ces raisons, c'est l'équité. Les revenus, et surtout les bénéfices sont loin d'être uniformes dans les diverses provinces et régions de notre pays. C'est dire que l'impôt sur les revenus rapporte des sommes fort inégales dans les diverses provinces, des sommes, soit dit en passant, qui n'ont pas de rapport étroit avec les besoins effectifs des provinces, ni en fait, avec l'importance de l'activité économique de la province. Il est donc beaucoup plus équitable que ce soit l'administration fédérale qui taxe ces revenus et ces bénéfices, car ils résultent directement de l'activité économique de toute la nation et sont conditionnés en grande partie par l'état général de notre commerce avec l'étranger et par nos programmes fédéraux. [Le ministre explique comment la politique commerciale et économique du gouvernement fédéral contribue à la prospérité du pays. Il souligne l'injustice dont souffrent les provinces qui, pour diverses raisons, ne se développent pas aussi rapidement que d'autres. Cette situation pourrait avoir des conséquences graves au point de vue national.]

Par conséquent, il est injuste de la part des autorités provinciales et locales de recourir à ces impôts principaux, visant le revenu et les bénéfices, impôts qui varient tant entre les diverses provinces et qui produisent dans une région des recettes si supérieures à celles qu'ils rapportent dans une autre qui peut mériter tout autant les mêmes avantages et qui joue un rôle aussi important dans la vie nationale mais n'a pas autant d'attraits pour les corporations et les gens riches. Il est surtout injuste que les revenus et les bénéfices modifiés par des conditions extérieures et par l'exécution d'un programme national soient assujettis à des impôts locaux lorsque la nation tout entière a tant besoin de recettes pour faire face aux obligations extraordinaires causées par la guerre et pour réaliser un programme d'embauchage et de commerce extérieur. Dans notre monde moderne, la justice veut que ce soit le gouvernement national qui perçoive l'impôt sur le revenu.

La deuxième raison fondamentale pour laquelle le revenu et les bénéfices devraient être imposés par le Dominion plutôt que par les provinces est que ces sources d'impôt sont si instables, surtout dans une région donnée, qu'elles ne constituent pas un genre convenable de revenu pour les provinces qui ont besoin de recettes stables puisqu'elles n'ont pas autant de facilités d'emprunt que le gouvernement fédéral. Le Dominion a besoin de toutes les recettes qu'il peut obtenir au cours d'une longue période et il ne doit donc négliger aucun domaine de taxation. Il peut toutefois s'adapter beaucoup plus facilement que n'importe quelle province, même la plus riche, à des fluctuations de recettes, car il jouit non seulement d'un crédit indiscutable, mais il a en outre l'entière régie de la monnaie et des banques, ce qui lui permet de déterminer dans une large mesure les disponibilités de crédit pour ses propres besoins et ceux des autres. De fait, s'il survenait une crise de chômage, le Dominion voudrait probablement voir ses dépenses dépasser de beaucoup ses recettes, le déficit étant financé par voie d'emprunt, car cela stimulerait et accroîtrait l'embauchage et les revenus. D'autre part, on ne peut s'attendre que les provinces assument une aussi lourde responsabilité et il leur faut des sources de revenus plus stables que l'impôt progressif sur le revenu et la taxe sur les bénéfices. Toutefois, si le Dominion doit assumer les risques lorsque les conditions sont incertaines ou adverses, il n'est que juste qu'il puisse se dédommager en tirant pleinement parti de ces impôts en temps de prospérité.

La troisième raison — et c'est la plus importante — pour laquelle le Dominion devrait être seul à percevoir ces impôts sur le revenu et les bénéfices est que ces impôts doivent faire l'objet d'une gestion soigneuse dans le cadre du plan national d'embauchage et de progrès économique. La justice sociale exige que ces impôts progressifs soient utilisés dans la plus grande mesure possible; par ailleurs, le bon sens économique veut que le taux n'en soit pas élevé au point d'empêcher les contribuables de travailler autant qu'ils le peuvent et d'accepter les risques qu'entraînent nécessairement une production efficace et un réel progrès. Un jugement très sûr est essentiel pour l'appréciation de ces considérations opposées, étant donné les conditions économiques instables et les difficultés d'ordre politique auxquelles une nation moderne doit faire face. Le succès est pourtant essentiel au maintien de l'embauchage ainsi qu'au progrès économique. Ce succès serait beaucoup plus difficile et peut-être impossible si dix gouvernements, au lieu d'un, devaient agir...

[Le ministre aborde ensuite la question des droits successoraux. Il reconnaît que les arguments qu'il vient d'invoquer pour convaincre les provinces d'abandonner au gouvernement fédéral l'impôt sur le revenu des particuliers et sur les bénéfices des compagnies ne s'appliquent pas avec autant de force dans le cas des successions. Il rappelle que l'impôt fédéral sur les successions facilite la tâche des fonctionnaires du ministère du Revenu national chargés d'appliquer la loi de l'impôt sur le revenu. L'inventaire des successions permet de découvrir les contribuables qui ont trompé le fisc de leur vivant.]

Ceux qui réussissent à se soustraire au paiement d'impôts ne volent ni le ministre des Finances ni les fonctionnaires du gouvernement mais les autres contribuables canadiens. Nous ne saurions nous permettre d'apporter à notre régime fiscal des modifications susceptibles de porter atteinte à l'efficacité de la méthode de perception de l'impôt sur le revenu. Cette considération vient se surajouter aux avantages économiques que nous avons exposés et qui découlent de l'accès du Dominion au domaine des droits successoraux, savoir une plus grande liberté de mouvement pour les capitaux, une plus grande facilité de conclure des ententes mutuelles, et ainsi de suite.

Je tiens à être précis sur ce point. Je déclare formellement que ... il nous est impossible de nous retirer de la sphère des droits successoraux. Nous croyons qu'il est de l'intérêt du Canada que le Dominion jouisse d'une juridiction exclusive en matière de droits successoraux. Cependant, les provinces de Québec et d'Ontario s'y sont opposées énergiquement. Nous avons en conséquence modifié nos propositions initiales... Bien entendu, cette proposition vaut encore. Toutefois, nous ne pouvons aller plus loin ni nous plier davantage aux désirs des provinces en matière de droits successoraux...

[Le ministre répond à Angus L. Macdonald, premier ministre de la Nouvelle-Ecosse, après avoir relevé la citation que nous avons donnée plus haut:] ... Il prétend premièrement que les provinces seraient financées en partie par des subventions et deuxièmement qu'elles ne posséderaient en propre aucun domaine fiscal.

Je tiens à souligner qu'immédiatement après la Confédération, les provinces ont été financées dans une plus grande mesure par des subventions qu'elles ne le seront en vertu des présentes propositions. Immédiatement après la Confédération, en effet, la proportion des revenus de la Nouvelle-Ecosse provenant de subventions fédérales représentait tout près de 70 p. cent, — la proportion exacte était de 69 p. 100, je crois. En vertu des propositions actuelles, cette proportion sera sensiblement inférieure au chiffre mentionné.

Deuxièmement, il prétend que les provinces n'ont en propre aucun domaine fiscal. Les provinces n'en ont jamais eu. Nous leur offrons certains domaines exclusifs, à condition que nous puissions nous entendre sur les conditions à adopter. Mais jamais depuis la Confédération, les provinces n'ont eu de domaines exclusifs en ce qui concerne la taxation.

MAURICE-L. DUPLESSIS (premier ministre de la province de Québec), séance du 1er mai 1946, *ibid.*, 583-584: Les propositions fédérales ne peuvent que nous conduire inévitablement à la centralisation. Le pouvoir législatif est intimement lié au pouvoir de prélever des impôts et à toutes fins pratiques les propositions fédérales enlèvent ce droit aux provinces. Dans une province, en particulier, nous tenons jalousement, et à juste titre, à nos prérogatives législatives, pour des raisons évidentes.

[Le premier ministre souligne les dangers de la centralisation et de la création d'une bureaucratie trop puissante.]

Dans le Québec, nous avons foi dans la démocratie; nous avons confiance aux institutions parlementaires qui sont appelées à disparaître si les représentants de la population se trouvent privés de la puissance financière nécessaire à l'exercice de leurs prérogatives législatives et administratives.

Par ses propositions, Ottawa nous demande le monopole des impôts sur le revenu et les sociétés et des droits successoraux, domaines fiscaux très productifs pour les provinces. Ce matin, M. Ilsley a affirmé qu'à son avis les provinces ne jouissaient d'aucune priorité concernant les impôts directs. Pendant de longues années, de 1867 à 1917, elles furent cependant seules à exploiter ce domaine. En 1917, pendant la première guerre mondiale, le ministre des Finances de l'époque, sir Thomas White, a jugé à propos de faire adopter la loi instituant l'impôt sur le revenu. Bref, pendant un demi-siècle, les autorités fédérales ont abandonné les impôts directs aux provinces, interprétant l'acte fédératif d'une façon qui tend à établir la priorité des provinces à cet égard.

La confiance est à la base même de la stabilité; elle est le fondement essentiel de l'unité canadienne réelle. Consultons l'histoire. En 1867, les quatre provinces pionnières reçoivent une subvention qui les indemnise des taxes d'accise et des droits de douane qu'elles ont cédés à Ottawa. Par ces propositions actuelles, Ottawa fait disparaître ces subventions. La confiance s'en trouve ébranlée.

En 1917, le gouvernement d'union de l'époque inaugurait l'impôt sur le revenu en promettant clairement qu'il se retirerait de ce domaine après la clôture des hostilités. Ottawa ne l'a pas fait, ce qui a porté un autre coup à la confiance des provinces. [1]

Sous les administrations libérales et conservatrices, on a trois fois prétendu, devant le Conseil privé, que le gouvernement central avait juridiction sur l'importante question des assurances. Chaque fois, le Conseil privé a décidé que ces sujets relevaient des provinces. Cependant, en dépit de trois décisions du Conseil privé, Ottawa ne s'est pas retiré du domaine de l'assurance. Troisième coup porté à la confiance.

En 1942, une entente fiscale était conclue, au sujet de laquelle j'ai maintes fois exprimé mon opinion, ce qui me dispense, je crois, de me répéter ici. Il y était clairement et énergiquement spécifié qu'à la fin de la guerre, Ottawa remettrait aux provinces leur droit de percevoir les impôts sur le revenu des particuliers et des sociétés. Les propositions actuelles portent atteinte à cette entente de 1942 et la confiance en est encore diminuée. De plus, M. King se souviendra que son Gouvernement, il y a quelques années, a demandé au Conseil privé de décider quels étaient les pouvoirs respectifs des gouvernements fédéral et provinciaux en matière de législation sociale. La décision claire et précise était que ces questions relevaient des autorités provinciales {au cours de la session de 1935, le gouvernement Bennett fit adopter plusieurs réformes sociales et économiques; l'opposition libérale soutint que ces lois étaient inconstitutionnelles; revenus au pouvoir, les libéraux refusèrent de mettre cette

---

1. En réalité, le gouvernement fédéral n'avait pris alors aucun engagement à ce sujet.

législation en vigueur et la soumirent aux tribunaux; le Conseil privé rendit sa décision en 1937]. Néanmoins, encore une fois, Ottawa empiète sur nos prérogatives et les propositions fédérales sur les questions qui relèvent de nous. La confiance s'en trouve de nouveau ébranlée.

A la lumière de ces événements, il n'est que juste que les provinces prennent des précautions précises et bien définies. Voilà tout ce que nous cherchons. Nous comprenons les difficultés du gouvernement central, nous sommes disposés à collaborer ,ec lui, mais, je le répète, nous ne voulons pas être ses complices. Notre collaboration doit demeurer dans le cadre des principes constitutionnels fondamentaux. Les actes sont plus éloquents que les paroles. Aujourd'hui, il nous appartient de préparer le lendemain, l'avenir.

Durant la guerre, plusieurs provinces ont interrompu des travaux publics essentiels. Dans la province de Québec seulement, par suite du mouvement né de la guerre, nos routes ont subi de 4 à 5 millions de dégâts qu'il nous faut réparer sans délai. La santé, l'instruction, l'agriculture, la colonisation nécessiteront de lourdes dépenses que nous devons assumer.

Au dire des nombreux experts que nous avons consultés et, après avoir examiné les propositions fédérales, il n'y a qu'une seule conclusion à tirer: les propositions fédérales actuelles équivalent à une tentative bien définie de centralisation, à l'un des plus dangereux assauts contre notre régime fédératif. L'attitude intransigeante de M. Ilsley, parlant au nom du gouvernement fédéral, ne fait que compromettre le fondement même de la Confédération. Notre pays a besoin de stabilité et de certitude. Les propositions fédérales ne conduiraient qu'à l'instabilité et à l'incertitude.

GEORGE DREW (premier ministre de la province d'Ontario), séance du 2 mai 1946, *ibid.*, 621-622, 625, 626: J'ai déjà affirmé, et je le répète, que, pour une part, nos représentations portent très clairement et très catégoriquement qu'il nous faut un mode de gouvernement national puissant et solide, oui, un mode de gouvernement plus puissant et plus solide. Or, le meilleur moyen d'arriver à cette fin, c'est que le gouvernement national renonce à l'accumulation des responsabilités administratives en dehors de sa sphère constitutionnelle propre et normale, se limite au domaine essentiellement national et aux choses de la politique extérieure et laisse les questions d'intérêt local aux provinces, qui, grâce à de longues années d'expérience, sont très bien préparées à les administrer...

On nous dit maintenant qu'il est essentiel que le gouvernement fédéral possède des revenus considérables, en raison de ses engagements. Chacun de nous reconnaît les lourdes obligations financières et morales qui nous incombent à l'égard des hommes et des femmes qui ont servi durant la guerre. Nous connaissons aussi l'étendue de ces mêmes obligations à l'égard de ceux qui ont fourni l'argent nécessaire à la poursuite de la guerre, ainsi qu'à l'égard de la population du pays, dans certaines sphères de son activité courante.

Mais nous savons qu'outre les obligations nées de la guerre même, les responsabilités financières qui s'ensuivent et celles qu'entraînent la démobilisation, la réadaptation et les pensions des militaires blessés, de même que les sommes voulues pour le maintien des effectifs futurs des trois armes, en plus des dépenses ordinaires du gouvernement, outre toutes ces obligations, il en a pris d'autres, au montant de plusieurs centaines de millions de dollars, que nous avons assumées graduellement depuis le 6 janvier 1945, et à l'égard desquelles aucune province n'a été consultée d'avance. [1]

Aujourd'hui, nous sommes réunis en conférence fédérale-provinciale et l'on nous dit qu'il importe souverainement que les provinces, en adoptant une ligne de conduite, tiennent compte de l'étendue de ces obligations. Le Gouvernement fédéral s'est peut-être engagé à continuer de remplir les obligations qu'il a contractées, ce qui veut dire qu'il faut poursuivre la tâche entreprise.

Mais, tandis que nous en sommes sur la question, permettez-moi de demander, avec toute la sincérité et toute l'énergie dont je suis capable, qu'on ne prenne pas d'engagements, qu'on ne fasse pas au public des promesses du genre de celles qu'on a faites, même depuis quelques mois. Ces engagements font miroiter de nouvelles visions aux yeux des gens et créent des appétits extrêmement coûteux à satisfaire. Surtout, que tous les ministres du cabinet fédéral s'abstiennent de faire, à la légère, de nouvelles promesses touchant les sphères qui relèvent, en fait, des provinces.

---

1. Le premier ministre ontarien fait ici allusion à l'institution par le gouvernement fédéral d'un système d'allocations familiales. Le parlement d'Ottawa adopta la loi des allocations familiales à l'été de 1944. Au mois de janvier 1945, eut lieu l'inscription de tous les enfants du pays âgés de moins de 16 ans. Les premiers chèques d'allocations familiales furent distribués au mois de juillet 1945.

Je veux parler, en particulier, du domaine des services sociaux, que le Conseil privé, sur les instances du premier ministre du Canada lui-même, a déclaré ressortir aux provinces [voir déclaration de M. Duplessis plus haut]. Il se peut que les centaines de millions de dollars que le Gouvernement fédéral est déjà tenu à dépenser dans ce domaine doivent demeurer à titre d'engagements. Mais, à n'en pas douter, la tâche des conférences futures et de la présente conférence sera grandement facilitée si l'on songe soigneusement à recourir à des consultations avant de prendre de nouveaux engagements, dans les sphères conjointes du Gouvernement fédéral et des provinces et particulièrement dans la sphère provinciale.

Nous nous entendrions beaucoup plus vite si nous discutions sous un autre aspect, jusqu'au règlement de l'accord fondamental, certaines de ces propositions très générales et encore vagues qui doivent faire l'objet d'un mode de financement à part. Je dis cela parce qu'on a plus d'une fois affirmé qu'il fallait considérer toutes ces questions comme un tout inséparable.

... On nous a dit le 6 août dernier, et chaque fois jusqu'à hier matin, que notre étude ne portait que sur un accord provisoire. Toutefois, chaque argument avancé hier matin par le ministre des Finances pour justifier la jouissance exclusive des domaines de l'impôt sur le revenu des particuliers et de l'impôt sur le revenu des sociétés, chaque argument, dis-je, était tel que s'il était le moindrement valable maintenant, il serait tout aussi valable au bout de trois ans.

Pour résumer son argument en un mot, il soutient qu'au sein d'une économie moderne, dans le monde moderne où nous vivons, il faut, pour plusieurs motifs, que le gouvernement central, national, détienne la maîtrise sur ces impôts. J'estime que cet argument invoqué hier matin aurait dû se terminer par une allusion à l'intention du Gouvernement de retenir ces sources d'impôts.

35. - L'immigration et le peuplement du Canada

(1947-1960)

Le Canada a accueilli, depuis sa fondation, plus de 7,000,000 d'immigrants. Du XVIIe au XVIIIe siècle, à l'époque de la colonisation française, quelque 10,000 colons venus de France s'établirent dans la vallée du Saint-Laurent et donnèrent naissance à la nation canadienne-française. Après la Conquête, les immigrants d'origine britannique peuplèrent rapidement le territoire que venait d'acquérir la couronne anglaise. Dès 1835, les *British Americans* constituaient la majorité des habitants de la vallée du Saint-Laurent. Le Canada était devenu un pays anglais où survivait une minorité canadienne-française. Celle-ci avait réussi, cependant, à demeurer la majorité de la population dans la province de Québec. L'union de toutes les colonies de l'Amérique du Nord britannique (1867-1873), sauf Terre-Neuve, consacra le succès de la colonisation anglaise au Canada. L'immigration elle-même a consolidé et perpétué l'hégémonie anglo-saxonne jusqu'à nos jours. En effet, la plupart des immigrants qui n'étaient pas d'origine britannique se sont assimilés et continuent à s'assimiler à la majorité anglo-canadienne qui dispose de la puissance que donnent le nombre et la richesse. Même dans la province de Québec, très peu d'immigrants se sont intégrés au groupe canadien-français. De plus, celui-ci s'est affaibli par l'émigration vers les Etats-Unis. Cette émigration, dont ont également souffert le Canada français et le Canada anglais, explique pourquoi le peuplement du pays a été plutôt lent en dépit de la venue de millions d'immigrants. L'émigration a neutralisé dans une certaine mesure les résultats de l'immigration. Depuis la fin de la deuxième grande guerre, le Canada a adopté une politique d'immigration destinée à accélérer le peuplement du pays. D'autre part, le développement économique dont le Canada bénéficie depuis 1940 a grandement diminué l'émigration. Nous donnons: (1) une déclaration du premier ministre Mackenzie King exposant les principes et les buts de la politique d'immigration de son gouvernement; (2) les statistiques de l'immigration de 1946 à 1960. Voir Richard Arès, « Positions du français au Canada », *Relations* (avril 1954), 111-114; David C. Corbett, *Canada's Immigration Policy: A Critique* (Toronto, 1957); Jacques Henripin, *La Population canadienne au début du XVIIIe siècle* (Paris, 1954); Georges Langlois, *Histoire de la population canadienne-française* (Montréal, 1935); Jean-Marc Léger, *Le Canada français face à l'immigration* (Montréal, 1956); *Rapport annuel du ministère de la citoyenneté et de l'immigration;* Paul Veyret, *La Population du Canada* (Paris, 1953).

(1)

... Le programme du Gouvernement vise à favoriser l'accroissement de la population du Canada en encourageant l'immigration. Le Gouvernement s'efforcera, au moyen de mesures législatives, de règlements et d'une administration efficace, de choisir judicieusement et d'établir en permanence autant d'immigrants que notre économie nationale peut absorber avantageusement...

D'aucuns ont exprimé la crainte que l'immigration n'amène l'abaissement de notre niveau d'existence. Ce ne serait pas là une conséquence inévitable. Une immigration bien organisée produirait le résultat inverse. Une plus forte population nous permettrait de mettre en valeur nos ressources. En assurant à notre pays un plus grand nombre de consommateurs, et partant un débouché domestique plus considérable, l'immigration diminuerait la nécessité où nous sommes présentement de compter sur l'exportation de nos produits primaires. L'essentiel est que les immigrants soient choisis soigneusement, et que leur nombre corresponde à la faculté d'absorption du pays.

Il importe au plus haut point que nous adaptions l'immigration à notre capacité d'absorption. Par le passé, le Canada a ouvert ses portes à plusieurs millions d'immigrants, mais l'émigration lui a, en même temps, enlevé plusieurs millions de citoyens. Une forte proportion de ceux qui ont quitté le pays comprenait des jeunes gens nés au Canada et d'autres qui avaient bénéficié d'une instruction ou d'une formation acquises chez nous. Le but que le Gouvernement s'est assigné est d'accueillir les nouveaux venus que le pays pourra absorber, mais de ne pas dépasser cette limite. Le chiffre correspondant à notre faculté d'absorption variera manifestement d'une année à l'autre, selon la situation économique. A l'heure actuelle, alors que le Canada revient à une situation normale faisant suite au bouleversement du temps de guerre, il est impossible de prévoir avec exactitude notre future capacité d'absorption. Pour quelque temps encore, la situation du transport limitera le nombre des immigrants, en dépit des accords particuliers que nous pourrions conclure à cet égard. Quand cette limitation cessera, il nous faudra aviser aux meilleurs moyens d'adapter l'immigration au nombre d'immigrants que peut absorber l'économie canadienne.

Quant au choix des immigrants, on a beaucoup parlé de distinctions injustes. Je tiens à préciser que le Canada a parfaitement le droit de choisir les personnes qu'il juge désirables en tant que fu-

169

turs citoyens. Aucun étranger ne possède le « droit fondamental de l'homme » de devenir Canadien: c'est une faveur. Cette question relève de notre politique intérieure. L'immigration est régie par le Parlement canadien. Cela ne veut pas dire, toutefois, que nous ne chercherons pas à éliminer de notre législation toute distinction injuste qui nous semblerait condamnable...

Tous conviendront, j'en suis sûr, que l'ensemble de la population du Canada ne désire pas qu'une immigration massive modifie de façon fondamentale le caractère ethnique de notre population... (Déclaration de W. L. Mackenzie King, le 1er mai 1947, *Débats de la Chambre des Communes,* session de 1947, 3: 2630 - 2633.)

(2)

IMMIGRANTS ARRIVÉS AU CANADA, 1946-1960

Année	*Total*	*Venus des Iles Britanniques*	*Venus de France*	*Venus d'Italie*
1946	71,719	50,950	354	49
1947	64,127	35,892	539	78
1948	125,414	43,639	1,326	3,204
1949	95,217	27,664	1,163	7,728
1950	73,912	12,669	1,399	8,993
1951	194,391	31,539	8,279	23,426
1952	164,498	45,060	5,395	20,651
1953	168,868	46,574	4,045	23,704
1954	154,227	43,120	3,672	23,780
1955	109,946	29,382	2,869	19,139
1956	164,857	50,390	3,809	27,939
1957	282,164	108,989	5,869	27,740
1958	124,851	24,777	2,727	27,043
1959	106,928	18,222	2,153	25,655
1960	104,111	19,585	2,944	20,681

(Voir *Annuaire du Canada* pour les années 1951 (p.151), 1956 (p. 186), 1959 (p. 185) et 1961 (p. 189).)

36. - L'industrialisation du Québec et le problème ouvrier

(1950)

Jusqu'à la fin de la première moitié du XXe siècle, les principaux porte-parole officiels de la collectivité canadienne-française se sont imaginé que celle-ci avait une vocation agricole. Aveuglés par leurs idéaux agriculturistes, ils ne se rendaient pas compte des changements sociaux qu'avait apportés l'industrialisation de la province. Pourtant, le recensement de 1921 avait révélé que la majorité de la population québécoise était devenue urbaine (voir documents Nos 12, 21, 25 et 44 [tableau B]). La prospérité des années 1923-1929, la deuxième grande guerre (1939-1945 et l'expansion économique de l'après-guerre favorisèrent l'exploitation des ressources naturelles, le développement de l'industrie et la migration de la population vers les centres urbains. Néanmoins, la plupart des dirigeants de la société canadienne-française — sociologues, économistes, hommes politiques et administrateurs ecclésiastiques — conservaient partiellement l'illusion d'être les interprètes et les guides d'un peuple rural. D'autre part, les ouvriers, qui commençaient à prendre conscience de leur force comme classe sociale et de leurs droits comme citoyens, augmentaient leurs exigences. Grâce au syndicalisme, ils s'étaient donné leurs propres chefs. Ceux-ci s'opposèrent fatalement aux élites dirigeantes traditionnelles qui prétendaient maintenir leur ancienne autorité au sein de la collectivité. Les syndicats durent livrer de longues luttes, dont les premières remontent à la seconde moitié du XIXe siècle, pour se faire reconnaître officiellement par le patronat et par l'Etat. De nombreuses grèves marquent les principales étapes de l'évolution du syndicalisme québécois. Il en a été ainsi dans tous les pays industriels du monde nord-atlantique.

L'une des ces grèves a profondément influencé l'histoire récente de la société canadienne-française. Au mois de février 1949, les ouvriers de l'industrie de l'amiante d'Asbestos et de Thetford-Mines n'acceptèrent pas de soumettre leurs demandes à un tribunal d'arbitrage et refusèrent de continuer à travailler. Les employeurs et le gouvernement déclarèrent que la grève était illégale. L'arrêt de travail dura plus de quatre mois et immobilisa quelque 5,000 mineurs. Appuyées par le gouvernement qui avait dépêché la police provinciale sur les lieux, les compagnies tentèrent de briser la grève. De nombreux actes de violence se produisirent. L'opinion publique s'émut et, contrairement aux espoirs de ceux qui se disaient « les défenseurs de l'ordre », se montra en général favorable aux grévistes. Ceux-ci, épuisés par une longue grève, reçurent l'aide financière de plusieurs groupes de citoyens. Les autorités religieuses de quelques diocèses permirent la tenue de quêtes publiques au bénéfice des familles des mineurs sans travail. Grâce à la médiation de l'archevêque de Québec, Mgr Maurice Roy, la grève prit fin. Au début de 1950, les syndicats et les compagnies signèrent de nouvelles conventions collectives. Cette grève avait forcé les dirigeants de la société canadienne-française à reviser certaines de leurs idées et à considérer plus attentivement les nombreux problèmes que posait l'industrialisation. Au mois de février 1950, l'épiscopat de la province publia une lettre collective sur le problème ouvrier. Nous donnons les principaux articles de ce document qui proclamait les droits de la classe ouvrière et rappelait aux dirigeants politiques et économiques leurs responsabilités sociales. Voir Pierre Dansereau, *Syndicaliste, qui es-tu ?* (Montréal, 1961); Jean-Pierre Després, *Le Mouvement ouvrier canadien* (Montréal, 1947); W.T.J., Easterbrook et Hugh G.J. Aitken, *Canadian Economic History* (Toronto, 1956); Jean-Charles Falardeau, éd., *Essais sur le Québec contemporain* (Québec, 1953); Louis-Laurent Hardy, *Brève Histoire du syndicalisme ouvrier au Canada* (Montréal, 1958); André Raynauld, *Croissance et structure économiques de la province de Québec* (Québec, 1961); Pierre Elliott Trudeau, éd., *La Grève de l'amiante* (Montréal, 1956).

1. Messagère de justice et de charité, l'Eglise a le droit et le devoir d'exposer, en les adaptant aux conditions particulières de chaque époque, les enseignements qu'Elle a reçus du Christ sur « les rapports essentiels et multiples qui rattachent et subordonnent l'ordre social aux questions religieuses et morales ».

2. L'Eglise cherche ainsi à fortifier la fraternité humaine, à resserrer les liens qui doivent unir les créatures d'un même Dieu, les fils d'un même Père, les frères de l'unique Rédempteur. C'est en effet la volonté du Christ que tous soient unis en Lui et par Lui sous l'action sanctifiante de l'Esprit de Dieu, et que l'ordre temporel, non seulement ne s'oppose pas à cette union, mais la favorise et la manifeste. Voilà, Nos très chers Frères, les buts que poursuit l'Eglise par son enseignement et son action sociale: concourir au bonheur temporel de l'homme, faciliter sa vie surnaturelle et, par là, procurer la gloire de Dieu et de la Trinité sainte.

3. La doctrine sociale de l'Eglise, élaborée au cours des siècles, exprimée avec ampleur et maîtrise, surtout depuis Léon XIII, forme une admirable unité avec les principes mêmes de l'Evangile et avec l'enseignement traditionnel. Cette doctrine « est claire dans

tous ses aspects; elle est obligatoire; nul ne peut s'en écarter sans danger pour la foi et l'ordre moral ».

4. Les principes de cette doctrine sont immuables, universels, les mêmes pour tous les pays. Les documents pontificaux, en plus d'exposer ces principes, les appliquent aux circonstances d'une époque déterminée. De là, pour juger des situations, la nécessité de replacer ces documents dans leur contexte historique et de bien voir à quelles circonstances ils se rapportent. Les principes gardent toute leur valeur, partout et toujours, même si les situations changent avec les temps et les régions. C'est aux Evêques, aidés des théologiens, des sociologues et des économistes travaillant sous la direction du magistère ecclésiastique, qu'il appartient de voir la situation dans les pays où s'exerce leur autorité spirituelle, de rappeler les principes immuables de la morale sociale et de les adapter aux besoins et aux circonstances de chaque région. En un mot, les Evêques sont les interprètes autorisés de la doctrine sociale de l'Eglise auprès des fidèles confiés à leurs soins.

[Le document rappelle trois Lettres pastorales collectives antérieures consacrées à des problèmes sociaux: celle du 30 novembre 1937 qui étudiait le « Problème rural au regard de la doctrine sociale de l'Eglise », celle du 15 mai 1941 intitulée « Restauration de l'Ordre social » qui préconisait le corporatisme, celle du 11 octobre 1946 en faveur de la colonisation agricole.]

8. La lecture de ces documents fait ressortir la sollicitude de l'Eglise pour tous. Comme une mère, Elle aime tous ses enfants d'un même amour, mais Elle doit montrer une sollicitude toute particulière à ceux qui, parmi eux, sont les plus jeunes ou plus faibles; ceux-ci, en effet, ont plus besoin de son attention et de ses soins. C'est pourquoi l'Eglise s'est penchée avec une profonde affection vers la classe ouvrière qui se trouvait souvent sans guide et sans appui.

9. Dans le même esprit, devant les changements profonds survenus dans la vie économique, devant l'agitation sociale qui marque toujours les années d'après-guerre, devant la confusion des esprits qui menace de troubler notre peuple et ralentit son progrès social, conscients de Notre charge de pasteurs, Nous venons vous rappeler la doctrine de l'Eglise sur les problèmes et les besoins des travailleurs de chez nous.

10. Ce sera Notre consolation de montrer aux travailleurs que la religion catholique qu'ils professent les justifie de désirer à la fois plus de perfection morale et plus de bien-être temporel. Voilà pour-

quoi, Nos très chers frères, Nous avons jugé opportun de parler de la condition des ouvriers telle qu'elle se présente en notre région et telle qu'elle devrait être dans un ordre meilleur. Nous tenons à dire concrètement la position de l'Eglise sur la question ouvrière, c'est-à-dire sur les problèmes à résoudre pour que les travailleurs puissent conserver et porter à plus de perfection leur vie spirituelle et matérielle, pour qu'ils aient moins de difficultés à remplir, dans une juste liberté, les constantes obligations dont ils sont responsables envers Dieu et leurs frères.

[La lettre pastorale se divise ensuite en trois parties. La première décrit (articles 12 à 36) les « Conditions actuelles de la vie ouvrière ». La deuxième examine (articles 37 à 73) à quelles conditions pourra se réaliser la « Restauration chrétienne de la vie ouvrière ». La dernière (articles 74 à 99) fait appel à l'action et à la collaboration des « Agents de restauration de la vie ouvrière »: les travailleurs eux-mêmes, les patrons, les porte-parole les plus éclairés de la collectivité, l'Etat et le clergé. Nous donnons quelques-uns des principaux articles de ces trois parties.]

36. Nous avons ensemble poursuivi l'examen des conditions actuelles de la vie ouvrière. .Notre province, avons-Nous dit, est devenue surtout urbaine. L'adaptation du rural à la ville présente des difficultés. Des dangers menacent l'ouvrier et sa famille, mais la résistance s'organise. Une conscience de classe se développe chez nos travailleurs; ils demandent le respect de leurs droits. Devant cette force nouvelle, les uns s'inquiètent; d'autres gardent confiance: ceux-ci sont les plus nombreux. Tel est le tableau qui se présente à nos yeux. N'allons pas nous contenter d'une constatation stérile; voyons la pensée de l'Eglise sur la restauration de la vie ouvrière.

41. Que l'on se garde bien de croire, en écoutant les mauvais bergers, que la religion, acceptée comme base d'action, soit une entrave ou un obstacle à cette restauration, ou encore affaiblisse, par la pensée de l'au-delà, la juste défense des droits ouvriers. [...] Si l'Eglise dirige les hommes vers le ciel, Elle n'oublie pas que leur salut s'opère sur la terre; voilà pourquoi son action tend à faire accepter au monde les exigences de la grâce, par lesquelles Elle sait pouvoir contribuer au bonheur même temporel de ses enfants.

42. Que l'on se garde encore de penser que, par ses rappels des principes chrétiens, l'Eglise entend protéger un régime économique ou même un régime politique. Voyons plutôt. Elle a dénoncé et elle dénonce les abus du capitalisme et les tendances matérialisantes du

régime issu du libéralisme économique, parce que ce régime ne respecte pas la dignité de la personne et qu'il a donné naissance à un monde matérialiste dans lequel l'homme, et particulièrement l'ouvrier, peut difficilement vivre une vie digne de Dieu et de lui-même. Voyant d'autre part, et en vertu des principes immuables et par l'expérience, qu'un régime socialiste ou communiste ne laisserait pas place à la liberté légitime de l'homme, y compris l'ouvrier, elle a dénoncé et dénonce toute forme de socialisme ou de communisme. Connaissant les misères infligées par la dictature du capitalisme aussi bien que par celle du prolétariat, elle réprouve l'une et l'autre et elle dénonce tout régime politique qui se fait le complice d'une classe ou qui essaie de dresser une classe sociale contre une autre: en cela elle n'a d'autre souci que de sauvegarder la dignité de l'homme. L'Eglise n'est l'alliée que de la vérité et de l'amour du Christ.

43. C'est la religion, enseignée par l'Eglise et pratiquée par les classes dirigeantes et les classes laborieuses, qui restaurera vraiment la condition des ouvriers. L'Eglise, libre de toute attache, prêche cette religion d'amour entre les hommes et de respect pour la personne humaine. Elle revendique l'égalité de tous en dignité devant Dieu, Créateur et Père, et devant le Christ Rédempteur, mais en même temps elle met en garde contre l'utopie de l'égalité des conditions humaines. Enfin, elle puise dans les trésors que lui a légués le Christ, non seulement la vérité de ses enseignements, mais encore la force de la grâce, vérité et force sans lesquelles les hommes ne parviendront jamais, les uns à se départir d'une puissance illimitée sur la vie économique, les autres à chercher, par le sacrifice de vaines idoles, la collaboration fraternelle dans la vie économique et sociale, point de départ de la restauration chrétienne de la vie ouvrière.

70. C'est d'abord dans l'entreprise, cellule de la vie économique et sphère d'action quotidienne, que doit être organisé plus humainement le travail industriel, caractérisé par la mécanisation, la standardisation et la spécialisation des tâches. Des réformes de structures chercheront à intéresser de plus en plus les travailleurs à la vie même de l'entreprise, de façon que tous ceux qui y participent, chefs d'entreprise et ouvriers, réalisent leur « communauté d'activité et d'intérêts ».

71. Il faut bien constater que le régime du simple salariat, dans une économie imprégnée de libéralisme économique, a une tendance à favoriser la lutte des classes, à creuser le fossé qui sépare le capital du travail, à porter les détenteurs de capitaux à la poursuite de profits

abusifs, à diminuer chez l'ouvrier le souci d'un travail honnête et compétent, en ne l'intégrant pas suffisamment dans la vie de l'entreprise. Nous croyons devoir orienter l'action sociale vers une réforme de l'entreprise de façon que les travailleurs organisés soient amenés graduellement à participer à sa gestion, à ses profits et à sa propriété, selon une juste conception de la nature privée de l'entreprise et des droits légitimes des propriétaires des biens de production.

72. C'est par l'organisation corporative, par la démocratisation de l'économie, que l'on assurera à la vie économique et sociale un fonctionnement en vue du bien de tous les membres de la société. Cette organisation reconnaîtra juridiquement et en fait par des institutions permanentes la commune responsabilité de tous ceux qui prennent part à la production. Par le moyen de leurs syndicats auxquels l'institution corporative donnera un couronnement naturel, comme Nous le disions dans Notre Lettre de 1941, les travailleurs assumeront leur part de responsabilité dans la bonne ordonnance de la profession et dans « la constitution et le développement de l'économie nationale ».

73. La prudence avec laquelle doivent s'opérer ces réformes ne doit pas masquer leur urgente nécessité ni voiler la netteté de leur orientation. C'est le maintien de l'ordre social qui exige l'organisation de cette solidarité économique. Si l'on veut hâter chez nous « l'avènement d'un ordre public qui réalise au plus haut point possible une saine économie et la justice sociale », tous les intéressés doivent apporter leur effort, honnêtement et courageusement.

74. La restauration de la condition des ouvriers ne pourra se faire que si les travailleurs ont d'eux-mêmes une appréciation noble et vraiment chrétienne et que s'ils sont foncièrement disposés à coopérer et à s'aider. [...]

80. Les efforts individuels des ouvriers, leurs efforts collectifs par l'Action catholique, les Associations professionnelles et le Mouvement coopératif, sont donc les conditions indispensables de restauration de la vie ouvrière. La bonne conduite de la vie personnelle et familiale de même que l'exercice des responsabilités dont les associations fournissent l'occasion feront lever au sein de la classe ouvrière une élite de plus en plus nombreuse et apostolique, qui considérera comme un très grand honneur de demeurer dans la classe ouvrière pour la mieux servir et l'aider à atteindre le plus haut niveau possible de vie morale et religieuse, professionnelle et culturelle. [...]

81. Les employeurs peuvent et doivent apporter une contribution très importante à l'avancement personnel, familial et social des travailleurs. Nous connaissons leurs problèmes et Nous savons que les patrons « portent le lourd héritage d'un régime économique injuste qui a exercé ses ravages durant plusieurs générations ». Ils ne doivent pas oublier toutefois que sur eux pèse, en grande partie, la responsabilité de rendre ce régime conforme aux prescriptions de la loi naturelle et de la loi divine, même au prix de certains sacrifices. Fermement attachée au droit de propriété privée, l'Eglise demande aux patrons de ne pas oublier l'aspect social qu'il comporte ni de négliger leur obligation de subordonner l'exercice de ce droit aux exigences du bien commun et aux limites imposées par les droits des employés, des consommateurs et des autres patrons, surtout de la petite et moyenne entreprise.

83. Plusieurs patrons se plaignent, avec raison, de pouvoir difficilement pratiquer la justice à cause de la concurrence effrénée existant dans la vie économique actuelle. En s'unissant dans des associations professionnelles qui s'inspirent de la doctrine sociale de l'Eglise, ils retireront de nombreux avantages d'ordre économique, social et moral. Par l'étude plus approfondie de la doctrine catholique, par l'union des connaissances et des efforts, ils pourront plus facilement perfectionner la technique de leurs entreprises, concourir à l'amélioration des lois qui concernent le travail, l'industrie et le commerce, développer leur sens social, collaborer avec les associations ouvrières, trouver les moyens de remplir toutes leurs obligations de justice et de charité.

85. Les efforts des travailleurs et des patrons pour restaurer la vie ouvrière doivent être soutenus et complétés par l'action bienveillante de tous les citoyens, en particulier des membres des professions libérales et des éducateurs.

89. A quelque stade de l'enseignement où les éducateurs sont placés, ils s'efforceront de comprendre les réels besoins des travailleurs, leurs problèmes et les solutions qu'il faut y apporter. Ils communiqueront cette connaissance à leurs élèves. Ils auront recours aux meilleures méthodes pédagogiques pour enseigner la doctrine sociale de l'Eglise en l'adaptant aux intelligences qu'ils ont à éclairer. Ils inculqueront à leurs élèves le sens social en développant chez eux la préoccupation du bien commun et l'amour de la société qu'ils doivent servir selon la mesure des talents qu'ils ont reçus. Les éducateurs trouveront dans la doctrine du corps mystique du Christ, fondement

de morale sociale chrétienne et raison profonde de la grande fraternité humaine, une source intarissable d'enseignements et de conseils.

90. L'Etat aussi peut et doit exercer son influence bienfaisante pour améliorer le sort des travailleurs et de leurs familles. Il porte la lourde responsabilité de promouvoir le bien temporel de tous les citoyens sans exception, tout en accordant un soin particulier aux plus faibles. Et l'Eglise, en dehors et au-dessus de tous les partis politiques, offre sa loyale collaboration aux détenteurs de l'autorité civile.

92. Ce qu'on demande aux gouvernants, c'est un ensemble de lois et d'institutions qui puissent faire fleurir la prospérité tant publique que privée, la paix et l'ordre social. Car le rôle principal de l'Etat est de « diriger, surveiller, stimuler, contenir selon que le comportent les circonstances ou l'exige la nécessité ». Il doit avant tout aider les citoyens, les familles et les associations à remplir les fonctions qu'ils sont en mesure d'exercer eux-mêmes.

93. Des devoirs plus particuliers s'imposent à l'Etat pour le relèvement de la condition des ouvriers. Par une législation sans cesse adaptée aux besoins nouveaux, par une application et une surveillance adéquate des lois, il doit sauvegarder efficacement le droit des travailleurs à un juste salaire, à des conditions saines de travail au point de vue physique et moral. La législation sur le droit d'association doit sans cesse s'améliorer afin de permettre au syndicalisme sain de remplir son rôle nécessaire d'agent d'ordre et de paix sociale. En conséquence, les lois sur les relations du travail, sur les conventions collectives, sur la prévention des conflits par la conciliation et l'arbitrage, doivent être telles qu'elles protègent tous les intérêts légitimes des travailleurs.

94. Ils sont bien inspirés les gouvernements qui, par des mesures appropriées ou par des lois, cherchent à enrayer les activités du communisme et des autres sociétés subversives de l'ordre social chrétien. Les mesures répressives sont nécessaires, mais elles ne seront vraiment efficaces que si elles sont accompagnées d'efforts sincères en vue de créer un ordre social à base de justice et de charité. Il importe avant tout de favoriser une meilleure distribution des richesses, un état de sécurité pour tous les travailleurs honnêtes et consciencieux et un régime de travail qui respecte la dignité humaine de l'ouvrier. Les autorités publiques, Nous en sommes certains, continueront de s'y employer de toutes leurs forces et de s'assurer la collaboration

loyale de tous les citoyens, de toutes les associations professionnelles, de tous les mouvements. Cette action concertée restaurera, avec l'aide de l'Eglise, l'équilibre et l'harmonie entre les différentes classes sociales.

95. L'œuvre de restauration de la vie ouvrière ne saurait s'accomplir sans l'appui et l'inspiration de la religion et donc de l'Eglise qui doit être partout où il y a des âmes à sauver. Par leur ministère, les prêtres exercent une influence irremplaçable; ils élèvent les âmes vers les réalités surnaturelles et poussent les fidèles à la pratique des vertus chrétiennes. Cette action est bien plus importante pour la vie économique et sociale qu'on ne se l'imagine habituellement. [...]

96. De plus, l'Eglise est heureuse d'offrir les efforts généreux de prêtres, particulièrement expérimentés, qu'elle met spécialement au service de l'Action catholique et de l'action sociale. [...] Ces aumôniers doivent accomplir un travail d'éducation et de formation. [...]

98. Au terme de cette Lettre, Nous avons la conviction, N.T.C.F., que vous comprenez mieux la nécessité pour tout vrai disciple du Christ de travailler, d'une façon énergique et généreuse, à l'instauration chrétienne d'une meilleure condition de vie pour les travailleurs. Nous avons confiance que nos enseignements et nos directives seront reçus par tous avec foi et compréhension. Que les apôtres sociaux, prêtres et laïcs, redoublent de zèle ! Puissent les laïques, à la lumière des enseignements de l'Eglise, édifier les structures économiques et sociales par lesquelles notre société procurera à tous les citoyens une plus juste participation aux biens de notre pays !

99. Nous faisons appel à la générosité, au courage, à l'esprit chrétien de tous les responsables de la vie sociale, dans quelque sphère que ce soit. Nous leur disons avec le ferme espoir d'être entendus: « Appliquez-vous de votre mieux à l'étude et à l'action indispensables pour faire passer dans la vie privée et publique le message de fraternité que Nous avons exposé. Efforcez-vous « d'entraîner les autres vers cette justice sociale dont doivent avoir faim et soif tous les vrais disciples du Christ ». Enfin vivez résolument fidèles au Cœur de Jésus, foyer d'amour, et poursuivez l'idéal de rendre possible à toutes nos familles ouvrières une vie conforme au sublime modèle offert par la Sainte Famille. »

Donnée à Québec, le quatorzième jour de février mil neuf cent cinquante. (Texte publié par *La Presse,* 21, 22 et 27 mars 1950.)

37. - La réforme constitutionnelle

(1950)

Au cours des débats soulevés par les problèmes que posent les relations fédérales-provinciales (voir documents Nos 10, 26, 30 et 34), il fut souvent question d'amender la constitution. Les défenseurs de l'autonomie des provinces voudraient une constitution qui garantirait plus clairement les droits provinciaux. Les partisans du centralisme fédéral, tout au contraire, ne cachent pas leur désir de voir le gouvernement d'Ottawa récupérer tous les pouvoirs que l'Acte de l'Amérique du Nord britannique lui avait accordés en 1867 mais que les décisions des tribunaux et la tradition politique ont quelque peu limités. Dans ces conditions, il n'est pas facile de créer l'unanimité sur la réforme constitutionnelle. Cependant, la plupart des citoyens canadiens se sentent humiliés parce que le Canada est encore obligé d'avoir recours au Parlement de Westminster pour faire amender sa constitution. Depuis une génération, les dirigeants politiques ont cherché en vain à s'entendre sur une procédure d'amendement.

En 1949, le gouvernement fédéral prit l'initiative d'abolir les appels au comité judiciaire du Conseil privé. Celui-ci s'était acquis l'hostilité de tous les partisans du centralisme fédéral qui lui reprochent d'avoir diminué l'autorité de l'Etat central en rendant des décisions qui ont élargi la juridiction des gouvernements provinciaux. La même année, le Parlement fédéral réorganisa la Cour suprême du Canada, devenue le tribunal de dernière instance, et se fit reconnaître le droit de modifier seul la constitution canadienne en ce qui concerne les pouvoirs du gouvernement central. Dans la plupart des autres Etats fédéraux du monde, le pouvoir central ne peut pas amender la constitution du pays sans le concours des autres assemblées législatives. A la suite de ce véritable coup de force, le gouvernement d'Ottawa convoqua une conférence fédérale-provinciale au sujet de la constitution. En plaçant les provinces devant le fait accompli et en soulevant l'opinion publique désireuse de voir le Canada affirmer sa souveraineté à l'égard du Parlement de Westminster, les dirigeants fédéraux espéraient atteindre l'objectif que s'étaient fixé les partisans du centralisme. Ceux-ci voulaient plus que jamais étendre l'autorité de l'Etat fédéral et espéraient faire admettre le principe de la délégation des pouvoirs entre les divers gouvernements du pays (voir le mémoire du gouvernement fédéral dans les textes ci-joints). De leur côté, la plupart des gouvernements provinciaux, même s'ils admettaient tous la nécessité pour le Canada d'être maître de sa constitution, n'entendaient nullement se dépouiller de leurs pouvoirs au profit de l'Etat fédéral. Quant au principe de la délégation des pouvoirs, les partisans du centralisme durent y renoncer — pour un certain temps du moins — lorsque la Cour suprême décida, à l'unanimité, que cela fausserait le partage des pouvoirs établi par les articles 91 et 92 de l'Acte de l'Amérique du Nord britannique (dans la cause du Procureur général de la Nouvelle-Ecosse contre le Procureur général du Canada et autres, [1951] S.C.R. 31). Ce jugement de la Cour suprême, rendu le 3 octobre 1950, appuyait les défenseurs de l'autonomie des provinces. Il créa une grande déception chez les partisans du centralisme. Le gouvernement d'Ottawa jugea alors préférable de ne plus parler pour quelque temps de réforme constitutionnelle.

Toutefois, en décembre 1950, se réunit une conférence fédérale-provinciale sur la fiscalité et la sécurité sociale. En convoquant cette réunion, le gouvernement d'Ottawa remplissait la promesse qu'il avait faite de tenir une telle conférence au moins un an avant l'expiration, prévue pour le 31 mars 1952, des accords fiscaux qu'il avait conclus avec les provinces (sauf le Québec et l'Ontario) depuis 1947 (voir document No 34). La participation du Canada à l'alliance nord-atlantique et à la guerre de Corée (voir document No 40) imposait un lourd fardeau financier au gouvernement fédéral et celui-ci soutenait qu'il avait plus que jamais besoin des recettes que lui rapportaient les impôts sur les revenus des particuliers et sur les profits des compagnies. Ses nouvelles propositions, quoique légèrement plus généreuses, modifiaient très peu les accords alors en vigueur. C'est au cours de cette conférence que les représentants de tous les gouvernements du pays s'entendirent pour faire amender la constitution afin de donner à Ottawa le pouvoir de percevoir un impôt spécial sur les revenus des particuliers dans le but d'instituer un système d'assurance-vieillesse. Voir la série d'articles publiés dans *Canadian Bar Review,* 29 (décembre 1951): 1021-1197, sous le titre général « Nationhood and the Constitution »; John B. Ballem, « Case and Comment », *ibid.,* 29 (janvier 1951): 79-86; Bernard Bissonnette, *Essai sur la constitution du Canada* (Montréal, 1963); Clément Brown, « La conférence constitutionnelle de 1950 », *Le Devoir,* 28, 29, 30 septembre et 3 octobre 1960; *Compte rendu des délibérations de la Conférence fédérale-provinciale: Ottawa, 4 au 7 décembre 1950* (Ottawa, 1951); Paul Gérin-Lajoie, *Constitutional Amendment in Canada;* A.R.M. Lower et autres, *Evolving Canadian Federalism.*

(1)

Conférence du mois de janvier 1950

LOUIS-S. SAINT-LAURENT (premier ministre du Canada), séance du 10 janvier 1950, *Compte rendu des délibérations de la Conférence fédérale-provinciale au sujet de la constitution: 10-12 janvier 1950* (Ottawa, 1950), 9, 11: Le Canada est aujourd'hui le seul pays du Commonwealth qui n'ait pas pleine compétence pour modifier lui-même sa propre constitution. Il est même le seul Etat souverain du monde qui n'ait pas cette prérogative.

L'accession du Canada à la souveraineté intégrale d'une part, et d'autre part, l'établissement et la confirmation dans le statut de Westminster d'un principe constitutionnel selon lequel le Royaume-Uni et le Canada, occupant un rang égal, n'interviennent pas dans les affaires l'un de l'autre; voilà un double facteur qui rend extrêmement difficile, sinon impossible, que les autorités de Londres rejettent une demande quelconque de modification de l'Acte de l'Amérique du Nord britannique si cette demande leur est soumise sous forme d'une adresse des deux Chambres du Parlement canadien.

La seule façon sûre pour nous, Canadiens, de nous éviter à nous-mêmes, en même temps qu'au Royaume-Uni, à son parlement et à son gouvernement, des situations extrêmement embarrassantes et inexcusables, c'est de nous mettre d'accord sur le moyen de modifier notre constitution ici même au Canada de telle sorte que nous puissions nous-mêmes nous acquitter de toutes nos responsabilités.

Tant que nous ne l'aurons pas fait, la situation juridique restera la même et nous n'aurons toujours, comme seul moyen de modifier les parties de la constitution qui intéressent à la fois les gouvernement fédéral et provinciaux [le Parlement fédéral s'était fait accorder le droit d'amender la constitution dans ses aspects d'ordre purement fédéral], que le recours à une loi du Parlement du Royaume-Uni.

La présente Conférence a donc trois buts principaux, tous connexes et, pourtant, en quelque sorte distincts les uns des autres. Les voici:

(1) Compléter le transfert, au Canada, du pouvoir de modifier notre propre constitution;

(2) Sauvegarder formellement les droits traditionnels des minorités tels que prévus dans la constitution;

(3) Garantir suffisamment le caractère fédératif de la constitution en faisant participer les autorités fédérales et les autorités provinciales à une procédure appropriée d'amendement.

La tâche qui incombe à la Conférence a donc un caractère fondamental. Les Pères de la Confédération ont élaboré une constitution qui, à l'époque, convenait au Canada en tant que dominion semi-in-dépendant, mais subordonné à la Grande-Bretagne. Notre tâche actuelle consiste à rendre notre constitution conforme à la situation qu'occupe aujourd'hui le Canada...

Bref, le gouvernement fédéral croit que tout mode d'amendement doit, pour être satisfaisant, répondre à trois exigences. Il doit assurer la protection absolue des droits des minorités. Il doit maintenir le caractère fédéral de la nation canadienne en garantissant, dans leurs sphères respectives, l'autonomie des législatures provinciales et du Parlement lui-même. Il doit être suffisamment souple pour permettre à notre pays de poursuivre, grâce aux vastes ressources humaines et naturelles dont il dispose, sa marche progressive en tant que nation dynamique.

Nous devons surtout nous préoccuper de trouver une méthode qui réponde à ces exigences, au cas de modifications éventuelles de la répartition des pouvoirs entre les autorités fédérales et provinciales. Pour disssiper tout doute à cet égard, je tiens à préciser dès le début que le gouvernement fédéral ne cherche pas, au moyen de cette conférence, à apporter la moindre modification à la répartition actuelle des pouvoirs.

LESLIE M. FROST (premier ministre de l'Ontario), séance du 10 janvier 1950, *ibid.,* 13: Je n'hésite pas à affirmer que la réalisation d'une méthode de modifier notre propre constitution au Canada n'affaiblira aucunement nos liens avec le Commonwealth britannique; de fait, je crois qu'elle les affermira.

MAURICE-L. DUPLESSIS (premier ministre du Québec), séance du 10 janvier 1950, *ibid.,* 16: Il nous semble qu'à l'heure actuelle certains amendements à la constitution canadienne sont désirables, mais c'est notre conviction irrévocable que l'âme de la constitution canadienne doit être respectée dans son intégrité. A notre avis, toute la question constitutionnelle devrait être étudiée à cette conférence, et non pas seulement la partie de la constitution que les autorités fédérales ont d'abord soumise à la considération des délégués. La partie très importante de la constitution qui a été décidée d'une manière unilatérale par le Parlement fédéral tout dernièrement devrait également être au nombre des sujets soumis à l'étude et à la décision des délégués. Quant à nous, la constitution canadienne forme un tout et la seule façon de la respecter c'est de respecter son unité, c'est de respecter ses fondements d'unité.

ANGUS L. MACDONALD (premier ministre de la Nouvelle-Ecosse), séance du 10 janvier 1950, *ibid.*, 23: Les représentants de la Nouvelle-Ecosse sont d'avis que, en pratique, deux conditions essentielles devraient être observées: a) l'adoption, par une majorité absolue des membres de chacune des chambres du Parlement canadien, de tout amendement proposé, et b) la ratification dudit amendement par sept assemblées législatives provinciales.

JOHN B. McNAIR (premier ministre du Nouveau-Brunswick), séance du 10 janvier 1950, *ibid.*, 24-29: La présente conférence a été convoquée afin d'étudier la méthode à suivre pour modifier la constitution du Canada. Si nous atteignons cette fin, nous aurons posé un autre jalon dans la marche de notre pays vers l'Etat-nation. Mais de l'avis du gouvernement du Nouveau-Brunswick, la modification qu'on propose d'apporter à la constitution reste insuffisante.

Le Canada est reconnu, au sein des pays du monde, comme occupant, à tous égards, le rang d'une nation absolument indépendante... Si les Canadiens reconnaissent le statut que toutes les autres nations accordent au Canada, je ne vois aucun danger pour notre régime fédératif. Pour cela, d'importantes modifications constitutionnelles s'imposent qui, à mon avis, pourront s'effectuer sans porter atteinte à l'autonomie provinciale. De fait, j'estime qu'on peut, au moyen de nouvelles dispositions constitutionnelles, améliorer infiniment la position des provinces et garantir sérieusement leur sécurité future...

Le gouvernement du Nouveau-Brunswick accepte d'emblée la proposition selon laquelle il faudrait élaborer une méthode de modifier notre constitution au Canada. Nous tenons beaucoup à ce qu'on puisse exercer au Canada, et uniquement au Canada, le pouvoir de modifier la constitution, non seulement pour les motifs énumérés dans la lettre du premier ministre, mais encore parce qu'à notre avis, la situation actuelle ne ménage pas aux provinces de sauvegardes suffisantes.

Nous aimerions, cependant, renchérir sur la proposition primitive. La constitution elle-même devrait être fixée au Canada; dans la mesure où elle a été ou pourra être réduite à un texte, elle devrait constituer un instrument purement canadien, indépendant de toute autorité étrangère. Cet avis, cependant, présuppose l'existence au Canada d'une autorité suffisante.

En formulant cette dernière proposition, nous songeons à l'insécurité actuelle des provinces et à la nécessité de protéger d'une manière plus satisfaisante les droits, privilèges, exemptions et pouvoirs qu'on avait l'intention de leur assurer en 1867, lorsque notre système de gouvernement fédéral a été créé.

[Le premier ministre du Nouveau-Brunswick souligne que le Parlement impérial semble disposé à donner son approbation à tous les amendements constitutionnels que proposerait le Parlement canadien. Les provinces doivent se rendre compte qu'elles n'ont aucune chance de faire entendre leur voix à Westminster. On n'a pas jugé nécessaire de les consulter au sujet du récent amendement apporté à l'article 91 de la constitution. Cette situation laisse au Parlement et au gouvernement d'Ottawa une liberté d'action qui pourrait, tôt ou tard, mettre en danger les droits et les prérogatives des provinces. Un tel état de choses doit être corrigé sans plus tarder. L'orateur continue:]

La question de savoir si la constitution est un pacte a suscité beaucoup de controverse au pays. Or, je signale respectueusement que, à mon sens, la théorie du pacte représente une manière désuète d'envisager la question. Il s'agit, en effet, non pas de ce que la constitution a pu être, mais plutôt de ce qu'elle doit être.

J'estime, pour des raisons déjà exposées, que les présentes dispositions n'accordent aucune protection véritable aux provinces. Soyons pratiques et reconnaissons que tant que la constitution demeurera un acte législatif du Parlement du Royaume-Uni, elle sera modifiée d'office à Westminster, à la demande du Parlement canadien. Même si la théorie du pacte fait bonne figure au cours d'une discussion politique, elle ne comporte, à mon sens, aucun fondement véritable susceptible d'assurer une protection aux provinces.

Je prétends que la constitution — et il faut selon moi qu'elle s'appuie sur des fondements canadiens — devrait reposer sur une nouvelle entente entre le Dominion et les provinces; en outre, elle devrait désormais s'appuyer sur le caractère sacré et inviolable du contrat.

... grâce aux méthodes qui viennent d'être proposées [M. McNair avait suggéré la négociation d'un traité entre les provinces et le gouvernement central], nous pourrions obtenir pour le Canada une nouvelle constitution qui maintienne et protège notre régime fédéral de gouvernement tel qu'il est constitué et fonctionne présentement. Cependant, ces méthodes exigent l'accord unanime des gouvernements fédéral et provinciaux; autrement, il ne peut y avoir de traité sur lequel puisse se fonder la nouvelle constitution.

La nouvelle constitution ainsi proposée, qui serait un pacte dans le vrai sens du mot, renfermerait les dispositions de l'Acte de l'Amérique du Nord britannique, 1867, et les autres mesures pertinentes adoptées par le Royaume-Uni, ou leur substance, avec les modifications qui pourraient être facilement acceptées d'un commun accord au cours des négociations. Comme on l'a déjà dit, elle renfermerait des dispositions quant à la méthode à suivre en vue de sa modification future... Selon moi, une chose est certaine: nos dispositions constitutionnelles laissant à désirer, il faut, dans l'intérêt de l'unité, de l'harmonie et de la bonne entente, les remplacer par d'autres qui soient meilleures.

MAURICE-L. DUPLESSIS (premier ministre du Québec), séance du 11 janvier 1950, *ibid.*, 77: A mon avis, il faudrait d'abord remédier à la situation la plus récente. J'estime que l'amendement adopté récemment par la Chambre des Communes constitue un véritable empiétement sur les prérogatives provinciales. Il conviendrait donc, à mon sens, de régler d'abord cette question. Nous estimons qu'il faut prendre la constitution dans son ensemble et non par bribes. En reconnaissant cette situation, sans nécessairement déclarer qu'il a eu tort, et en admettant les raisons qui nous poussent à protester contre l'amendement, le gouvernement fédéral nous faciliterait grandement la voie de la coopération en commençant à neuf.

LOUIS-S. SAINT-LAURENT (premier ministre du Canada), séance du 11 janvier 1950, *ibid.*, 77: Je ne puis admettre, en principe, que la modification de l'Acte de 1949, no 2, soit un empiétement sur les droits des provinces. Cela, ni moi-même ni, à mon avis, mes collègues ne pouvons l'admettre. Nous avons dit ceci: si nous pouvions obtenir une méthode qui embrasserait tout le domaine constitutionnel, cette méthode comprendrait les pouvoirs qu'accorde actuellement la modification de l'Acte de 1949, no 2. On pourrait abroger cette modification, non pas sous prétexte que nous reconnaissons en elle un empiétement sur les droits provinciaux, mais parce que la constitution existante pourrait fort bien ne pas posséder certaines qualités dont nous reconnaîtrions la nécessité.

MAURICE-L. DUPLESSIS (premier ministre du Québec), séance du 11 janvier 1950, *ibid.*, 80-81: Jusqu'ici, la conférence a accompli beaucoup de bon travail. Premièrement, nous sommes unanimes quant à l'opportunité d'avoir une constitution canadienne, élaborée au Canada par des Canadiens, pour le Canada. Deuxièmement, nous avons été unanimes à penser que le tribunal de dernière instance devrait être un tribunal canadien, siégeant au Canada, composé de Canadiens et établi selon l'esprit de la constitution. Nous reconnaissons tous, déclare M. Saint-Laurent, qu'il ne devrait y avoir aucun changement en matière de langue ou d'éducation, pour ne mentionner que deux questions d'importance vitale, questions à l'égard desquelles les provinces possèdent des droits fondamentaux. Evidemment, à ces deux questions vitales s'ajoutent d'autres droits fondamentaux. Mais, en pratique, que nous valent ces droits si nous ne disposons pas des ressources financières nécessaires pour construire des écoles, pour rémunérer les instituteurs, pour acheter des livres de classe, etc. ? A mon avis, il importe d'étudier ces questions. Nous ne sommes pas encore au Ciel, même si j'espère que tous nous y arriverons. Il faut procéder avec beaucoup de soin et prendre tout le temps nécessaire. Nous sommes sur la terre où l'argent est indispensable. Le plein exercice des droits que tous nous concèdent exige que nous disposions de moyens et de pouvoirs d'ordre financier indispensables. Pour ma part, je préfère une voiture hippomobile qui me mène où je dois aller à une Rolls-Royce dépourvue de moteur et d'essence. A mon sens, les pouvoirs fiscaux des provinces sont absolument essentiels. Pour impressionnant qu'il soit, un certificat de droit, sans le pouvoir de l'exercer, n'est guère utile.

(2)
Mémoire du gouvernement fédéral

... La répartition adoptée par le gouvernement fédéral, comme il est dit plus haut, se fonde sur les dispositions actuelles de l'Acte de l'Amérique du Nord britannique mais, à la discussion, il y aurait peut-être moyen de trouver un terrain d'entente générale sur une façon de grouper les articles, qui répondrait mieux aux désirs de toutes les parties intéressées. En l'occurrence, le gouvernement fédéral serait disposé à collaborer par tous les moyens en vue d'obtenir une telle répartition et étudierait volontiers toute modification des dispositions actuelles pouvant aider à réaliser cet objectif.

... une disposition autorisant un gouvernement provincial à déléguer ses pouvoirs au gouvernement fédéral ou vice versa aurait peut-être une grande répercussion sur la décision à prendre à l'égard des modalités précises que devrait comporter la méthode générale de modification [de la constitution]. La délégation des pouvoirs introduirait un élément de flexibilité dans la structure constitutionnelle, qu'on pourrait étudier afin de rendre plus rigides certains points de la méthode de modification ou l'application de la méthode de modification à certaines parties de la constitution. Le gouvernement fédéral consentirait donc que le Comité permanent étudiât la question de la délégation des pouvoirs afin d'aider les discussions ultérieures à la reprise de la Conférence. Il est à signaler, à ce propos qu'il est possible que la cause de la Nouvelle-Ecosse au sujet de la délégation des pouvoirs soit étudiée par la Cour suprême du Canada en avril. (Mémoire soumis, le 10 mars 1950, au Comité des procureurs généraux, texte complet dans *Compte rendu des délibérations de la Conférence fédérale-provinciale au sujet de la constitution: 25 au 28 septembre 1950* (Ottawa, 1950), appendice III, 85-91.)

(3)

Mémoire de la province de Québec

... La province de Québec est profondément convaincue que nous devrions avoir une constitution essentiellement canadienne, faite au Canada, par des Canadiens et pour les Canadiens. Elle considère que la constitution canadienne doit être complètement affranchie de tout vestige de colonialisme, soit dans le champ des relations internationales, soit dans le domaine des relations intergouvernementales canadiennes.

A notre avis, le seul système gouvernemental approprié et juste est celui en vertu duquel l'Etat provincial et l'Etat fédéral, chacun dans sa sphère respective, possèdent les pouvoirs essentiels au gouvernement responsable et démocratique et cela, tant au point de vue législatif et administratif qu'au point de vue financier ou fiscal.

Nous sommes persuadés que l'unité nationale bien comprise doit être basée sur le respect intégral du caractère bi-ethnique de notre pays et des droits essentiels de chacune des parties composant la fédération canadienne. C'est notre profonde conviction que la stabilité constitutionnelle et la délimitation claire et précise des droits de chacun sont indispensables au véritable progrès du Canada ainsi qu'à l'unité nationale bien comprise.

Afin d'éviter les incertitudes et les aléas qui découlent d'une simple législation, toujours susceptible d'amendements, nous estimons que la constitution du Canada doit revêtir les caractéristiques d'un traité ou d'une convention. De plus, il n'est que juste et logique que la constitution canadienne soit rédigée dans les deux langues officielles: la langue anglaise et la langue française.

Nous croyons sincèrement qu'il convient de s'inspirer de ces principes fondamentaux.

Nous réitérons notre sincère désir de coopérer amicalement à l'élaboration et à la rédaction d'une constitution essentiellement canadienne, respectueuse des droits de tous et chacun. A ce stade de la conférence, nous croyons qu'il convient de nous en tenir à des aperçus généraux. A la lumière de la discussion et des échanges de vues respectives, il y aura lieu d'adopter, de façon plus précise et plus complète, les moyens les plus justes et les plus appropriés pour atteindre les fins fondamentales mentionnées ci-dessus.

[Le mémoire divise les pouvoirs attribués aux autorités fédérales et aux autorités provinciales.]

Remarques spéciales

Comme nous croyons à propos de revendiquer la souveraineté, dans leur sphère respective, et du Parlement fédéral et des Législatures provinciales, nous sommes d'opinion que les pouvoirs de désaveu et de « réserve », que mentionne la constitution actuelle, doivent disparaître.

A notre avis, il est désirable et approprié, dès maintenant, que les récents amendements à la constitution canadienne, savoir l'Acte de l'Amérique du Nord britannique no 2, 1949, soient abrogés.

Nous estimons que la Cour suprême du Canada, en matières constitutionnelles et de relations intergouvernementales canadiennes, doit réunir toutes les conditions exigées d'un tiers arbitre.

C'est notre profonde conviction que le caractère bi-ethnique de notre pays, en particulier les droits de la minorité de langue française au Canada, doivent être intégralement et efficacement reconnus. (Mémoire soumis, le 19 juillet 1950, au Comité des procureurs généraux, texte complet dans *Compte rendu des délibérations de la Conférence fédérale-provinciale au sujet de la constitution: 25 au 28 septembre 1950*, appendice III, 99-101.)

(4)

Conférence du mois de septembre 1950

LOUIS-S. SAINT-LAURENT (premier ministre du Canada), séance du 25 septembre 1950, *Compte rendu des délibérations*, 7: Nous convenons tous qu'il serait souhaitable de posséder une méthode suivant laquelle les Canadiens pourraient accomplir eux-mêmes à l'endroit de leurs documents constitutionnels tout ce qui peut être nécessaire, ou tout ce qui peut leur paraître nécessaire ou opportun. Les premiers ministres du Québec et du Nouveau-Brunswick, je le sais, croient comme d'autres que nous en arriverons un jour au point où nous voudrons rédiger une nouvelle constitution, ici même au Canada, sous la forme, soit d'un traité, soit d'un autre document national qui soit, en apparence comme en réalité, un document vraiment canadien. Cependant, je crains que ce ne soit là un travail que nous ne puissions entreprendre immédiatement, et que nous devrions, pour le moment, nous contenter d'élaborer une méthode qui nous permettrait, sans nuire à aucun des intérêts qu'il importe de respecter, d'apporter de temps en temps à nos documents constitutionnels des modifications qui sont nécessaires.

MAURICE-L. DUPLESSIS (premier ministre du Québec), séance du 25 septembre 1950, *ibid.*, 13: Nous, du Québec, aimerions obtenir une constitution entièrement nouvelle. Autrement, nous n'accomplirions en somme qu'un travail de rapiéçage. Pourquoi ne pas entreprendre immédiatement la tâche plus complète et plus appropriée qui s'impose ? A notre sens, en entreprenant immédiatement la mise au point d'une nouvelle constitution canadienne, reposant sur les bases fondamentales qui, pour ce qui est du Québec, sont mentionnées dans notre mémoire, nous irions de l'avant, nous adopterions une attitude plus conforme au nouveau statut du Canada et des provinces.

38. - Enquête fédérale sur les arts, les lettres et les sciences

(1951)

Au printemps de 1949, le gouvernement fédéral confia à une commission royale la tâche de faire une enquête sur les arts, les lettres et les sciences au Canada. Les commissaires parcoururent plus de 10,000 milles et visitèrent le pays de l'Atlantique au Pacifique. Ils tinrent 224 séances, dont 114 ouvertes au public. Ils étudièrent 462 mémoires soumis par divers corps publics et associations et entendirent 1,200 témoins. Leur rapport parut en juin 1951.

La première partie du *Rapport de la Commission royale d'enquête sur l'avancement des arts, lettres et sciences au Canada* (Ottawa, 1951) constitue un véritable inventaire de la vie culturelle canadienne. Les enquêteurs se montrent très objectifs et se permettent quelques observations pertinentes. Ils reconnaissent que le Canada possède deux cultures distinctes mais croient possible l'éclosion d'un véritable « canadianisme ». A la suite de plusieurs autres observateurs, ils s'alarment de constater que le Canada se soumet trop facilement au magistère intellectuel des Etats-Unis et affirment qu'on a négligé, particulièrement au Canada anglais, l'étude des humanités dans la formation de la jeunesse universitaire. Les programmes de recherches en sciences sociales seraient insuffisants pour répondre aux besoins du pays. Nous donnons quelques paragraphes importants de cette partie du rapport.

Les commissaires recommandent au gouvernement fédéral d'adopter quelques mesures propres à encourager les progrès de la culture au Canada. Voici les principales recommandations: budgets plus considérables en faveur des institutions fédérales qui poursuivent des buts culturels (Radio-Canada, Galerie nationale, Musée national, Office national du film, Archives publiques, etc.); aide financière aux universités; bourses d'études pour les étudiants et pour les chercheurs; création d'un Conseil national des arts, des lettres et des humanités.

Dès la session de 1951, le gouvernement s'empressa de faire voter une somme de $7,100,000 pour les universités et un octroi statutaire au bénéfice de la Société Radio-Canada. A la session de 1952, on a pris quelques mesures préliminaires en vue de la fondation d'une Bibliothèque nationale. En venant en aide aux universités, le gouvernement central a envahi le domaine de l'éducation que la constitution réserve exclusivement aux provinces (voir article 93 de la constitution, document No 5). Cette initiative n'a pas reçu une approbation unanime. Plusieurs se demandèrent si cette solution était la plus opportune pour régler la crise financière des universités. Dans la province de Québec, la question a provoqué une longue controverse. Les défenseurs de l'autonomie provinciale accusèrent le gouvernement fédéral de vouloir étendre sa politique de centralisation jusqu'au domaine de l'enseignement.

Cette enquête d'un caractère original révèle l'existence d'une « inquiétude canadienne ». Le Canada ne doute plus de sa puissance matérielle. Il en est même orgueilleux. Il cherche, cependant, à consolider ses assises spirituelles et culturelles. Depuis qu'il existe, le Canada se pose toujours la même question: Comment se protéger efficacement contre l'attraction qu'exerce un voisin trop puissant ? L'enquête et le rapport sur les arts, les lettres et les sciences proposent une réponse à ce problème. Ce n'est pas, toutefois, la seule réponse possible.

Lire François-Albert Angers, série d'articles dans l'*Action nationale* (novembre 1951 à mai 1952); J.B. Brebner, « In Search of A Canadian Accent », *Saturday Review of Literature* (1er septembre 1951), 6-8, 31; Michel Brunet, *Canadians et Canadiens*, 47-67, 153-173; du même auteur, *La Présence anglaise et les Canadiens*, 167-190, 255-274; André Laurendeau, « Les conditions d'existence d'une culture nationale », l'*Action nationale*, 37 (1951): 364-390.

(1)

Il importe que les Canadiens connaissent, le plus possible, leur propre pays, qu'ils soient renseignés sur son histoire et ses traditions, et qu'ils soient éclairés sur la vie et sur les réalisations collectives de leur propre nation.

Il est dans l'intérêt national d'encourager les institutions qui expriment le sentiment de la collectivité, favorisent la bonne entente, et apportent de la variété et de l'abondance à la vie canadienne, tant dans les régions rurales que dans les centres urbains.

Il existe déjà, dans l'administration fédérale, certains organismes et domaines d'activité qui ont de tels objectifs, notamment la Société Radio-Canada, l'Office national du film, la Galerie nationale, le Musée national, les Archives publiques, la Bibliothèque du Parlement, le Musée national de guerre, le régime d'aide pour fins de recherches, y compris des bourses fournies par le Conseil national de recherches et les autres organismes officiels.

Il est judicieux de faire enquête sur ces organismes et domaines d'activité, en vue de recommander la manière la plus efficace de les administrer dans l'intérêt national, tout en respectant intégralement la juridiction constitutionnelle des provinces.

A CES CAUSES, sur avis conforme du Premier ministre, le Comité recommande que

1. Le très honorable VINCENT MASSEY, C.P., C.H.,
   Chancelier de l'Université de Toronto;

2. M. ARTHUR SURVEYER, B.A.Sc., I.C., D.G., LL.D.,
   Ingénieur civil,
   Montréal;

3. M. NORMAN A.M. MacKENZIE, C.M.G., C.R., LL.D.,
   Président,
   Université de la Colombie-Britannique;

4. Le très révérend Père GEORGES-HENRI LEVESQUE, O.P., D.Sc. Soc.,
   Doyen de la Faculté des Sciences sociales,
   Université Laval;

5. Mademoiselle HILDA NEATBY, M.A., Ph.D.,
   Professeur d'histoire et suppléante du doyen,
   Université de Saskatchewan;

soient nommés commissaires ... aux fins de faire enquête et de formuler des recommandations sur les sujets suivants:

a) les principes sur lesquels le programme du Canada devrait être fondé, dans les domaines de la radiodiffusion et de la télévision;

b) les organismes et les domaines d'activité du gouvernement canadien, tels que l'Office national du film, la Galerie nationale, le Musée national de guerre, les Archives publiques ainsi que le soin et la garde des achives publiques, la Bibliothèque du Parlement; les méthodes visant à faciliter la recherche, y compris les octrois aux boursiers par l'entremise de divers organismes du gouvernement fédéral; le caractère et l'essor éventuels de la Bibliothèque nationale; l'envergure ou les activités de ces organismes, la façon de les diriger, financer et contrôler, et autres questions connexes;

c) les méthodes à employer concernant les relations entre le Canada et l'organisation éducative, scientifique et culturelle des Nations Unies, et les autres organisations analogues;

d) les relations du gouvernement canadien et de l'un ou l'autre de ses organismes dans les divers groupements bénévoles d'envergure nationale qui intéressent la présente enquête.

(Extrait du procès-verbal d'une réunion du Conseil des ministres, le 8 avril 1949, texte complet dans *Rapport de la Commission royale d'enquête sur l'avancement des arts, lettres et sciences au Canada* (Ottawa, 1951), ix-xi.)

(2)

Revue de notre tâche

Notre tâche n'était pas de portée modeste ni d'exécution facile. Les questions que nous avons examinées ressortissent au domaine tout entier des lettres, des arts et des sciences, dans la mesure où il relève de l'Etat fédéral. Mais, si nombreuses et variées qu'elles soient, elles n'en font pas moins partie d'un même tout. Nous nous sommes intéressés, pendant tout le cours de cette étude, aux besoins et aux aspirations du citoyen en ce qui concerne les sciences, la littérature, les arts, la musique, le théâtre, le cinéma et la radiodiffusion. Conformément aux prescriptions de notre mandat, nous avons également abordé la question des rapports entre la recherche savante et le bien-être du pays, et celle du perfectionnement de l'individu au moyen de bourses du gouvernement fédéral. L'enquête dont on nous a confié le soin est peut-être unique en son genre; il est certain, en tout cas, que jamais rien de tel n'a été entrepris au Canada.

Notre mandat précisait la nature de notre tâche principale... Sur cette tâche principale venait s'en greffer une autre. Les organismes et les fonctions dont on nous demandait de nous occuper ne sont que les parties d'un vaste ensemble. Pour apprécier leur signification et leur importance, nous avons dû considérer cet ensemble. Pour les comprendre, autrement dit, il nous a fallu les étudier dans leur contexte. C'est pourquoi nous avons cru indispensable d'entreprendre une étude générale de la situation des arts, des lettres et des sciences au Canada, de juger des réalisations actuelles et du progrès futur... Souvent, par le passé, on a voulu établir l'inventaire de nos ressources physiques. Notre étude a porté sur des richesses humaines, sur ce qu'on pourrait appeler, en un sens large, des ressources spirituelles qui pour être moins tangibles n'en ont pas moins une importance sur laquelle il serait oiseux d'insister.

... Si le Canada de langue française connaît une vie si authentique, s'il constitue une collectivité si véritablement cohérente, il le doit à sa loyauté envers certaines valeurs spirituelles et, par-dessus tout, à sa fidélité à une tradition historique. Les Loyalistes ont pu traverser les périls et les misères de leur établissement en Amérique britannique du Nord grâce à leur adhésion collective à un ensemble de croyances communes. Si le Canada lui-même est devenu une entité nationale, c'est parce que ses habitants partageaient certaines convictions, s'attachaient à certaines habitudes intellectuelles auxquelles ils refusaient de renoncer. C'est la puissance de ce patrimoine moral qui a permis à notre pays de franchir des passes difficiles. Il progressera, à l'avenir, dans la mesure exacte où il gardera sa foi en lui-même. Ces valeurs intangibles non seulement donnent à une nation son caractère original, mais encore lui communiquent sa vitalité. Certaines choses peuvent paraître sans importance, voire superflues en regard des exigences de la vie quotidienne, mais il se peut que ce soit précisément celles qui durent, qui confèrent à la collectivité sa puissance de survie.

Mais qui dit tradition dit chose vivante... Notre tradition future s'élabore en ce moment au sein de ces innombrables institutions, mouvements et groupes ainsi que chez tous ces citoyens qui, dans les diverses parties du pays, s'intéressent aux arts, aux lettres et aux sciences. A travers la complexité et la diversité de race, de religion, de langue et de géographie, les éléments dynamiques qui ont fait du Canada une nation et qui, seuls, pourront lui conserver son unité, prennent forme en ce moment. Ce n'est pas uniquement sur le plan matériel qu'on les trouve. Sans doute, les liens physiques sont-ils indispensables à l'élaboration de l'unité mais la véritable unité relève du domaine des idées. Elle réside au cœur et dans l'esprit des hommes. C'est ce que pensent les Canadiens et ils ont conscience de l'importance de cette tradition nationale en gestation...

Aujourd'hui, dans les domaines dont nous nous sommes occupés, les gouvernements jouent un rôle auquel ne songeait pas la génération qui nous a précédés. La plupart des Etats modernes possèdent un ministère des « beaux-arts » ou des « affaires culturelles ». Tous les pays civilisés, quelle que soit la doctrine politique qui y prévale, se reconnaissent une certaine mesure de responsabilité officielle en ce domaine. En Grande-Bretagne, afin d'éviter les dangers de la direction bureaucratique ou de l'ingérence politique, on a constitué des corps à demi indépendants, dont il sera question plus loin dans le présent Rapport. Ces corps sont chargés de favoriser les arts et les lettres. Nous avons étudié soigneusement cette expérience à la lumière d'une éventuelle application au Canada.

Deux problèmes se posent dans notre pays. L'un est commun à tous les Etats, l'autre nous est particulier. Il s'agit d'abord de savoir comment l'Etat peut favoriser les lettres et les arts sans étouffer des efforts qui doivent jaillir du désir de la population elle-même. On doit ensuite déterminer comment cette aide peut s'accorder avec notre régime fédératif et notre diversité. Nous avons reçu à ces questions des réponses nombreuses et variées. La réaction du public montre à quel point celui-ci a reconnu l'utilité de notre enquête et accepté le principe sur lequel elle se fondait, savoir que le gouvernement fédéral a quelque responsabilité en ce domaine.

... Certains témoins se sont dits enchantés de ce qu'on se livrât à une enquête sur notre vie culturelle et ses virtualités. D'autres, pourtant, ont exprimé la crainte qu'en étudiant notre double culture nationale nous ne touchions au domaine de l'éducation qui, de toute évidence, lui est étroitement lié.

Nous estimons qu'en ce qui concerne le problème délicat et très controversé de l'éducation, il règne une équivoque inutile, qu'on peut et qu'on doit dissiper. [Les commissaires soutiennent qu'il existe une distinction essentielle entre éducation académique et éducation générale ou extra-scolaire. La première relèverait, si l'on veut respecter la constitution, exclusivement des provinces. Quant à la seconde, elle serait le produit des différents agents culturels qui influencent toute société humaine. On rappelle aussi que l'éducation constitue avant tout une responsabilité personnelle et familiale.]

Le droit canadien ne comporte aucune disposition générale aux termes de laquelle il serait interdit à un organisme quelconque, officiel ou bénévole, de contribuer à l'éducation de l'individu, le mot étant entendu dans son sens le plus large. C'est pourquoi l'activité du gouvernement fédéral et d'autres organismes dans les domaines de la radio, du cinéma, des musées, des bibliothèques, des instituts de recherche, etc., n'entre en conflit avec aucune loi actuelle. Bien plus, toutes les sociétés civilisées doivent recherher le bien commun, non seulement du point de vue matériel, mais encore du double point de vue intellectuel et moral. Si le gouvernement fédéral doit renoncer au droit de s'associer avec d'autres groupes sociaux, de caractère public ou privé, en vue de l'éducation générale du citoyen canadien, il faillit à son but intellectuel et moral, perd complètement de vue la véritable notion du bien commun, et le Canada, considéré comme nation, se transformera en société matérialiste.

Conformément à ces principes, nous sommes convaincus que notre travail n'a, en aucune manière, empiété sur les droits des provinces, mais qu'au contraire, il aura peut-être eu l'utilité d'indiquer quelques modes de collaboration avec elles. Nous sommes heureux que plusieurs ministères provinciaux de l'Instruction publique aient confirmé le bien-fondé de cette opinion. En nous présentant des mémoires et en étudiant librement ces aspects généraux de l'éducation dont ils se préoccupent comme nous, ils nous ont fourni une aide précieuse et donné de grandes marques d'encouragement dans notre travail. (*Rapport de la Commission royale d'enquête sur l'avancement des arts, lettres et sciences au Canada*, 3-9.)

Les influences du milieu géographique

L'influence américaine sur le mode de vie au Canada est pour le moins impressionnante. Loin de nous la pensée de priver les Canadiens de la liberté de s'en prévaloir. L'échange culturel est excellent en soi. Il élargit le choix du consommateur et fournit au producteur une concurrence stimulante. On ne saurait nier, cependant, qu'une proportion exagérée de productions venant d'une même source étrangère peut étouffer au lieu de stimuler nos propres efforts créateurs; si nous acceptons tout passivement, sans établir des normes de comparaison, nous risquons d'atrophier nos facultés critiques. Nous consacrons présentement des millions de dollars au maintien d'une indépendance nationale qui n'aurait aucune signification si la vie culturelle des Canadiens n'était pas solidement assise et bien distincte. Nous avons constaté que nos traditions et notre histoire renferment les éléments de cette vie culturelle; nous avons réalisé d'importants progrès, souvent grâce à la générosité des Américains [aide financière donnée à des instituts de recherches, à des écrivains et à des savants canadiens par la *Carnegie Corporation* ($7,346,188 de 1911 à 1949), la *Dotation Rockefeller* ($11,817,707 de 1914 à 1950), la *Dotation Guggenheim* et l'*American Association for the Advancement of Science*]. Cependant, nous ne devons pas nous aveugler au point d'oublier le danger toujours présent d'une dépendance permanente. (*Ibid.*, 21.)

Les universités

Au début de notre travail, nous avions pensé que les universités canadiennes n'étaient pas dans le cadre de nos attributions et que, par conséquent, elles ne devaient pas être comprises dans cette enquête. Toutefois, à mesure que celle-ci se poursuivait, il nous devint impossible de ne pas tenir compte de l'influence que les universités excercent sur les divers sujets qui ressortissent officiellement de notre mandat; et les nombreuses observations qui nous ont été faites en ce sens ont aussi aidé à nous convaincre de la nécessité d'étudier cette question...

Les universités sont, chez nous, des institutions provinciales; mais leur rayonnement est plus vaste que ceci ne le laisserait croire. Ce serait une erreur grave que de sous-estimer ou de méconnaître les fonctions variées, voire universelles, de ces institutions. Nous ne les examinerons pas, ici, en tant qu'unités actives dans un régime d'éducation donné, ni en tant qu'établissements où l'on accomplit le stade final d'une carrière académique. Nous sommes persuadés, en effet, que nous ne saurions passer sous silence les autres fonctions dont nos universités canadiennes s'acquittent avec soin. Elles sont des centres locaux d'éducation au sens large du mot et les protectrices de tous les mouvements qui peuvent servir l'avancement des arts, des lettres et des sciences. Elles rendent en outre à la cause nationale directement ou indirectement des services tellement étendus qu'on peut dire d'elles qu'elles contribuent de la manière la plus efficace à la puissance et à l'unité de notre pays.

[Les commissaires soulignent que les universités ne se contentent pas d'être uniquement des centres d'activité locale dans tous les domaines de la culture. Elles servent le Canada tout entier en formant les élites qui se dévouent, dans toutes les sphères, au bien-être et au progrès de la collectivité. Toute la population du pays bénéficie de la recherche scientifique qui se poursuit dans les universités. Le Canada ne peut pas ignorer la dette qu'il a contractée envers ses institutions de haut-savoir. Les enquêteurs s'alarment, cependant, de constater que les humanités — philosophie, histoire, littératures anciennes et modernes — sont devenues les « parents pauvres » de l'enseignement universitaire. Nous avons trop facilement cédé aux exigences de notre âge industriel et utilitaire. Les dirigeants de l'enseignement supérieur reconnaissent les conséquences néfastes d'un enseignement trop spécialisé et d'inspiration pragmatiste. Ils voudraient réagir et conserver aux universités leur rôle traditionnel de gardiennes d'une table de valeurs dont notre monde a besoin plus que jamais. Des efforts méritoires ont été faits dans cette bonne direction; malheureusement, la crise financière que traversent toutes les universités canadiennes compromet le succès de cette réaction nécessaire et retarde les progrès de l'enseignement supérieur. Les commissaires concluent:]

Nous avons peut-être donné une forme trop sommaire à l'analyse d'un état de choses inquiétant, que nos universitaires ne connaissent que trop bien mais que le public ne voit pas aussi clairement. Les universités sont des institutions essentielles d'instruction supérieure et de culture générale; elles sont le terrain de formation des spécialistes et des hommes des professions libérales, et le lieu d'élection de la recherche scientifique supérieure. Depuis des années, elles souffrent d'une insuffisance de revenus; à l'heure actuelle, elles affrontent une crise financière grave. Elles sont réduites à un régime économique qui a amené certaines conséquences regrettables. D'importants travaux d'expansion ont été arrêtés. La qualité de leur œuvre a été compromise, la composition sociale du personnel étudiant s'est dangereusement altérée. Mais la conséquence de cet état de choses qui nous touche le plus en tant que Commission, et qui, à notre avis, est d'autant plus périlleuse qu'elle est plus subtile, est cette indifférence où sombrent les humanités et la déformation que leur enseignement a subie. Le manque de revenus n'est pas la cause unique de cette situation, nous a-t-on dit, mais bien l'un des facteurs déterminants. Les exigences de la civilisation contemporaine ont forcé les universités à se préoccuper toujours plus de la formation technique. Les dons qu'on leur consent sont souvent accordés à cette fin. L'incitation à « accélérer la production » et à mettre l'accent d'importance sur la technologie, dans les programmes universitaires, a concentré l'attention sur les disciplines de valeur purement utilitaire. L'un des témoins que nous avons entendus, a appelé cette tendance: « un complot contre l'éducation ». Nous n'avons, certes, ni le droit ni le désir d'enseigner aux universités comment conduire leurs affaires, mais si la pénurie de fonds entrave vraiment leurs fonctions de « pépinières d'hommes représentatifs d'une civilisation et d'une vie culturelle réellement canadienne » (c'est leur propre expression), nous sommes alors convaincus que le problème réclame l'attention de la nation tout entière. C'est pourquoi, dans la deuxième partie de notre Rapport, nous soumettons des avis quant aux moyens qui permettraient à nos universités de remplir plus parfaitement cette fonction essentielle. (*Ibid.*, 157-170.)

Le savant humaniste et l'homme de science

[En parlant des universités, les commissaires insistent sur l'importance des humanités. Ils y reviennent en examinant le rôle des savants, des écrivains, des artistes, des penseurs et des chercheurs dans la société canadienne. Ceux qui se consacrent aux humanités et aux sciences sociales n'ont pas toujours la tâche facile. Au Canada, le travail intellectuel exige de ses fidèles beaucoup de renoncement; il ne leur donne pas le prestige qu'ils seraient en droit d'en attendre. Ici, encore, les universités rendent service à la communauté en assurant un asile aux travailleurs de l'esprit.]

Un autre fait encore, moins sensible celui-là, influe sur le travail intellectuel au Canada. La plus grande partie de ce travail se fait dans les universités et dans des conditions peu encourageantes. Cette concentration de la vie culturelle dans l'enceinte universitaire est une des caractéristiques du monde occidental, et notamment du Canada. Elle est sans doute inévitable. Elle tient à la disparition universelle de cette classe aux loisirs abondants, dont on pouvait s'attendre qu'elle produisît, à chaque génération, un certain nombre d'hommes s'adonnant entièrement aux recherches intellectuelles et poursuivant la découverte de la vérité pour le seul amour de cette vérité. Au Canada, nous n'avons jamais eu une telle classe sociale, et nos arts et nos lettres s'en ressentent manifestement. Il en est résulté, dans le domaine qui nous occupe, une spécialisation qui a de graves désavantages. Puisqu'il n'est ni possible ni désirable d'aborder les études se rapportant à l'homme dans un esprit purement scientifique et en éliminant tout élément personnel, il est d'une importance primordiale de corriger, d'autre part, les préjugés individuels en recrutant pour ces études des personnes provenant de milieux différents et professant des opinions divergentes. La vie intellectuelle de l'Europe occidentale a trouvé son aliment dans les universités, mais, d'autre part, elle n'a évité la stagnation que sous l'influence de vigoureux mouvements venus du dehors. Cependant, déplorer cette concentration du travail intellectuel dans l'enceinte de nos universités, ce n'est pas méconnaître leur apport essentiel à la culture. De fait, on nous a affirmé qu'au Canada français, où le goût des pures recherches intellectuelles est loin d'être limité aux seuls professeurs, on peut regretter en revanche que le nombre très minime des emplois universitaires (qui ont du moins l'avantage de permettre aux hommes d'étude de gagner leur vie) fait que plusieurs de ceux-ci sont forcés de chercher du travail hors de l'université et ne peuvent pas produire de véritables travaux d'humanisme. *(Ibid.,* 193.)

Conclusion

[Après avoir tenté de dresser un inventaire de la vie culturelle du Canada, les commissaires donnent leurs recommandations. Cette deuxième partie du rapport est précédée d'une introduction dont nous avons extrait les paragraphes suivants:]

Notre Commission s'est vue confier, par le Gouvernement, une besogne conçue avec une imagination et une hardiesse de vues qui ont été pour nous une véritable source d'inspiration pendant toute la durée de notre travail. A mesure que nous nous approchions du but assigné nous percevions mieux combien notre enquête arrivait à son heure, nous en saisissions mieux le caractère d'urgence. Dès le début, nous étions pénétrés de l'importance de notre tâche; mais notre conviction se fortifia avec chaque perspective nouvelle que nous dévoilait notre approfondissement des problèmes. Cette tâche porte sur rien de moins que les assises spirituelles du Canada. La qualité de nos œuvres en tous domaines dépend de la qualité de notre esprit, et celle-ci dépend à son tour de nos pensées et du niveau intellectuel de nos préoccupations. Elle est influencée par les livres que nous lisons, les tableaux que nous contemplons, les émissions radiophoniques que nous écoutons le plus volontiers. Tous ces éléments de culture (qu'il s'agisse des arts ou des lettres) constituent le terroir où s'enfoncent les racines profondes de notre existence nationale.

Ils sont aussi le fondement de notre unité nationale. Nous avons jugé profondément significatifs l'espoir et la confiance des représentants de nos deux cultures traditionnelles, qui nous ont affirmé à plusieurs reprises que, par la culture en commun de leur jardin spirituel, Canadiens de langue française et Canadiens de langue anglaise parviendront à faire éclore le véritable « canadianisme ». Cet espoir, cette confiance nous permettront de faire fructifier les trésors que nous partageons et de combattre victorieusement les influences qui peuvent menacer et même détruire l'intégrité de la nation. Nos recherches nous ont donc dévoilé ce qui peut servir notre patrie à double titre: en accroissant sa grandeur, en lui assurant l'unité...

Mais les institutions, les organisations et les œuvres que nous avons passées en revue ... s'étiolent faute de nourriture. L'évaluation de notre fonds national, intellectuel et culturel, ne conduit pas à un optimisme de tout repos ni à une satisfaction sans réserve. Si l'on classait les pays contemporains selon l'importance qu'ils accordent aux valeurs faisant l'objet de notre enquête, le Canada se trouverait loin de l'avant-garde, peut-être même près de la fin du cortège. Cela s'explique en partie par les raisons exposées dans un chapitre antérieur: des distances immenses, une population clairsemée, notre jeunesse relative en tant que nation, la tentation de trop se reposer sur un voisin qui est un géant aux mains toujours généreuses. En outre, alors que nous étions toujours aux prises avec ces problèmes, d'autres problèmes communs à toutes les nations du 20e siècle se posèrent à nous... La vague de fond de la technologie peut engouffrer le Canada plus facilement que d'autres nations, dont les traditions culturelles mieux assises forment une digue solide contre les périls contemporains.

Il nous semble que deux conditions s'imposent à notre pays si l'on veut rétablir l'équilibre entre l'importance que nous attachons aux réalisations matérielles et l'attention que nous portons à des valeurs de notre civilisation, moins tangibles sans doute mais plus durables. La première de ces conditions doit être, il va sans dire, d'enrichir et de stimuler notre vie culturelle et intellectuelle; notre enquête a su prouver que ce désir est sincère autant que général. La seconde condition est l'argent. Si nous voulons une nourriture culturelle plus abondante et de meilleure qualité, nous devons en payer le prix. La bonne volonté seule ne peut ressusciter une plante qui se meurt; si la fleur de la culture semble s'étioler, il faut la nourrir à prix d'argent. Les gouvernements fédéral, provinciaux et municipaux doivent joindre leurs efforts dans ce devoir commun. Nous n'avons cependant à nous occuper que du domaine fédéral et, dans la deuxième partie de cet ouvrage, nous ferons connaître nos vues sur les meilleurs moyens qu'aurait le gouvernement national d'intensifier notre vie culturelle.

[Les commissaires expliquent que le gouvernement canadien doit reconnaître ses responsabilités en ce domaine. Il ne ferait que suivre l'exemple donné par les gouvernements de la plupart des pays. L'argent dépensé à ces fins serait bien employé.]

Nous devons, bien entendu, renforcer nos défenses militaires [quelques observateurs avaient soutenu que les crédits militaires devaient avoir priorité]; mais nos défenses culturelles requièrent également ment l'attention de la nation: on ne saurait dissocier les unes des autres. Nos recommandations ne représentent que le minimum que notre devoir nous commande de proposer; mais on pourrait accomplir bien davantage. Nous passons maintenant à l'exposé de ces recommandations. (*Ibid.*, 317-321.)

39. - L'autonomie provinciale, la constitution canadienne et le problème fiscal

(1954)

Réélu aux élections de 1948 et de 1952, en se présentant devant l'électorat québécois comme le gardien vigilant de l'autonomie provinciale et le défenseur du fédéralisme canadien, le gouvernement Duplessis précisa graduellement sa politique autonomiste. N'ayant pas signé d'entente fiscale avec les autorités fédérales (voir documents Nos 34 et 37) et refusant la plupart des subventions offertes par Ottawa, il dut apprendre à exercer ses pouvoirs de taxation. Il avait institué un impôt sur les profits des compagnies (1947), mais n'avait pas encore osé taxer les revenus des particuliers. L'augmentation des dépenses consacrées à l'enseignement (surtout après le refus, en 1953, des subventions fédérales aux universités qu'il avait acceptées pour l'année académique 1951-1952) et à la santé publique obligea le gouvernement québécois à se procurer de nouveaux revenus. De plus, il ne faut pas oublier que toutes les autres provinces avaient agréé les propositions fédérales, le gouvernement ontarien ayant lui-même signé un accord avec Ottawa (1952) lors du renouvellement des ententes fiscales fédérales-provinciales conclues en 1947. Le gouvernement Duplessis devait s'incliner à son tour ou passer à l'offensive.

A la session de 1954, le premier ministre présenta une loi établissant, à partir du premier janvier de la même année, un impôt sur le revenu personnel. Le préambule de la loi affirmait que la province avait « priorité en matière de taxation directe ». Duplessis s'était appuyé sur ce principe pour engager la lutte contre l'Etat fédéral (voir document No 34). Quelquefois, il était même tenté de soutenir que les provinces avaient un droit exclusif dans le domaine de la taxation directe. Cette interprétation erronée des articles 91 et 92 de la constitution avait pris naissance durant la décade de 1930 et quelques-uns des conseillers du premier ministre l'avaient adoptée intégralement ou partiellement. En général, les citoyens de la province de Québec, tout en laissant aux spécialistes en droit constitutionnel le soin de se prononcer sur le problème de l'exclusivité ou de la priorité, jugèrent que le gouvernement Duplessis avait raison d'utiliser ses pouvoirs de taxation pour accroître son aide financière aux institutions d'enseignement et d'hospitalisation. Le nouvel impôt représentait environ 15% de l'impôt fédéral sur le revenu des particuliers. Les contribuables du Québec, menacés d'une double imposition, se crurent en droit de demander à l'Etat fédéral de réduire son propre impôt sur le revenu personnel. Puisque la province préférait exercer ses droits de taxation plutôt que de recevoir des subventions fédérales, n'était-il pas juste de permettre aux contribuables québécois de déduire leur impôt provincial sur le revenu de leur impôt fédéral ou de leur accorder une réduction de l'impôt perçu par Ottawa ? Déjà, les autorités fédérales avaient consenti une réduction de ce genre aux compagnies qui payaient un impôt provincial sur leurs profits et tenaient compte des droits successoraux imposés par un gouvernement provincial. De plus, la loi fédérale d'impôt sur les revenus des particuliers prévoyait une réduction de 5% au bénéfice des contribuables soumis à un impôt provincial sur le revenu. Ces précédents laissaient espérer aux contribuables québécois que le gouvernement fédéral hausserait cette réduction et se rendrait ainsi à leurs demandes. D'autre part, il est évident que le gouvernement Duplessis, en prenant la décision d'instituer un impôt sur le revenu personnel, escomptait que l'Etat fédéral diminuerait son propre impôt afin de ne pas soumettre les contribuables de la province à une double imposition parce que celle-ci cherchait à récupérer les revenus dont elle se privait en ne signant pas une entente fiscale. Pourquoi l'Etat fédéral pénaliserait-il les citoyens d'une province qui défendait son autonomie ?

Le gouvernement fédéral et les adversaires politiques de l'Union nationale s'étaient d'abord imaginé que les contribuables s'opposeraient à la nouvelle loi d'impôt du gouvernement provincial. Au contraire, comme le démontrait éloquemment l'enquête Tremblay commencée depuis quelques mois (voir document No 41), les principaux porte-parole de la population approuvaient la politique autonomiste du gouvernement québécois. Les contribuables semblaient plutôt portés à tenir Ottawa responsable de la double imposition qui les frappait. Les ministres et les députés fédéraux qui représentaient l'électorat québécois auraient bien voulu satisfaire les contribuables du Québec mais cherchaient en vain comment y parvenir. En effet, l'Etat fédéral ne pouvait admettre le préambule de la loi provinciale d'impôt sur les revenus des particuliers qui, en proclamant « la priorité [des provinces] en matière de taxation directe », limitait son droit de prélever des revenus « par tout mode ou système de taxation » (article 91 de la constitution, voir document No 5). S'il est vrai que les gouvernements provinciaux ont seuls le droit de percevoir des impôts directs « pour des fins provinciales » (article 92 de la constitution, voir document No 5), cela ne leur donne pas l'exclusivité ou la priorité dans le domaine de la taxation directe. Du mois de février au mois de septembre 1954, la tension entre Québec et Ottawa augmentait de semaine en semaine. Chacun demeurait sur ses positions. Aucun compromis ne s'annonçait.

C'est alors que M. Saint-Laurent décida de se jeter directement dans la mêlée. Comptait-il sur son prestige et sur sa popularité pour convaincre les électeurs canadiens-français du Québec qu'ils devaient répudier le gouvernement Duplessis et donner leur appui total à la politique de centralisation de l'Etat fédéral ? Si tel était son premier objectif, il échoua car la population canadienne-française, en général, manifesta une certaine stupeur à la suite du discours prononcé au Club de Réforme de la ville de Québec. En plusieurs milieux, on accusa le premier ministre fédéral d'avoir manqué de flair politique. Une semaine plus tard, lorsque le premier ministre québécois se rendit à Valleyfield pour l'inauguration du pont Mgr-Langlois, une foule de plusieurs milliers de personnes avait envahi la ville. Toute la province semblait s'être ralliée autour du chef du gouvernement québécois et attendait avec impatience la réponse qu'il donnerait au premier ministre du Canada. Duplessis s'affirma à ce moment comme le chef indiscutable du Canada français. Il parlait réellement au nom de la collectivité. D'autre part, peut-on supposer que M. Saint-Laurent avait espéré, en se lançant ainsi à l'attaque, forcer le premier ministre du Québec à engager le dialogue avec Ottawa ? Si tel était son espoir, son intervention fut couronnée de succès. Le 29 septembre, M. Duplessis téléphona au premier ministre du Canada et lui proposa un rendez-vous. Le 5 octobre, les deux chefs politiques se rencontrèrent à Montréal. A la suite de cette entrevue, le gouvernement provincial modifia le préambule de sa loi d'impôt sur les revenus des particuliers. De son côté, Ottawa accorda une réduction de 10% de l'impôt fédéral sur le revenu à tout contribuable d'une province percevant un impôt sur le revenu des particuliers. Cet accord plaçait le problème des relations fédérales-provinciales au point de vue fiscal dans une nouvelle perspective. L'Etat fédéral avait fait reconnaître la plénitude de ses pouvoirs fiscaux; mais, en même temps, la province de Québec avait démontré sa ferme volonté d'exercer tous ses droits de taxation. Il devenait possible, en partant de ces faits, de concevoir une nouvelle politique fiscale qui laisserait à chaque gouvernement provincial la liberté de signer une entente avec l'Etat fédéral ou de recourir à ses pouvoirs de taxation directe. Une province pourrait dorénavant défendre son autonomie et conserver sa liberté d'action dans les domaines qui relèvent de sa juridiction sans subir une diminution de revenus. Cette nouvelle politique prit graduellement forme de 1955 à 1960. Il est indéniable que les événements politiques de l'année 1954 marquent une étape importante dans l'évolution des relations fédérales-provinciales d'après-guerre et ont influencé l'histoire récente de la collectivité canadienne-française.

Nous donnons: (1) le premier préambule de la loi provinciale d'impôt sur le revenu; (2) une partie du discours de M. Saint-Laurent prononcé au Club de Réforme de la ville de Québec, le 18 septembre 1954; (3) les principaux passages du discours-réponse de Maurice Duplessis à Valleyfield, le 26 septembre suivant; (4) le texte d'un télégramme de M. Saint-Laurent à M. Egan Chambers (28 septembre 1954); celui-ci, qui était candidat du parti progressiste-conservateur à l'élection complémentaire fédérale dans le comté St-Antoine-Wesmount, à Montréal, avait auparavant envoyé un télégramme au premier ministre du Canada lui suggérant une rencontre avec M. Duplessis; (5) le préambule amendé de la loi provinciale d'impôt sur le revenu. Voir bibliographies des documents Nos 34 et 37.

(1)

Loi assurant à la province les revenus nécessités par ses développements (Sanctionnée le 5 mars 1954)

Attendu que les progrès extraordinaires dont bénéficie la province depuis quelques années entraînent des dépenses gouvernementales sans cesse croissantes, en particulier dans les domaines de l'éducation et de la santé publique;

Attendu qu'il est nécessaire à la survivance des provinces qu'elles aient à leur disposition les ressources financières nécessaires à l'exercice de leurs droits et à l'accomplissement de leurs obligations;

Attendu que la constitution canadienne reconnaît aux provinces la priorité en matière de taxation directe;

Attendu que la province désire coopérer avec l'autorité fédérale pour établir un régime fiscal juste, approprié et conforme à l'esprit et à la lettre du pacte fédératif;

Attendu que, dans cet esprit de coopération, la province, depuis 1946, ne s'est pas prévalue de ses droits en matière d'impôt sur le revenu;

Attendu qu'il serait injuste et préjudiciable à la province qu'elle fût plus longtemps privée d'une source de revenus où elle a priorité de droit et qui lui est nécessaire pour faire face aux besoins nouveaux lui résultant de son vigoureux essor;

Attendu que, dans les circonstances, il convient d'établir, pour une période de trois ans à compter du premier janvier 1954, les impôts prévus par la présente loi, lesquels correspondent à une petite fraction seulement de ceux que le pouvoir fédéral perçoit dans le même domaine de taxation directe;

A ces causes, Sa Majesté, de l'avis et du consentement du Conseil législatif et de l'Assemblée législative de Québec, décrète... (*Statuts de Québec, 1953-1954*, ch. 17, pp. 67-68.)

...

Je suis convaincu qu'en rendant des services au parti libéral, on rend des services sérieux à la nation canadienne. [...] Lors du recensement de 1901, nous étions à peu près 5,200,000. Et cinquante ans plus tard, nous étions un peu plus de 14,000,000, notre population ayant donc plus que doublé durant cette période. Franchement, je ne crois pas que nous ayons trop retardé. Depuis que nous avons des allocations familiales, qui sont peut-être un « accroc » à l'autonomie provinciale, distribuées à travers le pays, la proportion des enfants ne diminue pas dans notre population. C'est là quelque chose qui n'est pas seulement satisfaisant pour nous, mais qui paraissait encourageant à tous les chefs des pays que j'ai visités en faisant le tour du monde.

Sur le *Saxonia,* je me suis permis de dire qu'il n'y avait que deux endroits, peut-être rien qu'un, où cette importance croissante de la nation canadienne en terre d'Amérique ne produisait pas que de la satisfaction. Peut-être que derrière le rideau de fer, on ne trouve pas ça de son goût, je ne le sais pas. Parce qu'il y a un rideau de fer et qu'on ne voit pas au travers.

Mais malheureusement, on sait que dans une certaine partie de notre province de Québec, cette idée qu'il doit s'établir une nation canadienne unie et forte, qui aura une place importante dans la famille des nations, ne fait pas l'affaire de tout le monde. Je me suis permis de le dire. [...]

Qu'on aime ça ou non, les gens qui sont à la tête des gouvernements ne sont que des instruments pour la réalisation des desseins d'une Providence qui, je crois, a eu le dessein qu'il y aurait en terre d'Amérique une nation comme celle des Etats-Unis à l'heure actuelle. [...]

Je suis convaincu que Montcalm et Wolfe n'ont été autre chose que des instruments entre les mains d'une Providence toute-puissante pour créer, en septembre 1759, une situation où les descendants de deux grandes races se trouveraient dans cette partie nord du continent américain. C'est comme lorsqu'on se marie. C'est pour toujours. On peut se chicaner avec sa femme, mais ... c'est plus commode d'essayer de s'accorder.

... quant à nous, les Canadiens français, il n'y a pas d'autres places où nous pourrions aller. Et même si nous le voulions, nous ne sommes pas assez nombreux pour bouter dehors les autres et prendre la place partout au pays. Alors nous sommes destinés par la Providence à vivre, sinon ensemble, du moins à côté les uns des autres.

...

M. Gérard Filion disait dans *Le Devoir,* ces jours derniers, que la province de Québec ne peut pas être une province comme les autres. Moi, je ne suis pas de cet avis-là. Je crois que la province de Québec peut être une province comme les autres. [...] Nous valons les autres. Il n'y a pas de danger à nous montrer à côté des autres. Nous avons nos qualités et eux aussi. Je n'ai jamais craint de mettre quelqu'un qui avait reçu sa formation dans les institutions de la province de Québec à côté de n'importe qui venant de n'importe quelle autre institution dans notre nation canadienne. Je ne crois pas que ce soit tellement dangereux pour la survivance de la culture française dans notre pays que de la mettre à côté de n'importe quelle autre culture.

[Le premier ministre se défend d'être un centralisateur et se déclare favorable au maintien de l'autonomie provinciale telle que conçue par la constitution de 1867.] Mais entre l'autonomie véritable de la province et l'autonomie comme paravent, pour qu'on ne discute pas l'administration de ceux qui en sont responsables, il y a une différence et c'est ce que la population doit savoir. Nos gens de la province de Québec sont intelligents et honnêtes. Ils comprennent et veulent qu'on leur parle franchement, qu'on leur dise la vérité.

Je crois avoir acquis la réputation de dire la vérité, même si cette vérité n'était pas toujours agréable. Et prétendre, comme on le fait, que les efforts que nous déployons pour promouvoir l'unité de notre nation d'un océan à l'autre sont de la centralisation, dans le sens que ça tend à diminuer l'autonomie provinciale, ce n'est pas la vérité. Et il nous incombe de rétablir les faits.

[Après avoir de nouveau mis en doute l'efficacité administrative du gouvernement Duplessis qui, selon lui, invoquerait l'autonomie provinciale afin de distraire l'opinion publique, le premier ministre explique la politique fiscale du gouvernement fédéral. Celle-ci, soutient-il, s'inspire d'un idéal national et a pour but de venir en aide aux provinces moins riches sans léser les droits fondamentaux des provinces prospères. Il reconnaît à la province de Québec le droit de ne pas signer les ententes fiscales que les neuf autres provinces ont acceptées et de percevoir elle-même un impôt sur les revenus des particuliers. Il tente de démontrer que la province, en refusant de collaborer avec le gouvernement fédéral, se prive inutilement de revenus importants; il nie le principe, affirmé par le gouvernement québécois, en vertu duquel les provinces auraient des droits exclusifs dans le domaine de l'impôt direct.] On a créé cette légende selon laquelle si le gouvernement fédéral n'accepte pas le principe affirmé par M. Duplessis dans sa loi, que les provinces ont le droit de passer avant le gouvernement national, l'autonomie de la province va chanceler, va s'écrouler. Tant que j'y serai, le gouvernement fédéral ne reconnaîtra pas que les provinces sont plus importantes que le pays tout entier. Je ne puis admettre que les responsabilités du gouvernement fédéral ne sont pas aussi importantes que celles du gouvernement provincial. Après tout, c'est nous qui sommes responsables de la défense, de l'existence de la nation canadienne.

...

Nous ne partons pas en campagne contre quiconque, mais nous voulons mettre les faits réels devant la population. Nous allons lui dire franchement que nous allons continuer, tant que nous serons là, a prélever plus que ce dont nous avons besoin pour les fins strictement fédérales, sur l'impôt sur les corporations et des individus, pour redistribuer ça aux autres ensuite.

Nous allons continuer de le faire, parce que nous croyons qu'il n'y a pas de provinces plus intéressées à ce que nous le fassions que celles d'Ontario, puis de Québec. Nous sommes un pays où il n'y a pas de tarif douanier, de protection entre les provinces. Alors, pour que nos industries établies principalement dans le centre du pays trouvent des acheteurs pour leurs produits, il faut que ces acheteurs soient raisonnablement prospères dans tout le pays.

Les industries d'Ontario et de Québec souffriraient autant que les industries du textile dans le moment, s'il n'y avait pas un pouvoir d'achat général à travers tout le pays.

Nous allons dire ça franchement à la population. Si elle trouve que c'est une mauvaise politique, elle votera contre nous et en mettra d'autres à notre place. Mais elle saura à quoi s'en tenir. Elle saura à qui elle a affaire et à quel genre d'administration elle peut s'attendre si elle nous continue sa confiance. (*La Presse*, 20 septembre 1954.)

(3)

La province se développe à pas de géant. Même celui qui ferme les yeux ne peut s'empêcher de constater les améliorations énormes, sans nombre, qui ont été réalisées depuis 1935, que ce soit dans le domaine religieux, dans le domaine des œuvres économiques; il est des parties de cette province autrefois inoccupées et inhabitées qui sont aujourd'hui bourdonnantes d'activité et qui présentent des aspects et des perspectives de prospérité toujours grandissants et d'un progrès sans cesse accru.

Ces progrès, ces améliorations nécessitent de la part du gouvernement l'obtention des sources de revenus dont nous avons besoin. [Le premier ministre donne quelques faits et chiffres illustrant les réalisations de son gouvernement dans les domaines de l'agriculture, de l'électrification rurale, de l'habitation, de l'enseignement primaire, de la santé publique et de la voirie. Il conclut que « malgré tout cela, malgré ces améliorations énormes ... il reste beaucoup à faire ».]

Nous sommes sur la terre. Il nous faut des revenus. Il faut des revenus au gouvernement comme il faut des revenus au père de famille.

A l'heure actuelle, la grande question de l'heure, la question fondamentale, la question de vie ou de mort, c'est, comme on l'appelle communément, la question de la constitution fiscale.

Si vous le voulez bien, pendant quelques instants, nous allons causer et nous allons voir quelle est la situation de la province de Québec, quel est le besoin du gouvernement et quelles sont nos intentions. Cette question est d'autant plus grave que, ces derniers temps, le premier ministre du pays a fait des déclarations qui, à mon sens, sont regrettables, a fait des déclarations et pris une attitude qui, à mon sens, est excessivement dangereuse et contraire à l'intérêt public et contraire à l'intérêt de la province, contraire à l'intérêt canadien et contraire à l'unité canadienne bien comprise.

Il faut nécessairement dans le calme, poliment, rétablir les faits, faire un retour en arrière, regarder le présent.

Le premier ministre du Canada m'a insulté. En 1948, lorsqu'il a participé à la lutte contre le gouvernement [le premier ministre fait ici allusion aux élections provinciales de 1948] qui a été réélu avec 82 députés, j'ai dit dans ce temps-là que Trois-Rivières était bâti sur les bords du Saint-Maurice [Maurice Duplessis était trifluvien de naissance et représenta le comté des Trois-Rivières à l'Assemblée législative de 1927 jusqu'à sa mort en 1959] et qu'il y avait en face le fleuve Saint-Laurent. J'ai dit que jamais le Saint-Laurent n'avait été capable de refouler la lumière et la force motrice du Saint-Maurice et je répète encore aujourd'hui que les insultes et les injures personnelles ne me font rien.

Seulement, il y en a d'autres que l'on a insultés et c'est très regrettable. Ce n'est pas excusable. Car la colère a commencé dix jours avant et elle s'est continuée à un endroit où la réforme aurait dû se réaliser mais où elle est allée en s'empirant.

[Après avoir rappelé les luttes menées avant 1848 pour l'établissement du gouvernement responsable, le premier ministre accuse les dirigeants fédéraux de vouloir enlever aux provinces les droits qu'elles possèdent depuis 1867.] Aujourd'hui, on voudrait revenir au temps des gouverneurs anglais. On voudrait remplacer les pouvoirs de taxation, qui sont essentiels au gouvernement responsable, par des octrois fédéraux. Quelle est la différence entre cela et l'époque où les gouverneurs prélevaient les impôts et les distribuaient comme ils voulaient ? Il n'y a pas de différence. C'est une politique d'octrois dans les deux cas: une politique antiparlementaire, antidémocratique et anticanadienne.

[Le premier ministre demande à ses auditeurs de ne pas oublier qu'on a déjà tenté de confier l'administration des provinces de Québec et d'Ontario à un seul gouvernement. C'était à l'époque de l'Union. Ce système a échoué et il a fallu établir la Confédération.]

Le Canada est un pays immense. Ses problèmes sont infinis et illimité est leur nombre. Ils sont encore très divers dans leur complexité, et il n'y a pas un gouvernement capable de les résoudre. La décentralisation est une forme de démocratie. Elle est indispensable au gouvernement responsable... [M. Duplessis y voit même un moyen de protéger le Canada contre le socialisme et le communisme, la province de Québec servant de rempart et de frein au bénéfice de tout le pays que la centralisation fédérale menace de livrer à une bureaucratie omnipotente.]

A part cela, nous avons des intérêts particuliers, nous de la province de Québec. La province de Québec ne demande pas de faveurs. La province de Québec réclame purement et simplement la reconnaissance de ses droits, ni plus ni moins, et quand j'entends, heureusement je ne l'ai pas entendu, quand je lis que M. Saint-Laurent, un compatriote, un homme de la province de Québec, élevé dans la province de Québec, choyé par la province de Québec, un homme qui a eu l'avantage de vivre avec la population de Québec, quand je l'entends dire que toutes les provinces sont semblables, cela me fait de la peine, je trouve cela pénible, je trouve cela gravement pathétique.

La province de Québec n'est pas une province comme les autres. Il ne sait pas cela. Tout le monde le sait... Avez-vous jamais, entre nous, sans faire de peine à personne, avez-vous jamais entendu un homme politique anglais dire que la province de Québec était comme les autres ? Pas un n'a osé dire cela.

C'est à un compatriote qu'il a été donné de proclamer une chose aussi contraire aux faits et aussi contraire au droit. Prétendre que la province de Québec est une province comme les autres, c'est un encouragement à l'abnégation de nos droits.

[Le premier ministre évoque le sort pénible des Canadiens français dont les droits ne sont pas respectés dans les provinces anglo-canadiennes où ils forment des groupes minoritaires.]

Le meilleur moyen d'obtenir justice, c'est par un gouvernement où nous sommes en majorité.

Pensez-vous qu'on aurait justice dans un gouvernement où nous serions en minorité ? Il faut avoir des œillères pour ne pas voir ces choses-là. D'ailleurs, la politique de M. Saint-Laurent, c'est une politique pénible, franchement pénible. Je ne veux pas la qualifier comme mon cœur et mon attachement à mon pays justifieraient que je la qualifie.

La Confédération a été fondée contre le principe de M. Saint-Laurent, principe selon lequel le gouvernement d'Ottawa a le droit de tout prendre et les provinces auraient les restants, s'il s'en trouve. C'est une politique qui n'est pas juste, qui n'est pas canadienne. Elle est contraire à la constitution. Si elle fait l'affaire des provinces anglaises, elle ne fera pas l'affaire de la province de Québec. Nous ne l'accepterons jamais. Pourquoi l'accepter ? Cela serait remplacer les cordeaux par les menottes. L'accepter, cela serait remplacer les horizons fortifiants et vivifiants de notre province par une tente d'oxygène fédérale. L'accepter, cela serait remplacer notre droit de propriété, notre maîtrise chez nous dans tous les domaines par le titre et la fonction de pensionnaire.

[Le premier ministre cherche en vain à s'expliquer ce qu'il appelle la « colère » de M. Saint-Laurent et accuse celui-ci de soulever le reste du pays contre la province de Québec. Il déclare que toutes les conférences fédérales-provinciales convoquées par le gouvernement d'Ottawa de 1945 à 1950 ont été inutiles. Elles ont, dit-il, simplement démontré que les autorités fédérales n'avaient nullement l'intention de remettre aux provinces les droits de taxation que celles-ci leur avaient cédés pour la durée de la guerre. Il n'admet pas que le gouvernement d'Ottawa prenne l'initiative de distribuer des cadeaux aux provinces pauvres en surtaxant les provinces riches et en les privant de leurs sources de revenus. Pendant huit ans, le gouvernement de la province de Québec a fait preuve de patience. Il espérait toujours, malgré tout, qu'Ottawa se montrerait raisonnable et rendrait aux provinces leurs pouvoirs fiscaux. Finalement, la province de Québec a constaté qu'elle ne pouvait pas attendre plus longtemps. Son gouvernement a pris la décision d'exercer ses droits de taxation en adoptant un impôt provincial sur les revenus des particuliers. M. Duplessis soutient que, depuis l'adoption de cet impôt, il s'est montré disposé à rencontrer les autorités fédérales, si celles-ci sont prêtes à reconnaître les droits de la province, afin d'en venir à une entente au bénéfice de tous les contribuables. La seule réponse qu'il aurait reçue, selon lui, serait le discours de M. Saint-Laurent.]

La question est au-dessus de Duplessis, de Saint-Laurent, au-dessus du parti libéral, de l'Union nationale; elle est à la hauteur de la province de Québec et du Canada. C'est comme cela que je l'envisage et que je veux la discuter. Je suis prêt à rencontrer M. Saint-Laurent pourvu qu'il nous demande des choses que nous pouvons faire. Nous ne pouvons consciencieusement remplacer des cordeaux par des menottes. On ne peut remplacer l'indépendance par des contrôles ou des octrois.

M. Saint-Laurent dit: « Il y a neuf provinces qui ont consenti. » Nous, nous disons: « Non, jamais. » La majorité des autres provinces a consenti le couteau sur la gorge. [...]

Notre position est simple: coopération toujours, coopération d'égal à égal, coopération dans le respect des droits de chacun, coopération qui n'est pas une rue à sens unique.

Abdication de droits fondamentaux: JAMAIS.

Substitution de subsides fédéraux aux pouvoirs essentiels de taxation: JAMAIS, JAMAIS. Contrôle direct ou indirect d'Ottawa sur nos écoles: JAMAIS. Sur nos universités: JAMAIS. Sur notre enseignement secondaire: JAMAIS.

[Maurice Duplessis reproche particulièrement à M. Saint-Laurent de l'avoir accusé de faire de la « politicaillerie » au nom de l'autonomie provinciale. S'il cherchait les solutions faciles, répond-il, il accepterait les offres d'Ottawa.]

On aurait plus d'argent à dépenser, j'aurais moins de problèmes, moins de discussions, moins de débats, de luttes, si je cherchais mon confort personnel.

...

Peu importe les injures, peu importe les jugements téméraires, peu importe les insultes. J'ai l'idée bien arrêtée de ne pas céder sur les principes essentiels et de tâcher d'en arriver à une entente basée sur la justice et sur le respect des droits de chacun. Merci! (*La Presse*, 27 septembre 1954.)

(4)

J'ai déjà déclaré, en réponse à des questions des journalistes, que si M. Duplessis voulait s'entretenir avec moi ou avec un de mes collègues, et s'il me faisait connaître son désir directement ou par quelqu'un autorisé par lui à le faire de sa part, j'étais certain qu'on pourrait rapidement faire les arrangements pour une rencontre au moment et en un endroit opportuns, comme il est arrivé fréquemment dans le passé quand l'un de nous a pensé qu'il y avait une question d'intérêt commun à discuter, dans un sérieux effort pour atteindre, sinon une solution permanente, au moins un *modus vivendi* tolérable. Ces renseignements ont été publiés avant vos télégrammes à M. Duplessis et à moi.

Il est aussi connu, bien entendu, que les autorités fédérales ne peuvent accepter, directement ou indirectement, l'assertion de la Législature du Québec que les provinces ont un droit constitutionnel antérieur à celui de la nation elle-même dans le domaine de la taxation des corporations ou des revenus individuels. Il se peut aussi que M. Duplessis croie qu'il ne peut revenir de la position affirmée comme droit constitutionnel par la Législature du Québec.

Aucune conférence ne pourrait réconcilier les deux opinions ancrées de chaque côté sur la question, mais on pourrait peut-être envisager le problème d'une autre façon; au gouvernement fédéral nous avons toujours été prêts à participer à une conférence de ce genre, si les autorités provinciales nous informent de leur désir d'en tenir une. (*Le Devoir*, 29 septembre 1954.)

(5)

*Loi modifiant le préambule de la Loi assurant à la
province les revenus nécessités par ses
développements (Sanctionnée le 10 février 1955)*

Attendu qu'il convient, dans les conditions actuelles, de modifier le préambule de la Loi assurant à la province les revenus nécessités par ses développements;

A ces causes, Sa Majesté, de l'avis et du consentement du Conseil législatif et de l'Assemblée législative de Québec, décrète ce qui suit:

1. Le préambule de la Loi assurant à la province les revenus nécessités par ses développements (2-3 Elizabeth II, chapitre 17), est abrogé et remplacé par le suivant:

« Attendu que les progrès extraordinaires dont bénéficie la province depuis quelques années entraînent des dépenses gouvernementales sans cesse croissantes, en particulier dans les domaines de l'éducation et de la santé publique;

Attendu qu'il est essentiel à la survivance des provinces qu'elles aient à leur disposition les ressources financières nécessaires à l'exercice de leurs droits et à l'accomplissement de leurs obligations;

Attendu que la constitution canadienne reconnaît aux provinces des droits certains en matière de taxation directe;

Attendu que la province désire coopérer avec l'autorité fédérale pour établir un régime fiscal juste, approprié et conforme à l'esprit et à la lettre du pacte fédératif;

Attendu que, dans cet esprit de coopération, la province, pendant plusieurs années, ne s'est pas prévalue de ses droits en matière d'impôt sur le revenu;

Attendu que pour faire face aux besoins nouveaux lui résultant de son vigoureux essor, il est à propos que la province utilise ses droits en matière d'impôt sur le revenu personnel;

Attendu que, dans les circonstances, il convient d'établir, pour une période de trois ans à compter du premier janvier 1954, les impôts prévus par la présente loi, lesquels correspondent à une petite fraction seulement de ceux que le pouvoir fédéral perçoit dans le même domaine de taxation directe. »

2. La présente loi entrera en vigueur le jour de sa sanction. *(Statuts de Québec, 1954-1955, ch. 15, pp. 87-88.)*

40. - La politique étrangère du Canada depuis 1945 et l'affaire de Suez

(1956)

Jusqu'à la fin de la deuxième grande guerre, la politique étrangère du Canada contribua à diviser profondément l'opinion publique canadienne (voir documents Nos 14, 15, 16, 18, 20, 22, 27, 28, 29 et 32). En général, les Canadiens français auraient préféré une politique d'isolationnisme. Ils avaient la conviction que leurs concitoyens anglo-canadiens ne servaient pas les intérêts véritables du Canada en se montrant prêts à donner leur appui à la Grande-Bretagne et à l'empire britannique lorsque ceux-ci étaient menacés. Au nationalisme pan-britannique du Canada anglais, ils opposaient spontanément leur propre nationalisme. D'autre part, il ne faudrait pas croire que les Canadiens anglais étaient toujours unanimes, en temps de paix, au sujet de la politique que le pays devait suivre en relations internationales (voir document No 27). Toutefois, aux heures de crise, la fidélité britannique imposait une politique d'union sacrée aux Anglo-Canadiens (voir documents Nos 28, 29 et 32). A de tels moments, la collectivité canadienne-française prenait subitement conscience de son isolement et de son peu d'influence sur l'orientation politique du pays.

Depuis 1945, les circonstances ont changé. Le nouveau rôle que jouent les Etats-Unis en politique mondiale compte parmi les principaux facteurs de ce changement. Conscient de l'importance de sa contribution à la victoire alliée et de son ascension au statut de puissance moyenne, le Canada a manifesté la volonté d'assumer ses responsabilités en politique internationale. Celles-ci se sont élargies d'année en année à cause de la guerre froide. Membre fondateur de l'ONU, nation de l'Amérique du Nord étroitement liée aux Etats-Unis, l'un des principaux pays associés au Commonwealth, le Canada a dû faire preuve d'une grande souplesse pour ne pas mécontenter ses alliés naturels et pour se gagner l'estime des pays non engagés d'Asie et d'Afrique. A-t-il toujours pleinement réussi ? Il faut reconnaître que la tâche n'était pas facile et les dirigeants canadiens n'ont pas la liberté d'ignorer la présence omnipotente de leurs voisins du Sud. C'est pourquoi ils se sont prononcés très tôt en faveur d'une alliance nord-atlantique afin de ne pas être laissés en tête à tête avec les Etats-Unis. De plus, cette alliance servait les intérêts de la Grande-Bretagne. La signature du traité créant l'OTAN (4 avril 1949) fut en bonne partie une œuvre canadienne. Dès l'année suivante, le Canada n'hésita pas à prendre part à la guerre de Corée. Il le fit comme membre des Nations Unies et au nom de la sécurité collective. L'anticommunisme aida le gouvernement à faire accepter sa politique interventionniste par les électeurs canadiens-français, même si plusieurs d'entre eux n'avaient pas encore renoncé à leur isolationnisme traditionnel. Lorsque l'Angleterre et la France, après entente avec Israël, attaquèrent l'Egypte afin de conquérir le canal de Suez nationalisé par le gouvernement égyptien et avec l'espoir de précipiter la chute du président Nasser, les dirigeants anglo-canadiens du pays traversèrent une véritable crise de conscience. Finalement, le Canada refusa d'appuyer la Grande-Bretagne à l'Assemblée générale des Nations Unies (vote du 2 novembre 1956) et proposa (résolution présentée le 3 novembre) l'envoi d'une force internationale au Moyen Orient chargée de faire respecter le cessez-le-feu ordonné par l'ONU. Le gouvernement canadien contribua à l'organisation de cette force internationale dont la création fut approuvée par l'Assemblée générale des Nations Unies, le 4 novembre. Quant aux Canadiens français, non seulement ils se déclarèrent, en général, favorables à cette intervention militaire du Canada au Moyen Orient, mais plusieurs l'accueillirent avec enthousiasme. Ils y voyaient presque une déclaration d'indépendance à l'égard de la Grande-Bretagne! Il faut aussi se rappeler que le Canada participe à quelques programmes d'aide économique aux pays en voie de développement.

Nous donnons: (1) un discours de M. Louis Saint-Laurent, alors secrétaire d'Etat aux affaires extérieures, le 29 avril 1948; (2) quelques déclarations faites à la Chambre des Communes au début de la guerre de Corée; (3) quelques extraits du débat parlementaire soulevé par l'affaire de Suez et la conduite des délégués canadiens à l'Assemblée générale des Nations Unies. Voir James Eayrs, *Canada in World Affairs: October 1953 to June 1957* (Toronto, 1960); W.E.C. Harrison, *Canada in World Affairs: 1949-1950* (Toronto, 1957); Hugh L. Keenleyside et autres, *The Growth of Canadian Policies in External Affairs* (Durham, N.C., 1960); B.S. Keirstead, *Canada in World Affairs: September 1951 to October 1953* (Toronto, 1956); Donald C. Masters, *Canada in World Affairs: 1953 to 1955* (Toronto, 1959); Robert A. Spencer, *Canada in World Affairs: From UN to NATO, 1946-1949* (Toronto, 1960). Voir aussi les bibliographies données dans les introductions aux documents Nos 27 et 32.

(1)

Impératifs de la nouvelle politique étrangère du Canada
[...]
Il est de notoriété publique aujourd'hui que presque tous les événements d'importance dans le domaine international intéressent,

souvent d'une manière directe et immédiate, le Canada. L'isolement ni l'indifférence, même si nous voulions nous y retirer, ne peuvent nous offrir de refuge. Des événements encore récents ont fait comprendre à chacun de nous la menace croissante que constitue, pour notre existence de nation démocratique, la vague montante du communisme totalitaire. Nous savons que les frontières du Canada, en présence d'une telle menace, s'étendent au delà de ses limites géographiques. Nous savons également qu'une ligne sépare du reste de l'humanité l'esprit de tous les hommes libres et que, de notre côté de cette ligne, se trouvent tous les citoyens de tous les pays qui travaillent, qui luttent en vue de préserver la liberté et la dignité de l'individu contre la dictature réactionnaire, qu'elle soit communiste ou fasciste. Nous savons aussi que dans ce conflit, spirituel autant que politique, il n'est pas de neutralité possible.

Il apparaît plus nettement que jamais que nous ne saurions, dans le domaine du bien-être aussi bien économique que social, vivre uniquement repliés sur nous-mêmes. Les avis peuvent se partager, comme c'est effectivement le cas je suppose, sur le bien-fondé de la politique économique et commerciale du Gouvernement, mais tous conviendront, j'en suis sûr, que des événements se déroulant bien loin de nos frontières influent aujourd'hui sur cette politique d'une manière décisive.

Les représentants du Canada qui, récemment, ont participé aux débats relatifs à l'avenir de l'Indonésie à Lake-Success, à l'avenir du commerce international à la Havane, ou à l'avenir de la presse libre à Genève, peuvent tous rendre témoignage que le pays se trouve maintenant inévitablement et inextricablement engagé dans le plein courant des événements internationaux. Le jour est révolu depuis longtemps où nous n'avions pas à nous préoccuper de la politique de pays lointains. Lorsque les actes de ces autres pays déterminent la prospérité, que dis-je, l'existence même du nôtre, la prudence élémentaire et le bon sens nous commandent de nous intéresser à ces pays.

Voilà la raison d'être, chez nous comme à l'étranger, du ministère canadien des Affaires extérieures. Il contribue essentiellement et, je crois, utilement à l'évolution de notre pays, du statut de colonie à la maturité nationale. Son expansion (on ne l'a pas laissé grandir au petit bonheur et follement) reflète toute l'étendue et la complexité des relations internationales à notre époque d'interdépendance, ainsi que l'importance toujours croissante de ces relations pour le Canada. Dans sa participation aux affaires internationales, le Canada, je l'espère, saura agir résolument, conscient de sa responsabilité, mais avec réserve. Loin de nous toute idée de nous soustraire à nos obligations sur le plan international; mais, quand il s'agit pour nous de les remplir, ne nous laissons pas influencer indûment par l'orgueil ou les préjugés d'ordre national. J'estime aussi que nous pouvons, dans nos relations étrangères, concilier l'obligation primordiale qui nous incombe à l'égard de notre propre population avec notre obligation ultime envers la collectivité des nations.

[...]

J'ai indiqué une tournure possible des événements à l'Assemblée générale il y a sept mois. J'ai alors déclaré qu'il n'était pas nécessaire, afin de raffermir le régime de sécurité au sein de l'Organisation, d'envisager la dissolution de celle-ci, ni la scission du groupe soviétique. L'Article 51 de la Charte des Nations Unies permet aux nations libres du monde de se grouper en vue de la défense collective, sans sacrifier le caractère universel des Nations Unies. Les Etats libres qui sont disposés à accepter des obligations plus spécifiques et onéreuses que celles que prévoit la Charte, en retour d'une plus grande mesure de sécurité nationale qu'assure maintenant à ses membres l'Organisation des Nations Unies, peuvent créer un tel organisme dans le cadre des Nations Unies.

Peut-être les Etats libres, ou certains d'entre eux, devront-ils sous peu se consulter sur les meilleurs moyens à prendre pour établir une telle ligue de sécurité collective. Le projet d'*Union occidentale,* qui prend corps en Europe, en sera peut-être l'occasion. Le but d'une telle ligue, de même que celui de l'*Union occidentale,* ne serait pas simplement négatif; elle créerait un contre-courant dynamique s'opposant au communisme, un contre-courant dynamique provenant d'une société libre, prospère et avide de progrès, par opposition à la société totalitaire et réactionnaire du monde communiste. La création d'un tel programme d'Etats en vue de la défense ne serait pas une mesure née du désespoir; elle constituerait plutôt un message d'espérance. Il ne s'ensuivrait pas que nous considérions comme inévitable une troisième guerre mondiale, mais plutôt que les démocraties libres ont décidé, afin de prévenir un tel conflit, de s'organiser en vue de faire face aux forces de l'expansionnisme communiste avec une prépondérance absolue de puissance morale, économique et militaire et avec un degré suffisant de solidarité pour assurer l'utilisation de cette prépondérance de puissance, de manière que les nations libres ne puissent être vaincues l'une après l'autre. Rien de moins ne suffira.

Nous devons à tout prix éviter la répétition fatale des événements qui ont marqué les années d'avant-guerre alors que l'agresseur nazi a abattu une à une ses victimes. Une telle manœuvre ne s'arrête pas à l'Atlantique.

La population du Canada désire, j'en suis sûr, que le Canada participe pleinement à la création et au maintien de cette suprématie prépondérante de la puissance morale, économique et militaire, ainsi que de l'unité essentielle à son emploi efficace.

Ce que nous devons constamment nous rappeler à l'égard de cette décision fatidique, c'est que les démocraties de l'Europe occidentale ne sont pas des mendiantes qui nous demandent la charité. Ce sont des alliées dont l'appui nous est nécessaire pour défendre avec succès notre propre pays et nos propres conceptions. Le Canada et les Etats-Unis ont besoin de l'aide des démocraties de l'Europe occidentale tout autant que celles-ci ont besoin de notre appui. La propagation du despotisme agressif du communisme en Europe occidentale nous entraînerait finalement, et presque à coup sûr à une guerre qu'il nous faudrait livrer dans des conditions très défavorables. Il est de notre intérêt national de mettre un frein au flot montant du communisme.

Notre politique étrangère actuelle doit donc, à mon sens, se fonder sur la certitude que l'agression communiste totalitaire menace la liberté et la paix de tout pays démocratique, y compris le Canada. Nous fondant sur ces données et attendant que s'affermisse l'Organisation des Nations Unies, de concert avec les autres Etats libres, nous devons consentir à adhérer à des ententes de sécurité collective appropriées qui pourront être conclues aux termes des articles 51 ou 52 de la Charte.

Dans les circonstances présentes, une telle organisation de défense collective constitue la garantie la plus efficace de la paix. La poursuite constante d'une telle ligne de conduite, sans relâche ni provocation, mais de façon pratique, demeure notre meilleur espoir de démentir les sombres prédictions d'une guerre inévitable.

Toutefois, le fardeau de maintenir la paix ne sera pas aisé à porter. Nous devons constamment nous souvenir que l'Union du monde libre, « au stade pénible de l'enfantement », n'aura de puissance écrasante que si elle se fonde sur la force morale aussi bien que physique et que si ses citoyens demeurent unis, non seulement dans la haine du communisme, mais aussi dans leur attachement à la libre démocratie et leur intention arrêtée de la mettre activement au service du bien-être et de la défense de la paix.

(Discours prononcé le 29 avril 1948, *Débats de la Chambre des Communes* (session de 1948), 4: 3526-3527, 3538-3539.)

(2)

Guerre de Corée

L.B. PEARSON (secrétaire d'Etat aux affaires extérieures), séance du 31 août 1950, *Débats de la Chambre des Communes,* 3e session, 1950, 98-100: ... La situation qui règne dans le monde et la crise qui sévit en Corée nous forcent inévitablement, monsieur l'Orateur, à conclure que nous devons accroître nos propres préparatifs de défense et que nous devons aider nos alliés à accroître les leurs. Cette conclusion, le Gouvernement l'accepte, comme le démontreront les mesures qui seront présentées au cours de cette session spéciale et qui sont dictées par les impératifs de la sécurité nationale et, à dire vrai, de la survivance nationale.

Toutes ces mesures ne renferment aucune trace de desseins agressifs. En cette enceinte et au pays, nous ne croyons pas, j'en suis sûr, en la guerre préventive, en l'agression destinée à assurer la paix ou quoi que ce soit. Nous ne nous proposons pas non plus d'acquiescer en silence lorsque d'autres conseilleront cette ligne de conduite. Notre tâche consiste à jouer notre rôle, — rôle que nous fixons nousmêmes après avoir consulté nos amis, — dans l'effort collectif des pays libres en vue de prévenir l'agression, si possible, en démontrant qu'elle ne pourrait pas réussir ou de la vaincre, si elle se produit.

Je tiens aussi à souligner que le Gouvernement n'a pas l'intention d'appuyer une ligne de conduite qui étendrait la portée du conflit actuel en Corée. Ce conflit, il faut le restreindre et le localiser, s'il est en notre pouvoir de le faire. Le Gouvernement n'appuiera pas, non plus, un programme qui fournirait à un autre une excuse pour l'étendre.

Cette attitude, croyons-nous, et la Chambre abondera sans doute dans notre sens, est la seule à tenir; d'abord, parce que nous devons tout faire pour réduire le risque d'une guerre internationale; puis, parce que nous croyons d'importance vitale de maintenir l'exceptionnelle unanimité avec laquelle les Nations Unies ont condamné l'agression contre la Corée du Sud; enfin, parce que nous devons maintenir une collaboration étroite entre les pays libres de l'Asie et le monde occidental. [...]

Il nous incombe donc de faire notre part pour vaincre l'agression en Corée, afin que la leçon de l'échec de l'agression à cet endroit soit comprise par ceux qui en ont besoin ailleurs. Nous devrions également hâter nos préparatifs militaires afin de pouvoir repousser tous actes semblables d'agression qui, si la présente leçon ne sert pas, pourront se produire ailleurs, car nous ne pourrons jamais espérer y parvenir seuls. Le programme d'expansion de la défense auquel nous participons nécessitera inévitablement un effort accru de la part du Canada, et nous devons être prêts à le fournir. J'imagine qu'il peut également entraîner un retard dans la réalisation de certains des objectifs pacifiques en vue desquels nous avons travaillé. Mais nous ne devons pas perdre de vue ces objectifs ni abandonner nos efforts en vue de les atteindre. Rien n'accommoderait mieux les communistes si les démocraties occidentales devenaient lentes et apathiques sous le poids des armements, devenaient de plus en plus insensibles, s'atrophiaient petit à petit et, enfin, s'éteignaient comme les dinosauriens. [...]

On sait que j'ai souvent le devoir de représenter le Canada à des conférences et à des réunions à l'étranger. Quand je rentre au pays, j'ai souvent l'impression que nos difficultés, en tant que nation, proviennent principalement de ce que nous sommes un pays heureux dans un monde malheureux. En réalité, ce n'est pas aussi simple que cela, bien entendu, comme les événements des dernières semaines l'ont démontré. Mais il y a tout de même un peu de vrai dans ce point de vue. C'est ainsi que, lorsque les problèmes lointains paraissent si complexes et si insolubles, on est inévitablement tenté de se réfugier dans son indifférence et d'espérer s'en tirer sans agir ni souffrir. Une telle attitude serait funeste devant la menace qui se fait sentir contre notre sécurité, notre existence même. Pour affronter cette menace, il nous faut faire plus en vue de la défense que jamais par le passé en temps de paix. Ces efforts viendront en conflit avec la tranquillité et le confort de notre existence. Le fardeau accru ne nous écrasera point, car nous avons les reins assez solides, mais il nous forcera à répartir de nouveau la charge existante, qui augmentera, il va de soi, par suite du tragique de l'heure.

Officiellement, nous sommes en paix, mais, de fait, nous traversons la période indécise qui sépare la paix de la guerre. La paix ne règne certainement pas car un pays comme le nôtre, qui a tant à accomplir et qui peut espérer de si grandes choses, qui ne cherche noise à personne, doit consacrer, en temps de paix, le quart de ses revenus à sa défense. Ce n'est certes pas là la paix.

Nous sommes sur le point de traverser l'épreuve en quelque sorte la plus difficile qu'une démocratie puisse avoir à surmonter, en ce sens qu'il nous faudra fournir de bon gré les efforts qu'exigent notre sécurité et notre survivance sans être aiguillonnés par la fièvre et l'excitation ni même par l'enthousiasme que soulève une guerre réelle livrée sur les champs de bataille. Il nous faudra de l'initiative, de la patience, de la discipline et de la détermination, non pas cependant la patience de la résignation, la discipline de l'esclavage ni la détermination du désespoir mais celles que peut manifester un peuple libre qui accepte de payer cher sa liberté et qui présente un front uni. Le prix que nous, — et d'autres, — devrons verser peut nous paraître élevé mais il n'est rien s'il nous épargne la nécessité d'avoir à payer plus tard un prix infiniment plus coûteux en larmes, en vies humaines et en destruction. En résumé, notre but est de fournir l'effort le plus propre à nous assurer la paix.

RAOUL POULIN (indépendant, Beauce), séance du 2 septembre 1950, *ibid.*, 180-183: ... Le Canada affronte actuellement une situation difficile. Des événements importants et tragiques se déroulent à des milliers de milles de ses côtes, événements dont il n'a d'aucune façon été la cause. Un petit pays de l'Asie, la Corée, voit la guerre sévir sur son territoire. La cause physique de cette guerre réside dans le fait qu'après la cessation des hostilités mondiales, deux grandes puissances, toutes deux nos alliées, toutes deux intéressées à cette partie du monde, — la Russie et les Etats-Unis, — ont divisé arbitrairement en deux le territoire de ce pays. Ce partage fait de façon maladroite, artificielle et peut-être même un peu égoïste, a résulté en une invasion d'une partie du pays par l'autre partie.

L'invasion de la Corée du Sud par le peuple de la Corée du Nord n'est-elle pas tout simplement, au point de vue humain, un rapprochement, une accolade brutale, sans doute, de deux membres d'une même famille que leurs tuteurs avaient cru pouvoir tenir séparés pour les mieux exploiter ?

Ce serait alors une guerre civile. Et dans ce cas, pourquoi nous mêlerions-nous de cette chicane de famille ? N'est-il pas de notre devoir de laisser ces frères séparés veiller à leur rapprochement et à leur réunion à leur guise ? Quand la Chine a été déchirée par une guerre civile intestine, nous ne sommes pas intervenus, pas plus que les Etats-Unis.

Mais à part la cause physique, une cause politique, sur laquelle le Canada n'a exercé aucune influence, a aidé l'avènement de cette guerre. C'est là que la propagande habile et bien dirigée entre en jeu. Elle tente de nous prouver, — elle a peut-être raison, — que sous la peau de la Corée du Nord se cache l'Ours moscovite, que c'est la guerre de l'idéologie communiste contre la démocratie et la liberté ! De là, il ne reste qu'un pas à franchir pour en arriver à démontrer que le Canada est menacé, non seulement dans son intégrité territoriale, mais aussi dans sa liberté, ses convictions religieuses et son mode de vie. Et il faut voter des millions, prendre les armes, envoyer des bateaux, des avions, des hommes, une brigade spéciale pour aller arrêter la marche de l'ennemi commun et aider nos alliés, qui nous aideront à leur tour.

Aider nos alliés; j'en suis. Eviter l'isolationnisme; j'en suis encore. Combattre le communisme; j'en suis toujours. Mais de quelle façon procéder ?

Aller combattre le communisme au loin avec des armes, c'est peut-être bien; mais il eût été bien plus sage de commencer par le museler chez nous, en empêchant sa propagande de prendre pied et de se répandre, en refusant à ses zélateurs la facilité de se promener partout, de voyager, d'aller chercher leurs instructions dans les pays communistes et surtout le droit de se porter candidats aux élections. On affirmait dernièrement en cette Chambre que très peu de communistes vivaient au Canada; pourtant, lors de la dernière élection dans le comté de Cartier, au delà de 4,000 votes ont été accordés au candidat communiste. Et c'est pour cela que, pour ma part, j'aurais voulu, — je l'ai indiqué, en cette Chambre, au moyen d'un vote au cours de la dernière session, — que les œuvres communistes au pays fussent mises hors la loi.

Viser à rendre tous les peuples heureux; faire en sorte de donner aux plus déshérités au moins le pain dont ils ont besoin pour calmer leur faim et leur rendre la bonne humeur; accorder aux diverses nationalités la facilité de se déployer selon la ligne normale de leurs aspirations nationales, religieuses et culturelles; aider les peuples à établir leur économie de telle sorte qu'ils ne soient pas toujours les valets d'un groupe de pays qui les subjuguent, les exploitent, en suscitant ainsi chez eux les sentiments de haine et de rancœur; voilà, monsieur l'Orateur, un exposé très incomplet et très imparfait des moyens qui, moins coûteux et moins inhumains que la guerre, n'en constituent pas moins la première et la meilleure arme contre le communisme. [...]

Le Canada, pour aider ses alliés, n'aurait-il pu essayer autre chose que de se lancer tête baissée dans la bataille ? N'aurait-il pu tenter d'user de son influence par des moyens pacifiques ?

Il faut faire la police des nations, paraît-il ? Depuis quand la police n'a-t-elle que le revolver comme moyen d'arrêter les bandits; et serait-il vrai qu'elle doit nécessairement tuer ceux qu'elle veut maîtriser ? N'y a-t-il vraiment d'autre moyen pour éteindre l'incendie que de souffler sur le brasier ? [...]

Ce pays [le Canada]... a besoin de concentrer toutes ses énergies productrices. Je l'affirme sans crainte: le Canada n'a pas trop de l'habileté de tous ses soldats entraînés, de la force physique de tous ses jeunes gens, de l'expérience de tous ses hommes d'âge mûr, de la dextérité de toutes ses jeunes femmes, de la mise en valeur de toutes ses richesses pour conserver à nos concitoyens un niveau de vie économique convenable. Il lui faut tous ces atouts pour assurer notre propre protection et nous placer convenablement et efficacement dans cette « neutralité armée et bienveillante », qui a d'ailleurs si bien servi la cause de nos alliés communs, quand elle était pratiquée par un puissant pays qui semble aujourd'hui ne pas vouloir en reconnaître l'opportunité et l'efficacité et qui, ce faisant, tourne si lestement le dos à son passé.

La défense de notre pays ne serait-elle pas le moyen le plus sûr et le plus pratique d'aider nos alliés et voisins les Etats-Unis ?

On propose d'envoyer en Corée et n'importe où ailleurs où le Gouvernement le jugera à propos, une brigade spéciale composée de militaires canadiens. Je crois de mon devoir de m'opposer formellement à cela pour les raisons que j'ai données tantôt; nous en avons besoin pour la défense de notre pays et cela serait trop onéreux pour le peuple canadien.

Une autre raison, qui n'est pas la moindre, c'est que cette levée de volontaires amènera, tôt ou tard, la conscription pour le service en dehors du pays.

225

Je suis disposé à prêter au Gouvernement toutes les meilleures intentions possibles; je suis prêt à admettre qu'il est sincère en nous parlant de volontariat et qu'il ne veut pas actuellement conscrire nos jeunes gens pour les envoyer en dehors du pays. Cependant, quand la liste des volontaires sera épuisée, qui remplacera ces morts, blessés ou disparus, surtout si, — comme on peut le prévoir, — des expériences du genre Corée se répètent à plusieurs endroits dans le monde ?

Les leçons du passé, celle du gouvernement conservateur durant la première grande guerre, celle du gouvernement libéral durant la dernière, prouvent que l'on peut facilement décider de quelle façon on fait la guerre au début mais qu'on n'est pas maître de la façon dont on la termine. Les promesses s'envolent, les remparts tombent et le peuple fait les frais de décisions inconsidérées, prises à la hâte dans l'enthousiasme du début et vite oubliées ou reniées dans la fièvre de la guerre.

La population de la province de Québec s'est prononcée sur la conscription en 1942. Même si l'occasion ne lui a pas été donnée de se prononcer depuis cette date, on a le droit de présumer qu'elle n'a pas changé d'idée depuis.

Monsieur l'Orateur, je ne veux pas insister davantage. J'ai défendu une idée, — ou du moins j'ai essayé très humblement de la défendre, — une idée qui, je le sais, n'est pas partagée par la majorité des membres de cette Chambre, mais elle l'est par la majorité des électeurs du comté de Beauce, qui m'ont demandé de venir les représenter au Parlement de leur pays !

J'ai traité d'un sujet brûlant, épineux et délicat. J'ai tâché d'être objectif et calme. Je me suis bien gardé de soulever les passions ou de réveiller de vieilles rancœurs. Quand mes électeurs liront mon humble discours, — s'ils veulent bien le faire, — ils se rendront compte que j'ai apporté à la Chambre, le respect, la dignité et la franchise qui caractérisent la belle population du comté de Beauce.

(3)

Affaire de Suez

EARL ROWE (chef intérimaire de l'opposition), séance du 26 novembre 1956, *Débats de la Chambre des Communes* (session spéciale, 1956-1957), 12, 19: Je sais que nos concitoyens et les honorables députés ici présents, surtout ceux qui font partie de la loyale opposition de sa Majesté, ont eu, la fin de semaine dernière, deux sujets de stupéfaction. Je songe d'abord à l'attitude étrange des Etats-Unis d'Amérique aux Nations Unies. En dépit de l'attitude assez vigoureuse prise par les représentants du Canada la semaine précédente, il y eut, samedi soir, un silence presque embarrassant au sujet de la question dont étaient alors saisies les Nations Unies. [...]

Sans doute la situation est-elle d'une exceptionnelle gravité. Il y a eu une grande évolution des événements depuis quelques années. Jusqu'ici la sécurité était plus ou moins fonction de la solidité des alliances. Depuis longtemps, de notre point de vue, l'alliance la plus intime a été celle qui unissait la Grande-Bretagne au Commonwealth. Cette unité, plus ou moins reconnue, mais que ne sanctionnait aucun texte, a souvent, je pense, évité des troubles. Des alliances comme celles-là se fondaient sur la confiance mutuelle. Elles ne portaient que sur des buts bien déterminés dont la poursuite n'engendrait aucune méfiance entre les parties en cause. Il aurait jadis été inconcevable d'entendre un allié reprocher publiquement à un autre les mesures prises par lui pour défendre sa propre sécurité. En fait, il eût été sans précédent qu'un premier ministre du Canada ou un ministre du cabinet du Canada réprouve publiquement une décision britannique dont, dans le cas qui nous occupe, le bien-fondé est maintenant établi et qui équivaut peut-être réellement à avoir sauvé, pour le moment, le Moyen-Orient. [...]

Je n'entends pas éterniser le débat. Mais je ne vois pas que cette question soit de celles qu'on puisse régler en un tournemain pour contenter le Gouvernement. Il s'agit d'une question grave qui atteint au plus profond d'eux-mêmes tous les Canadiens. Elle concerne la vie et l'espoir de ce peuple-là, de ses enfants, vivants ou à venir. Je n'entends certes pas transformer cette question en controverse politique, mais il reste que le Canada est troublé, inquiet, choqué aussi des tergiversations de son Gouvernement, de la satisfaction de soi qu'il manifeste en cette affaire comme en tant d'autres. Il est inutile de s'abriter derrière l'Organisation des Nations Unies. L'Organisation n'est pas plus forte que les pays qui la composent. La solidité d'une chaîne est fonction de celle de son plus faible chaînon. Le Canada a échoué lamentablement dans son action auprès de l'Organisation des Nations Unies.

J'aurais honte de siéger ici si, à l'Assemblée des Nations Unies, j'avais vu les Etats-Unis voter comme ils l'ont fait pour chasser la

Grande-Bretagne et la France de la région de la Méditerranée. La Grande-Bretagne et la France ont convenu de se retirer de la région quand il s'y trouverait une force de police suffisante, mais c'est une attitude bien étrange maintenant que de leur dire de se retirer d'une région dont leur existence dépend. Ce n'est pas suffisant pour le premier membre du Commonwealth britannique des nations. Par conséquent, monsieur l'Orateur, appuyé par l'honorable député de Vancouver-Quadra (M. Green), je propose au nom de la loyale opposition de Sa Majesté:

Que ce qui suit soit ajouté à l'Adresse:

Que la Chambre regrette que les conseillers de Son Excellence:
1. aient choisi de réprouver gratuitement les mesures prises par le Royaume-Uni et la France, qui visaient à prévenir une guerre de grande envergure dans la région de Suez;
2. aient suivi avec soumission la ligne de conduite irrationnelle des Etats-Unis d'Amérique et aient ainsi favorisé une attitude fanfaronne et provocatrice de la part du dictateur égyptien;
3. aient placé le Canada dans l'humiliante situation d'accepter les diktats du président Nasser;
4. n'aient pas agi rapidement et de façon satisfaisante pour donner refuge aux patriotes de Hongrie et d'autres pays assujétis au joug cruel de la Russie.

LOUIS-S. SAINT-LAURENT (premier ministre), séance du 26 novembre 1956, *ibid.*, 20-23: ... On a laissé entendre que le Canada avait été humilié par le colonel Nasser. Le Canada n'a rien eu à faire avec le colonel Nasser. Le Canada s'est entendu avec les Nations Unies, représentées en l'occurrence par le secrétaire général et une autre personne, Canadien très distingué au patriotisme et à la sagesse duquel le Gouvernement fait une confiance quasi illimitée. Je veux parler du général Burns.

D'abord, on a proposé telle motion, qui a été interprétée, avec raison, je crois, comme renfermant un blâme à l'endroit d'Israël, ainsi qu'à l'endroit de la France et de la Grande-Bretagne, pour avoir pris sur eux de faire justice lorsque le Conseil de sécurité des Nations Unies avait déjà été saisi de l'objet du litige. Ceux qui prononcent ces phrases grandiloquentes semblent oublier que les nations du monde ont signé la charte des Nations Unies et se sont engagées par là à employer des moyens pacifiques, et non pas à recourir à la force, pour régler les différends éventuels.

J'ai été plus d'une fois scandalisé de l'attitude des grands pays, des grandes puissances comme nous les appelons, qui trop souvent ont traité la charte des Nations Unies comme un instrument destiné à leur permettre de faire marcher les petites nations, mais dont il n'y avait pas lieu de tenir compte lorsque leurs prétendus intérêts essentiels étaient en jeu. Pour ce qui est du veto, on m'a dit que, si les Russes n'avaient pas insisté pour l'obtenir, les Etats-Unis et le Royaume-Uni l'auraient réclamé, parce que ces pays ne pouvaient permettre à une foule de petites nations de régler de façon décisive des questions qui se rapportaient à leurs intérêts vitaux.

Une voix: Pourquoi le permettraient-ils ?

Le très hon. M. St-Laurent: Parce que les membres des petites nations sont des êtres humains tout comme les peuples de ces pays, parce que l'ère où les surhommes de l'Europe pouvaient gouverner le monde entier a touché à sa fin, ou est bien près de finir. [...]

Cette résolution [la résolution pour laquelle le Canada avait voté aux Nations Unies] ne renfermait aucune condamnation, par le Canada, gratuite ou autre, elle exprimait du regret que certains membres des Nations Unies aient jugé nécessaire de prendre sur eux de faire justice sur une question dont le Conseil de sécurité était saisi; elle disait aussi qu'il était regrettable qu'on exploitât ce qui s'était produit au Moyen-Orient pour masquer les actes horribles, les crimes internationaux horribles qui se commettaient à ce moment-là en Europe centrale. Les événements au Moyen-Orient rendaient plus difficile de mobiliser l'opinion mondiale dans le sens d'une condamnation énergique et unanime de ce qui se passait alors en Hongrie. [Le premier ministre fait ici allusion à l'intervention des troupes soviétiques qui, au moment où la France, le Royaume-Uni et Israël s'attaquèrent à l'Egypte, étaient en train d'écraser une révolte populaire à Budapest.]

C'est ce que nous avons déploré. Nous estimons que de ces événements peut découler une situation meilleure que celle qui existait précédemment. Nous espérons, et nous avons cherché à amener tous les membres de l'alliance occidentale à conjuguer leurs efforts pour atteindre l'objectif qui leur était commun, le règlement permanent du conflit au Moyen-Orient, règlement qui confirme l'existence de l'Etat d'Israël comme un Etat établi par les Nations Unies, œuvre que les Nations Unies sont tenues, sur leur honneur, de défendre et de maintenir. Nous espérons qu'on en arrivera à un accord quelconque, sinon permanent, — car la permanence n'est guère le fait de l'activité ni des réalisations humaines, — du moins durable...

RAOUL POULIN (indépendant, Beauce), séance du 27 novembre 1956, *ibid.*, 94-95: ... j'approuve la décision de l'ONU d'envoyer sur le théâtre des troubles une patrouille qui tentera d'y rétablir l'ordre et je me réjouis que cette proposition ait émané de l'honorable secrétaire d'Etat aux Affaires extérieures (M. Pearson) dans le gouvernement canadien.

Autant je me suis opposé à l'envoi de troupes en Corée en 1950, — et j'avoue bien simplement que je n'ai pas encore regretté d'avoir adopté cette attitude, — autant je soutiens aujourd'hui notre participation à une force de police internationale. Ceci ne veut pas dire que nous ne courons pas le risque d'être pris plus tard dans un guêpier; cependant, il s'agit, à mon sens, d'un risque calculé qui me paraît bien moindre que celui de laisser seules les grandes puissances manœuvrer de la façon que l'on sait et que le très honorable premier ministre (M. St-Laurent) a si bien stigmatisée dans son discours d'hier.

J'approuve également, non par plaisir mais par devoir, ce geste pénible, tragique et douloureux par lequel l'ONU a dû réprouver la conduite de nos alliés, l'Angleterre et la France. Il n'y a pas, ou tout au moins je ne vois pas de justification possible à l'acte commis par ces deux pays amis. Autant le geste de Nasser, en s'emparant du canal de Suez, était malhabile, enfantin, provocateur et dangereux, autant celui de l'Angleterre et de la France était injustifiable, arbitraire et non moins dangereux. Rien, ni dans l'esprit ni dans la lettre de la Charte de l'ONU non plus que de l'OTAN, ne justifiait un tel acte, que je n'hésite pas à qualifier d'agression. Peut-on décemment approuver chez nos amis et alliés ce que l'on réprouve chez nos adversaires ? [...]

En conséquence, s'il est juste et louable de participer à la formation d'un corps de police international chargé de maintenir la paix, il me semble non moins juste et raisonnable de rapatrier immédiatement et totalement le corps expéditionnaire que nous avons en Europe. [L'orateur fait ici allusion aux troupes canadiennes membres des forces de l'OTAN.]

Quant à la somme d'un million de dollars que le Gouvernement nous demande de voter pour venir en aide aux malheureux réfugiés hongrois, je ne crois pas qu'elle soit exagérée. Le Canada se doit de faire tout son possible pour soulager la misère de ce peuple martyr. Nous ne devons pas oublier que tous les hommes sont frères et que la charité chrétienne nous commande de nous secourir mutuellement. Oh ! je sais que certaines personnes au Canada, — et j'en compte quelques-unes dans le beau comté que je représente, — prétendront que nous devons d'abord soulager la misère chez les nôtres, et elles ont raison jusqu'à un certain point. Cependant, comme l'écrivait un rédacteur dans la *Gazette* de ce matin: la charité peut commencer chez soi mais elle ne doit pas s'arrêter là. Au reste, se trouve-t-il vraiment au Canada quelques dizaines d'individus qui soient dans un dénuement physique ou moral comparable à celui que connaissent les réfugiés hongrois ? Je ne le crois pas. Si tel était le cas, il nous faudrait admettre que nous manquons gravement à notre devoir de charité chrétienne envers les nôtres, mais ceci ne nous justifierait pas d'y manquer envers les autres.

41. - *Enquête Tremblay*

(1953-1956)

Cédant aux pressions de tous ceux qui réclamaient une étude approfondie des relations fédérales-provinciales, le gouvernement Duplessis créa une commission royale d'enquête sur les problèmes constitutionnels (1953). Les Chambres de Commerce de la province, en présentant cette demande d'enquête au premier ministre, s'étaient faites les porte-parole de tous les défenseurs de l'autonomie provinciale qui comptaient sur les travaux d'une telle commission pour guider le gouvernement dans sa politique. Trop souvent, celle-ci semblait improvisée et à la merci des circonstances.

La Commission, présidée par le juge Thomas Tremblay, siégea publiquement dans les principales villes de la province et reçut 253 mémoires. La plupart des grandes institutions (universités, collèges classiques, commissions scolaires, municipalités, etc.) et les plus importantes associations de citoyens se présentèrent devant la Commission non seulement pour exposer leurs vues sur les problèmes constitutionnels mais avec le souci de définir la politique que devrait suivre un gouvernement du Québec pleinement conscient de ses lourdes responsabilités en cette deuxième moitié du XXe siècle. De leur côté, les membres de la Commission Tremblay chargèrent plusieurs experts de préparer une série d'études pour les éclairer dans leur tâche. Ces travaux de recherche et de documentation forment onze annexes ajoutées au rapport des commissaires. L'enquête Tremblay fut pour toute la collectivité québécoise l'occasion d'un examen et d'une prise de conscience. Jamais auparavant, les Canadiens français du Québec ne s'étaient interrogés avec un tel effort de lucidité sur eux-mêmes et sur leurs problèmes collectifs. Le rapport des commissaires, publié au printemps de 1956, tenta de résumer les prises de position traditionnelles des dirigeants canadiens-français tout en les adaptant aux circonstances et traça les grandes lignes d'une politique nouvelle en relations fédérales-provinciales. Celle-ci manquait de réalisme car elle s'appuyait sur une conception très théorique du fédéralisme. En effet, on peut se demander si le fédéralisme auquel réfèrent constamment les commissaires est possible. L'histoire n'en donne aucun exemple. Quoi qu'il en soit, ce n'est certes pas le fédéralisme qu'ont voulu établir les Pères de la Confédération et tous ceux qui ont dirigé le Canada depuis 1867 (voir documents Nos, 2, 3, 4, 5, 10, 26, 34, 37, 38 et 39). Le rapport proposait aussi plusieurs réformes dans l'administration de la province. Le gouvernement, qui n'avait pas prévu l'ampleur que prit cette enquête — véritable référendum sur l'autonomie provinciale et sur le rôle de l'Etat québécois, jugea que le programme fixé par les commissaires était trop ambitieux. Il y voyait même une censure à son égard. Partiellement satisfait des nouveaux arrangements fiscaux avec Ottawa (voir document No 39), M. Duplessis se montra peu empressé à faire connaître le rapport, encore moins à s'en inspirer dans sa politique. Nous donnons quelques extraits du rapport; pour les notes bibliographiques, voir documents Nos 34 et 37.

(1)

Loi instituant une commission royale d'enquête
sur les problèmes constitutionnels

Sanctionnée le 12 février 1953

Attendu que la confédération canadienne, née d'une entente entre les quatre provinces pionnières, est d'abord et surtout un pacte d'honneur entre les deux grandes races qui ont présidé à sa fondation et dont chacune apporte une précieuse et indispensable contribution au progrès et à la grandeur de la nation;

Attendu que la constitution de 1867 reconnaît aux provinces, à la province de Québec en particulier, des droits, prérogatives et libertés dont le respect intégral est intimement lié à l'unité nationale et à la survivance de la confédération et leur assigne des responsabilités et des obligations qui impliquent corrélativement les moyens d'action nécessaires;

Attendu que la province de Québec entend exercer ces droits et remplir ces obligations et que, pour ce faire, elle doit sauvegarder les ressources fiscales qui lui appartiennent et conserver son indépendance financière aussi bien que son autonomie législative et administrative;

Attendu que, depuis 1917, le pouvoir central a envahi d'importants domaines de taxation réservés aux provinces et, par là, limité sérieusement la possibilité pour les provinces d'exercer leurs droits fiscaux dans ces domaines;

Attendu que ces empiétements privent les provinces, notamment le Québec, de sources de revenus qui leur appartiennent et leur sont nécessaires, les restreignent dans l'exercice des droits et des pouvoirs législatifs et administratifs qui leur sont reconnus par la constitution, faussent l'application du pacte confédératif et en menacent l'existence par l'étiolement des provinces et une centralisation de pouvoirs inconciliable avec le système fédératif et démocratique;

Attendu qu'une telle centralisation ne peut conduire qu'au régime bureaucratique et à la disparition graduelle du gouvernement responsable;

Attendu que, dans un pays aussi vaste et aussi diversifié que le Canada, seule une administration décentralisée peut répondre aux besoins de chaque région et assurer le développement harmonieux de l'ensemble;

Attendu que le respect des droits de toutes les parties constituantes de la confédération est essentiel à sa survie et à l'avenir de la nation canadienne;

Attendu que les institutions municipales et scolaires, qui sont des émanations des provinces et des formes démocratiques de décentralisation administrative, ont droit à leur juste part du revenu national et qu'elles ne peuvent l'obtenir que sous un régime de décentralisation fiscale;

Attendu qu'il y a lieu de confier à une commission royale l'étude des problèmes d'importance vitale résultant de cette situation et des mesures à prendre pour les résoudre;

A ces causes, Sa Majesté, de l'avis et du consentement du Conseil législatif et de l'Assemblée législative de Québec, décrète ce qui suit:

1. Le lieutenant-gouverneur en conseil est autorisé à constituer une commission royale pour enquêter sur les problèmes constitu-

tionnels, lui faire rapport de ses constatations et opinions et lui soumettre ses recommandations quant aux mesures à prendre pour la sauvegarde des droits de la province, des municipalités et des corporations scolaires.

2. Sans restreindre la portée de l'article précédent, cette commission étudiera spécialement

a) le problème de la répartition des impôts entre le pouvoir central, les provinces, les municipalités et les corporations scolaires;

b) les empiétements du pouvoir central dans le domaine de la taxation directe, en particulier, mais sans restreindre la portée de la présente disposition, en matière d'impôt sur le revenu, sur les corporations et sur les successions;

c) les répercussions et les conséquences de ces empiétements dans le régime législatif et administratif de la province et dans la vie collective, familiale et individuelle de sa population;

d) généralement les problèmes constitutionnels d'ordre législatif et fiscal.

3. Les membres de cette commission sont nommés par le lieutenant-gouverneur en conseil, qui désigne parmi eux un président, peut leur adjoindre les officiers, juristes et autres spécialistes dont il juge les services nécessaires et fixe le traitement de chacun d'eux.

La commission doit, dès sa formation, procéder à cette enquête, la compléter avec toute la diligence possible, faire rapport au lieutenant-gouverneur en conseil le ou avant le premier mars 1954 et lui remettre en même temps toute la documentation recueillie au cours de son enquête.

4. A cette fin, la commission peut siéger, en séances publiques, à tout endroit de la province où elle le juge à propos, entendre des experts, des représentants de corps publics ou privés et d'autres témoins, recevoir des rapports et se procurer par les moyens qu'elle estime convenables toute documentation et toute information qu'elle juge utiles. [...] (*Rapport de la Commission royale d'enquête sur les problèmes constitutionnels* (4 vol., Québec, 1956), 1: v-vii.)

(2)

Vue d'ensemble du rapport

...

Le public a répondu magnifiquement à cet appel et nous a fait connaître ses besoins et ses vues dans des mémoires dont l'abondance et la richesse sont une marque évidente de l'intérêt que partout la Commission a suscité. Jamais, semble-t-il, les citoyens du Québec ne s'étaient livrés à un pareil examen de leurs forces et de leurs faiblesses; jamais ils n'avaient pris une conscience aussi aiguë de la gravité des problèmes constitutionnels et de la nécessité de leur trouver le plus rapidement possible des solutions satisfaisantes.

Le rapport que nous présentons aujourd'hui tend à se faire, autant que possible, l'écho de cet examen et de cette prise de conscience uniques dans l'histoire de la Province. Il vise à donner un tableau complet de la situation actuelle dans le Québec, mais il ne peut évidemment apporter une solution complète et définitive à tous et à chacun des problèmes de l'heure. Même si tous ces problèmes nous intéressent en raison de leur incidence financière, il y aurait eu, de notre part, présomption, témérité et même égarement si nous avions entrepris de leur chercher à tous une solution, alors que notre mandat ne nous y autorisait nullement et que le peu de temps à notre disposition nous imposait de nous borner à l'essentiel. D'autres, espérons-le, continueront et parachèveront notre œuvre.

Celle-ci se divise en cinq grandes parties. Elle débute par l'examen et le récit des relations fédérales-provinciales depuis la Confédération jusqu'à nos jours. Nous savons très bien que la matière à traiter dans cette première partie ne diffère guère de celle qu'a déjà longuement étudiée le *Rapport de la Commission royale des Relations entre le Dominion et les provinces,* en 1940, mais la tâche à remplir et les objectifs à atteindre nous ont induits à reconsidérer cette matière sous un angle plus restreint et d'un point de vue différent, qui accordent, comme il convient, une place prépondérante à la province de Québec.

Cette place ne fait que s'accroître dans la deuxième partie de notre travail, consacrée à donner un tableau aussi complet que possible de la situation actuelle concernant l'état des finances publiques, tant de la Province que des institutions qui relèvent de sa juridiction. Nous avons cru qu'un tel inventaire s'imposait avant d'en arriver à proposer quoi que ce soit. D'ailleurs, la plupart des associations et institutions qui se sont présentées devant nous dressaient déjà dans leur mémoire le bilan de leurs ressources et de leurs besoins; il ne nous restait qu'à synthétiser ces données et à en combler les lacunes pour avoir une bonne vue d'ensemble de la situation actuelle dans la Province.

Le Québec posant par ailleurs un cas particulier à l'intérieur de la fédération canadienne par le fait qu'il est la seule province où vit une population en immense majorité de culture française et de religion catholique, il nous a paru nécessaire de tenter un effort en vue de définir les caractères de cette population, ses aspirations fondamentales et ses besoins particuliers en tant même que groupe ethnique distinct, bref en vue de montrer pourquoi et comment cette province n'est pas et ne peut pas être comme les autres.

Il nous a fallu pour cela étudier les deux principales cultures existant au Canada et exposer en particulier les conditions de vie faites à la culture canadienne-française depuis la Conquête, et pourquoi il importe au pays tout entier que cette culture trouve les moyens de vivre et de s'épanouir au Canada.

Notre rapport aurait été incomplet s'il n'avait en outre comporté une étude sur le régime constitutionnel et politique propre à l'Etat canadien depuis 1867. La question du fédéralisme, tant en lui-même que dans la forme particulière qu'il revêt au Canada, a retenu longuement notre attention. Nous avons même cru bon de l'examiner dans ses rapports avec les grands problèmes internes de l'heure présente: problèmes d'ordre éducationnel, économique, social et fiscal.

Après ces études de faits et d'idées, après cet exposé de nos « constatations et opinions », viennent, comme le demande la loi instituant la Commission, les « recommandations quant aux mesures à prendre pour la sauvegarde des droits de la Province, des municipalités et des corporations scolaires ». Ces recommandations découlent tout naturellement des premières parties de notre rapport et tendent, du moins nous l'espérons, à proposer l'adoption et l'application d'un sain fédéralisme, dans les cadres duquel les deux grands pouvoirs intéressés — le fédéral et le provincial québecois avec toutes les institutions qui en dépendent — pourront, en y mettant, de part et d'autre, de la bonne volonté, vivre en paix et remplir leurs fonctions pour le plus grand bien et de la petite patrie québécoise et de la grande patrie canadienne.

Qu'il nous soit permis, en terminant cette introduction, d'exprimer un regret: celui du manque de documentation en langue française sur les problèmes fondamentaux du Canada et du Québec à l'heure présente: constitutionnels, politiques, sociaux, économiques, financiers et autres. Il y a là une grave lacune, qui ne peut à la longue que nuire aux véritables intérêts du groupe canadien-français. Aussi dans le but de la combler partiellement publions-nous, avec le présent rapport, un volume de statistiques sur la situation actuelle de la province de Québec, et, en annexes, un certain nombre d'études faites par des experts sur des questions concernant les objectifs mêmes de notre enquête. Puissent tous ces travaux être de quelque utilité aux citoyens du Québec pour qui, en définitive, ils ont été entrepris. *(Ibid.,* 1: 2-5.)

(3)

Idéal poursuivi

L'imbroglio constitutionnel qui domine l'histoire récente du Canada se présente surtout sous l'aspect fiscal: les épisodes les plus retentissants ont trait à l'impôt. En fait, il procède d'une divergence fondamentale d'interprétation du fédéralisme canadien. Aussi, comme nous venons de le rappeler, la loi qui institue notre Commission d'enquête élargit-elle notre mandat au problème constitutionnel lui-même. Elle écarte toute conception étroite, purement technique du problème fiscal, et l'envisage au premier chef comme un problème politique, à traiter selon l'esprit et la lettre du droit constitutionnel.

La situation qui peu à peu, surtout depuis la crise et la dernière guerre, s'est développée au pays est telle, en effet, que pour la dominer et y remédier, il faut reprendre attitude sur les fondements mêmes du régime constitutionnel et politique. Il ne s'agit pas ni ne peut s'agir, comme en certains milieux on est enclin à le penser ou à le suggérer, d'une simple redistribution, selon n'importe quel mode, des fonds nécessaires à l'administration publique, mais d'une reprise de conscience des exigences permanentes de la réalité socio-politique et d'un réaménagement en conséquence de la fiscalité.

Telle est bien l'idée que la population de la province de Québec s'est faite elle-même de la question. Sa réponse à notre enquête a été générale et autant dire unanime. Tous les grands problèmes dont la solution dépend de l'initiative des provinces ont été abordés en eux-mêmes et dans leurs relations avec le régime politique. Chacun a donné lieu à des prises de position sans équivoque. Par ses corps publics et ses organismes sociaux, la province de Québec a exprimé avec vigueur sa volonté d'autonomie selon l'esprit du fédéralisme, et s'est révélée très consciente des multiples et graves implications de la fiscalité à cet égard.

Nous avons donc essayé nous-mêmes de saisir le problème dans son ensemble. A propos d'impôt et de partage des impôts c'est, nous en avons la conviction, tout le régime constitutionnel qui est en cause, et avec celui-ci les libertés fondamentales et le sort politique, d'une part, de l'individu en tant que citoyen, d'autre part, des deux grandes communautés culturelles dont la population est composée. *(Ibid.,* 3 (tome 2): 286-287.)

(4)

Recommandations générales

... Nous recommandons donc au gouvernement de la province de Québec d'inviter le gouvernement fédéral et les gouvernements des autres provinces, en tant que parties constituantes de l'Etat, à entreprendre ensemble la réadaptation du régime général de l'impôt aux besoins actuels de la population et de l'administration publique selon l'esprit du fédéralisme. Cette refonte, accomplie dans les cadres de la Constitution, viserait à en réinterpréter les idées maîtresses dans les quatre grandes dispositions que doit comporter à notre époque une politique fiscale conforme à la fois au fédéralisme et aux besoins généraux de l'Etat.

Deux de ces dispositions impliquent, dans le choix et l'aménagement des structures fiscales, des options de principes dont doit découler la politique canadienne.

I — Fiscalité et liberté personnelle du citoyen

La première de ces options consisterait en une entente entre les gouvernements sur le pourcentage du produit national qui, étant donné l'état présent et les variations prévisibles de la conjoncture, peut être considéré comme la limite maximum de l'impôt. Ce pourcentage serait donc fixé à un taux tel que le contribuable conserve l'initiative et la responsabilité de sa propre existence dans toute la mesure où, dans l'état d'intégration actuelle de l'économie sociale, le permet le service du bien commun. A propos de fiscalité, et pour en déterminer le niveau, les modes et les structures, il s'agit donc d'une prise de position sur le plan philosophique, savoir, selon quelle conception de l'ordre l'Etat canadien se définira lui-même et réglera désormais ses rapports avec les citoyens. Une telle option est rigoureusement imposée par les tendances de notre époque. Il faut choisir entre la conception personnaliste traditionnelle, selon laquelle la primauté appartient à l'homme lui-même, et la conception totalitaire, type socialiste ou fasciste, selon laquelle la primauté appartient à l'Etat. La politique à mettre en œuvre diffère essentiellement dans l'un et l'autre cas; et comme les deux conceptions s'excluent, l'Etat qui opte pour la première ne peut, sans risquer sa propre détérioration par le dedans, emprunter, en matière fiscale ou autre, les règles de pratique d'un Etat qui s'inspire de la seconde, car les institutions tendent à informer selon l'esprit dont elles procèdent le milieu social où elles fonctionnent, et par celui-ci les manières de vivre et de penser.

II — Fiscalité et ordre constitutionnel

Une fois l'accord établi quant au niveau général de l'impôt, les gouvernements procéderaient au partage des champs de taxation selon un mode qui mette chacun d'entre eux en état de se procurer en permanence, de sa propre autorité et sous sa propre responsabilité, les ressources nécessaires au libre exercice de ses juridictions. Il s'agit cette fois d'une option sur la forme de l'Etat: l'Etat canadien sera-t-il désormais franchement unitaire, franchement fédéraliste, ou continuera-t-il de pratiquer le fédéralisme boiteux, inconsistant, comportant tous les inconvénients et aucun des avantages du fédéralisme authentique, dans lequel les pratiques constitutionnelles en cours menacent de l'enliser. Dans un pays comme le Canada, cette option est à la clé du fonctionnement de l'Etat et de l'harmonie des relations entre les différentes parties de la population et du pays. Or, pas de fédéralisme sans autonomie des parties constituantes de l'Etat, et pas de souveraineté des divers gouvernements sans autonomie fiscale et financière.

Action parallèle sur le plan social et sur le plan fiscal

L'imbroglio fiscal dont on cherche aujourd'hui la solution, s'étant développé par une action parallèle sur le plan social et sur le plan fiscal, le retour à l'esprit de la Constitution et au fédéralisme exige donc action parallèle sur les deux mêmes plans. Inutile de prétendre résoudre le problème fiscal selon les fins que les auteurs de la Constitution avaient en vue, si on ne restitue pas aux deux ordres de gouvernement les fonctions que la réalité sociologique leur assigne respectivement, aujourd'hui comme en 1867. Hors des grandes perspectives politiques qui ont donné à l'Etat canadien sa forme et son esprit, le problème fiscal ne ressortit plus qu'aux critères de simplicité et d'efficacité et à l'habileté des techniciens.

Règle de partage des impôts directs

Les impôts indirects (au sens de la jurisprudence constitutionnelle) étant assignés par la Constitution au gouvernement fédéral, l'entente à intervenir ne peut porter que sur les impôts directs. Le gouvernement fédéral, ayant lui-même accès à cette catégorie d'impôts, l'accord entre les gouvernements suppose définition et acceptation d'une règle de partage qui supprime les équivoques dont procèdent, depuis une trentaine d'années, les pratiques constitutionnelles, et dont est sortie la confusion actuelle. Cette règle de partage, nous l'avons formulée plus haut: elle est déduite des fins générales de la Constitution. Les impôts étant en relation de qualité (relation d'autant plus évidente que l'impôt est plus lourd) avec les fonctions de la vie collective doivent, dans un Etat fédératif, être attribués aux deux ordres de gouvernement selon leur relation avec les fonctions dont ceux-ci sont respectivement investis. Ainsi, les impôts sur le revenu affectant la personne et les institutions doivent être réservés aux provinces à qui incombe la juridiction en matière culturelle et sociale. Le gouvernement fédéral étant, de son côté, investi des plus larges responsabilités économiques, devrait avoir seul accès aux impôts portant sur les biens et la circulation des biens.

Transferts d'impôts

En pratique, cette règle de partage entraînerait la réallocation suivante:

a) Au gouvernement fédéral (outre les impôts indirects) les impôts à incidence économique dont la pratique au palier des régions ou des localités tend à susciter des frontières à l'intérieur du pays: taxe de vente, taxe sur les divertissements et spectacles, sur l'essence, le tabac, les transferts de valeurs mobilières, etc.

b) Aux gouvernements provinciaux (outre la taxe foncière dévolue aux municipalités, les licences et permis, les redevances sur les ressources naturelles, les profits des entreprises étatisées), les impôts sur le revenu des particuliers et des compagnies et l'impôt sur les successions.

Retour aux provinces de la sécurité sociale

Le retour à l'esprit de la Constitution en matière fiscale implique, avons-nous dit, un retour parallèle en matière sociale. En premier lieu, les transferts d'impôts dont nous venons de parler exigent un allégement correspondant des charges du gouvernement fédéral. Surtout, le texte originel de la Constitution réserve aux provinces tout le domaine dit aujourd'hui de la sécurité sociale: aide aux vétérans, allocations familiales, pensions aux vieillards, assurance-chômage, etc. Du point de vue des fins supérieures du fédéralisme canadien, il est nécessaire qu'il en soit ainsi. Si les provinces disposent des ressources suffisantes — et ce serait le cas si le réaménagement fiscal proposé ici était réalisé — rien ne s'oppose à ce qu'elles assument en cette matière leur pleine responsabilité. Pour la province de Québec, étant donné son rôle propre dans la Confédération canadienne, le plein exercice de sa juridiction en matière sociale est d'importance capitale.

Il y aurait certes lieu de s'étonner si les transferts dont nous venons de parler se traduisaient du premier coup par un parfait équilibre des budgets. Des ajustements seraient donc nécessaires. Remarquons cependant que les cinq plus grandes provinces représentant environ 80% de la population canadienne disposeraient tout de suite des ressources nécessaires à l'administration de leurs affaires (y compris la sécurité sociale maintenue comme service d'Etat à son niveau actuel), et d'un excédent pour les développements futurs. (*Ibid.*, 3 (tome 2): 301-304.)

42. - Conférence provinciale sur l'éducation

(1958)

Au cours des années 1956-1958, les problèmes de l'enseignement prirent une importance chaque jour grandissante. L'enquête Tremblay (voir document No 41) avait mis en lumière les difficultés financières des commissions scolaires, des collèges et des universités. Les commissaires, constatant le retard accumulé dans le domaine de l'instruction scolaire et de la recherche scientifique, avaient déclaré dans leur rapport que l'enseignement leur était apparu comme le problème le plus urgent du Québec et avaient même proposé la tenue d'une enquête royale consacrée exclusivement à cette question. A l'été de 1956, l'Institut Canadien des Affaires Publiques, lors de sa réunion annuelle à Sainte-Adèle, avait choisi l'enseignement comme thème de sa rencontre. Les travaux présentés à ces journées d'étude avaient rappelé aux dirigeants de la société canadienne-française qu'ils avaient le devoir de se demander en toute objectivité si le système scolaire de la province répondait réellement aux besoins de la population. La décision du gouvernement fédéral, annoncée au mois d'octobre 1956, d'augmenter son aide financière aux institutions d'enseignement universitaire (voir documents Nos 38 et 39) déclencha un nouveau débat, encore plus orageux que celui des années 1951-1954, sur les relations fédérales-provinciales, sur la politique autonomiste du gouvernement Duplessis et sur la juridiction de l'Etat provincial en matière d'enseignement. Quelques porte-parole de la collectivité, s'opposant aux groupes conservateurs qui préféraient s'en tenir au *statu quo,* soutenaient que le moment était venu de réexaminer les responsabilités réciproques de l'Eglise et de l'Etat provincial dans l'organisation du système scolaire.

Pour bien comprendre la situation, il faut aussi tenir compte de l'examen de conscience que provoquèrent en Occident les succès scientifiques de l'URSS qui lança son premier satellite à l'automne de 1957. Les dirigeants et les éducateurs des principaux pays nord-atlantiques cherchèrent alors les moyens de faire face au défi soviétique et proposèrent plusieurs réformes dans l'enseignement. Il devenait nécessaire pour les sociétés occidentales, nord-américaines en particulier, d'employer une plus grande partie de leurs ressources à la formation des nouvelles générations. Au Canada anglais, ceux qui croyaient que l'Etat fédéral devait faire davantage pour le progrès de l'enseignement et de la recherche, en mettant de côté tout scrupule constitutionnel — thèse qui reçut l'appui de plusieurs Canadiens français éminents, intensifièrent leur propagande et convoquèrent une « Conférence canadienne sur l'éducation » qui se tint à Ottawa du 17 au 29 février 1958. Au Québec, les Sociétés Saint-Jean-Baptiste, les Chambres de Commerce, les associations d'étudiants et plusieurs autres groupements collaborèrent pour organiser une « Conférence provinciale sur l'éducation ». Celle-ci eut lieu à l'Université de Montréal du 7 au 9 février 1958. Cinquante-cinq associations, représentées par plusieurs centaines de délégués, y participèrent.

Nous donnons: (1) le texte des principales résolutions adoptées par les délégués; (2) quelques extraits du discours prononcé au banquet de clôture par M. Yves Prévost, secrétaire de la province. Voir Michel Brunet, « Pourquoi n'avons-nous pas un ministère de l'Education », *Alerte,* 13 (octobre 1956): 228-232; en collaboration, *L'Université dit « NON » aux Jésuites* (Montréal, 1961); en collaboration, *La Crise de l'enseignement au Canada français* (Montréal, 1961); Gérard Filion, *Les Confidences d'un commissaire d'écoles* (Montréal, 1960); [R.F. Pierre Jérôme,] *Les Insolences du Frère Untel* (Montréal, 1960); André Morel et autres, *Justice et paix scolaire* (Montréal, 1962); Arthur Tremblay, *Contribution à l'étude des problèmes et des besoins de l'en-*

seignement dans la province de Québec (annexe 4 du rapport de la Commission royale d'enquête sur les problèmes constitutionnels, Québec, 1956).

(1)

PREMIÈRE CATÉGORIE

ATTENDU que certains problèmes sont urgents et peuvent être réglés sans étude nouvelle, la Conférence provinciale sur l'éducation recommande:

1) Que toutes nos lois scolaires soient refondues.

2) Que les étudiants qui fréquentent les quatre premières années des collèges classiques bénéficient des mêmes conditions financières que les étudiants des classes de niveau correspondant dans les institutions de l'enseignement public, où l'on n'exige aucuns frais de scolarité.

3) Que le régime des bourses soit étendu à tous les étudiants fréquentant les classes supérieures des collèges classiques.

4) Que les subventions actuellement versées aux collèges classiques masculins soient désormais régulièrement assurées aux collèges classiques féminins.

5) Qu'un centre de recherches pédagogiques et statistiques soit mis sur pied immédiatement en liaison avec les universités.

6) Qu'on donne suite aux travaux du Sous-Comité de Coordination de l'Enseignement de 1953.

7) Que les services d'information et d'orientation scolaire et professionnelle soient généralisés à toutes les institutions aux trois niveaux d'enseignement.

8) Que le gouvernement de la Province voie à l'uniformisation de l'évaluation foncière à sa valeur réelle dans l'ensemble de la province.

9) Que le gouvernement de la province de Québec fasse immédiatement auprès du gouvernement fédéral des demandes en vue que celui-ci établisse sa politique fiscale de façon à permettre aux provinces d'utiliser pleinement leurs pouvoirs de taxation et de voir elles-mêmes aux besoins de leurs universités; et qu'il en vienne à un règlement fiscal qui permette au gouvernement provincial de récupérer au profit des universités et collèges les sommes déjà accumulées au compte

des universités et collèges classiques par le gouvernement fédéral.

10) Que la fréquentation scolaire obligatoire soit portée de 14 à 16 ans.

11) Que la gratuité scolaire soit appliquée à tous les niveaux de l'Enseignement.

12) Que disparaisse dans les Commissions scolaires de la Province la représentation basée uniquement sur la qualité de propriétaire; qu'à Montréal et Québec, les représentants du clergé soient moins nombreux, les laïques n'étant plus désignés arbitrairement mais plutôt par les organismes qu'ils représenteraient.

13) Que la partie laïque du Conseil de l'Instruction publique soit réformée de telle sorte que les membres en soient nommés par les associations directement intéressées à l'Education.

14) Que le gouvernement de la province de Québec fasse étudier les mesures à prendre pour développer dans la province un régime de bibliothèques conforme aux besoins de l'époque actuelle.

SECONDE CATÉGORIE

ATTENDU que certaines questions paraissent correspondre à des besoins urgents mais nécessiteraient certaines études préalables, la Conférence provinciale sur l'Education recommande que le gouvernement provincial:

1) fasse immédiatement auprès du gouvernement fédéral des demandes en vue d'obtenir qu'à l'avenir les contribuables de la province soient autorisés à déduire de leur impôt fédéral sur le revenu des montants dont l'ensemble serait l'équivalent de la subvention annuelle fédérale destinée aux universités. Qu'il assure, soit par un ajustement à sa propre loi d'impôt ou par tout autre moyen qu'il jugerait désirable, le versement aux universités et collèges des sommes ainsi récupérées.

TROISIÈME CATÉGORIE

ATTENDU que le problème de l'Enseignement exige une solution d'ensemble, qu'une multitude de problèmes particuliers ont été évoqués devant la Conférence provinciale sur l'Education et soumis sous forme de résolutions, sans que la Conférence ait eu le temps d'en faire l'étude approfondie, telles que:

le recrutement et la formation des professeurs,
la taxe de vente uniforme,
la taxe provinciale de péréquation,
les redevances sur les ressources naturelles,
l'exemption des taxes fédérales et provinciales sur les achats des Commissions scolaires,
la coordination des cours conduisant au baccalauréat ès arts,
la création d'un cours classique complet dans les écoles publiques,
la promotion de l'éducation nationale, civique et démocratique,
l'attention à accorder aux protestants de langue française,
la revision générale des structures du régime sous l'autorité du Département de l'Instruction publique soit, pour les uns, création d'un Ministère de l'éducation, pour les autres, adaptation des formules actuelles,
une campagne d'éducation populaire quant au coût réel de l'enseignement à tous les niveaux, surtout à l'universitaire,
l'orientation des enfants mal adaptés,
l'intégration des maternelles dans les commissions scolaires,
la pension aux instituteurs,
l'élévation du salaire minimum des instituteurs,
prime de traitement et pension aux professeurs laïcs de l'enseignement secondaire,
amélioration de l'outillage pédagogique,
réforme des diplômes d'écoles normales et des conditions d'admission à ces mêmes écoles,
surmenage dans les écoles,
ainsi que bon nombre d'autres recommandations incluses dans les rapports des commissions;

ATTENDU au surplus que la solution d'un problème aussi important contient des implications extrêmement graves d'ordre religieux, culturel, social, économique et constitutionnel,

la Conférence provinciale sur l'Education recommande au gouvernement de la Province d'instituer le plus tôt possible une Commission royale d'Enquête sur les problèmes d'éducation à tous les niveaux et sur les problèmes connexes,
la Conférence provinciale sur l'Education recommande aussi qu'un comité permanent soit institué afin de continuer l'étude des problèmes susmentionnés et de travailler à l'application des

solutions déjà formulées. (*L'Education au Québec face aux problèmes contemporains: documents relatifs à la Conférence provinciale sur l'Education* (Saint-Hyacinthe: les éditions ALERTE, 1958), 134-136.)

(2)

...

Je ne nie pas que le Gouvernement ait un rôle de plus en plus grand à jouer dans le domaine de l'éducation, mais je ne voudrais pas qu'il soit seul à le jouer et surtout je souhaite qu'il le joue avec la compréhension et la sympathie de tous.

Ainsi on accuse facilement les pouvoirs publics de mal distribuer l'argent qu'ils perçoivent des contribuables et on répète assez souvent que nous dépensons plus aisément les deniers publics pour la voirie et les ponts que pour des écoles. Encore faudrait-il le prouver ! Je ne veux pas vous accabler de chiffres mais je joins à mon texte pour publication un tableau qui prouve que pour 1958-59 sur un budget total de $506,557,400, $116,358,500 iront à l'éducation, soit 22.9% et $101,312,000 à la voirie, soit 20%. De plus, la proportion des dépenses pour l'éducation va sans cesse en augmentant car si elle est aujourd'hui de 22.9% du budget, elle n'était que de 16.6% pour 1946-47, ainsi que le prouve un autre tableau que j'annexe à ce texte. Cette augmentation ne peut cependant pas être indéfinie car n'oublions pas que certaines dépenses qui semblent bien prosaïques à côté de celles que nous pourrions faire pour l'éducation sont tout de même nécessaires si nous voulons que la vie sociale et économique continue dans notre province, si nous voulons que la source elle-même des impôts ne diminue pas. Nous devons au contraire accroître cette source si nous voulons en tirer plus de revenus pour l'éducation et il arrive souvent que des travaux de voirie ou d'autres travaux soient de nature à augmenter éventuellement les revenus de la province. En d'autres termes, l'éducation elle-même pourrait un jour souffrir des conséquences d'une politique qui négligerait les dépenses pour certains travaux rentables.

Enfin, même si nous jugeons que nous sommes parfois en retard dans le développement de notre éducation, nous devons réaliser qu'il nous est impossible de rattraper en peu d'années tout le temps qui a été perdu autrefois. Nous savons que de nouvelles écoles, de nouveaux collèges, de nouveaux bâtiments universitaires sont nécessaires, mais nous ne pouvons les construire en ignorant les impérieuses nécessités et les limites malheureusement inévitables des budgets annuels. Nous savons que les professeurs bien formés doivent être plus nombreux, nous savons qu'ils doivent être mieux payés; nous savons qu'il faut même en certains cas brûler les étapes, mais il est difficile de faire abstraction du temps et je pense bien qu'en ce domaine, comme dans bien d'autres, le temps n'épargnerait pas ce que l'on ferait sans lui.

En terminant, permettez-moi d'apporter une note d'optimisme. Nous devons nous réjouir de constater que depuis quelques années la population entière de notre Province s'intéresse aux problèmes de l'éducation. Il fut un temps où la formation des enfants ne semblait préoccuper que les familles et l'Eglise. Inutile de vous dire que je souhaite que les familles elles-mêmes continuent à s'occuper de leurs enfants car, en principe et en fait, les parents sont les premiers éducateurs. Quant à l'Eglise, nous souhaitons tous que se perpétue son rôle bienfaisant.

Mais aujourd'hui aux familles et à l'Eglise sont venus s'ajouter divers organismes dans lesquels on rencontre tous les hommes de bonne volonté de notre Province, et surtout l'Etat a pris davantage conscience de sa responsabilité en ce domaine.

Plus que jamais, comme le rappelait l'an dernier le thème de la Semaine de l'Education, l'éducation est devenue et doit être l'affaire de tout le monde. Si les pouvoirs publics se sentent appuyés par l'immense majorité de la population, si les critiques que l'on formule contre eux sont constructives et objectives, même si elles sont sévères, si tous les éléments sains de notre Province consacrent des efforts énergiques au perfectionnement de notre enseignement, nous réussirons à vaincre les nombreuses difficultés qui se dressent devant nous et dans quelques années, nous aurons la fierté d'avoir traversé une des périodes les plus difficiles de notre histoire. Il fut un temps, au milieu du siècle dernier, où nos pères se trouvèrent dans une situation bien pire que la nôtre; ils créèrent alors notre système actuel; ils fondèrent nos écoles normales et dès le début de la Confédération se manifesta dans le Québec un renouveau encourageant. Au milieu du vingtième siècle, nous pouvons renouveler leur exploit.

L'éducation est donc une œuvre globale, qui fait appel à tous. C'est une œuvre de collaboration que personne ne peut accomplir seul. Si nous le comprenons et si surtout nous transposons cette compréhension dans nos actes quotidiens, à quelque endroit où nous exerçons notre activité, nous contribuerons au succès d'une cause qui est certes pour nous une des plus importantes. Pour sa part et dans l'exercice de sa fonction supplétive, le Gouvernement de la Province continuera de solliciter des crédits sans cesse plus élevés pour l'éducation et d'affecter aux fins éducationnelles une proportion toujours accrue du revenu qu'il croit pouvoir équitablement prélever de ses contribuables. C'est notre ferme désir de rattraper encore plus vite, si possible, le temps perdu autrefois, afin de procurer à la jeunesse de la province de plus grandes facilités éducationnelles. Malgré l'ampleur de la tâche à accomplir dans un domaine aussi important et complexe, nous espérons, avec la collaboration indispensable et compréhensive de tous les responsables sur le plan éducationnel, atteindre nos objectifs. (*Ibid.*, 152-154.)

43. - *Nouvel équilibre politique au Québec*

(1957-1960)

Du mois de juin 1957 au mois de juillet 1960, la scène politique québécoise se modifia complètement. Il n'est pas exagéré de parler d'une accélération de l'histoire. L'arrivée au pouvoir du parti progressiste-conservateur fédéral (juin 1957), qui n'avait remporté que quelques sièges dans la province de Québec, rappela aux Canadiens français que la population anglo-canadienne du pays a la puissance de choisir seule, si elle le désire, le gouvernement d'Ottawa. Depuis la décade de 1920, les Canadiens français se plaisaient à dire que cela était devenu impossible ! Au mois de septembre 1957, M. Louis Saint-Laurent se vit contraint d'abandonner la direction du parti libéral fédéral. Celui-ci était menacé de devenir un parti canadien-français et ses membres anglo-canadiens s'en inquiétaient. Cette démission imprévue créa une forte impression au sein de la population canadienne-française. Aux élections fédérales du mois de mars 1958, l'électorat québécois, abandonnant subitement une alliance de deux générations avec le parti libéral fédéral, envoya cinquante députés conservateurs au parlement d'Ottawa. A sa surprise, il découvrit que le parti de M. Diefenbaker, grâce à sa majorité écrasante aux Communes, n'avait pas besoin de la députation québécoise pour conserver le pouvoir. Les Canadiens français eurent une fois de plus l'occasion de prendre la mesure exacte de leur taille en politique pancanadienne. Néanmoins, au point de vue provincial, le nouveau gouvernement fédéral se montra disposé à tenir compte de la politique autonomiste du gouvernement québécois.

Au printemps de 1958, le parti libéral provincial se donna un nouveau chef. M. Jean Lesage entreprit une tournée de la province en prévision de la prochaine élection générale. A l'été de 1958, éclatait le scandale du gaz naturel. Le parti de l'Union nationale sentait que sa position s'affaiblissait de mois en mois. La population réclamait des mesures énergiques et des réformes qui se faisaient trop attendre (voir documents Nos 41 et 42). Le 7 septembre 1959, Maurice Duplessis mourut après une courte maladie. Personne ne s'attendait à cette disparition subite de l'homme qui s'était fait le porte-parole indiscuté et autoritaire de la province depuis la fin de la seconde grande guerre. Quatre mois plus tard, la population québécoise apprenait avec stupeur la mort subite de son successeur (2 janvier 1960). En quelques semaines, Paul Sauvé avait réussi à donner une nouvelle vigueur au gouvernement de la province et son administration dynamique, après celle d'un homme vieilli dans l'exercice du pouvoir et incapable de se renouveler, avait soulevé de grands espoirs. Le nouveau premier ministre avait répondu au désir de réforme et de changement qui animait une population consciente des nombreux problèmes auxquels elle faisait face en cette deuxième moitié du XXe siècle. Bien au courant de cette situation, le parti de l'Union nationale, maintenant dirigé par M. Antonio Barrette, tenta de poursuivre la réalisation du programme qu'avait tracé Paul Sauvé. Croyant avoir mérité la confiance populaire, le gouvernement Barrette décida de ne pas retarder les élections qu'il fixa au 22 juin 1960.

Les dirigeants du parti libéral provincial, profitant des circonstances, comprirent qu'ils devaient se présenter devant l'électorat comme les seuls capables de mettre en vigueur une politique vraiment nouvelle. Ils publièrent un programme audacieux qui cherchait à couvrir tous les domaines. En particulier, ils annoncèrent leur intention de doter la province d'un système d'enseignement accordant aux jeunes qui ont du talent la possibilité de poursuivre leurs études. Placée sur la défensive et incapable, depuis que le parti libéral fédéral n'était plus au pouvoir, de se faire accepter comme le seul parti provincial en mesure de défendre l'autonomie de la province, l'Union nationale ne réussit pas à conserver le pouvoir. Nous donnons: (1), (2) et (3) les principaux articles du programme soumis aux électeurs par le parti libéral provincial; (4) quelques extraits de la déclaration du premier ministre Jean Lesage à la conférence fédérale-provinciale du mois de juillet 1960. Le nouveau gouvernement, qui avait aussi déposé devant les participants à cette conférence le rapport de la Commission Tremblay, se montrait fermement décidé à poursuivre une politique autonomiste. Tout en désirant collaborer avec l'Etat fédéral, il entendait exercer tous ses pouvoirs dans les domaines soumis à sa juridiction. Les hommes et les gouvernements avaient changé, mais les impératifs de la politique provinciale demeuraient les mêmes.

(1)

PRÉSENTATION DU PROGRAMME
PAR LE CHEF DU PARTI

AU SERVICE DU QUÉBEC

Le Parti libéral du Québec présente ici le programme politique qu'il propose à la population de la province à l'occasion des élections générales du 22 juin 1960.

Ce programme, préparé soigneusement au cours des congrès régionaux et provinciaux de la Fédération libérale du Québec, engage notre parti à gouverner la province selon un plan objectif et réaliste que toute la population est invitée à étudier.

Nos concitoyens ont le droit d'exiger que le gouvernement provincial leur assure une vie organisée de façon à mettre en valeur leurs caractéristiques propres.

Pour atteindre ce but, il faut rétablir les droits et les libertés parlementaires, mettre de l'ordre dans l'administration de la chose publique, assurer l'égalité des citoyens devant la loi, organiser la vie nationale et économique, favoriser le bien-être de la population, occuper activement tout le champ de nos droits constitutionnels.

Jean LESAGE

(1960: le programme du Parti libéral du Québec, p. 1.)

(2)

PRINCIPAUX ARTICLES DU PROGRAMME LIBÉRAL

La vie nationale: La vie culturelle et le fait français, l'éducation

Article 1 — Création d'un MINISTÈRE DES AFFAIRES CULTURELLES ayant sous sa juridiction les organismes suivants:

a) L'OFFICE DE LA LANGUE FRANÇAISE (ou de la linguistique);

b) Le DÉPARTEMENT DU CANADA FRANÇAIS D'OUTRE-FRONTIÈRES;

c) Le CONSEIL PROVINCIAL DES ARTS;

d) La COMMISSION DES MONUMENTS HISTORIQUES;

e) Le BUREAU PROVINCIAL D'URBANISME.

Article 2 — Gratuité scolaire à tous les niveaux de l'enseignement, y compris celui de l'université.

Article 3 — Gratuité des manuels scolaires dans tous les établissements sous la juridiction du département de l'Instruction publique.

Article 4 — Tout enfant devra fréquenter l'école jusqu'à la fin de l'année scolaire au cours de laquelle il atteindra l'âge de 16 ans.

Article 9 — Création d'une commission royale d'enquête sur l'éducation.

L'expansion économique: Conseil économique, ministère des richesses naturelles

Article 10 — Création d'un CONSEIL D'ORIENTATION ÉCONOMIQUE DE LA PROVINCE DE QUÉBEC ayant en particulier sous sa juridiction:

a) Un BUREAU DE RECHERCHES ÉCONOMIQUES ET SCIENTIFIQUES;

b) Un BUREAU DU DÉVELOPPEMENT INDUSTRIEL.

Article 11 — Création d'un MINISTÈRE DES RICHESSES NATURELLES...

Le bien-être social: Sécurité sociale, assurance-hospitalisation, législation ouvrière, statut de la femme mariée

Article 23 — Dès la prochaine session, des allocations familiales provinciales de $10 par mois seront versées aux parents des jeunes de 16 à 18 ans qui sont aux études.

Article 24 — Dès la prochaine session, une allocation supplémentaire de $10 par mois sera versée entièrement par le gouvernement provincial aux récipiendaires des pensions suivantes suivant leurs besoins:

a) Pension de vieillesse universelle à 70 ans;
b) Pension de vieillesse de 65 à 70 ans;
c) Pension aux invalides;
d) Pension aux aveugles.

Article 25 — Les veuves et les célibataires de sexe féminin seront éligibles à partir de l'âge de 60 ans à la pension actuellement versée aux personnes de 65 à 70 ans.

Article 27 — L'institution immédiate, en collaboration avec la profession médicale, les professions et les services connexes, d'un système gouvernemental d'assurance-hospitalisation.

Article 28 — Ce plan sera établi selon les modalités permettant aux citoyens de la province de bénéficier des avantages de la Loi nationale d'assurance-hospitalisation, tout en tenant compte des droits constitutionnels de la province de Québec et des caractéristiques propres de notre population, et plus particulièrement des institutions directement concernées.

Article 29 — Promulgation d'un CODE DU TRAVAIL.

Article 30 — Création de tribunaux du travail.

Article 37 — La femme mariée sous le régime de la séparation de biens, doit avoir un statut juridique égal à celui de l'homme relativement à ses biens immeubles, comme à ses biens meubles, et avoir également le droit d'intenter toute poursuite judiciaire concernant ses droits.

Article 38 — La femme mariée sous le régime de la communauté de biens, doit avoir relativement à ses biens propres un statut juridique égal à celui de l'homme.

L'avenir constitutionnel: Relations fédérales-provinciales

Article 39 — Création du MINISTÈRE DES AFFAIRES FÉDÉRALES-PROVINCIALES.

Article 40 — Convocation par Québec d'une conférence interprovinciale.

Article 41 — Présentation par la province d'un mémoire devant la Conférence interprovinciale pour la solution du problème fiscal, le rapport de la Commission Tremblay devant servir de base à ce mémoire.

Article 42 — Québec proposera à la Conférence interprovinciale la création d'un CONSEIL PERMANENT DES PROVINCES.

Article 43 — Québec proposera la création d'un SECRÉTARIAT PERMANENT FÉDÉRAL-PROVINCIAL.

Article 44 — Québec proposera le rapatriement de la constitution.

Article 45 — Québec proposera la création d'un tribunal constitutionnel.

Administration: Enquête royale sur l'administration, réformes, finances publiques

Article 46 — Une enquête royale sera instituée sans délai sur l'administration de la chose publique dans la province sous le régime de l'Union Nationale.

Article 47 — Réforme du fonctionnarisme.

Article 48 — Réforme électorale.

Article 50 — Etablissement d'un contrôle sévère sur les dépenses publiques afin de faire disparaître le népotisme, le favoritisme et le gaspillage.

Article 51 — Assainissement des finances publiques par l'octroi des contrats de travaux publics après demande de soumissions publiques.

Article 52 — Abolition du système des octrois discrétionnaires.

(*Ibid.*, pp. 3-22.)

(3)

CONCLUSION

Voilà, en 1960, les points essentiels du programme du Parti libéral du Québec.

La loi, ne pouvant prévoir tout ce que l'homme inventera pour la contourner, contient plus d'énoncés de principes que de détails. Il en est de même d'un programme politique.

253

Le manifeste ci-dessus contient toutefois nombre de principes et de détails. Selon les cas et selon l'optique de ceux qui en prendront connaissance, on trouvera peut-être qu'il renferme un peu trop de ceci ou pas assez de cela.

Il aurait certes été possible de formuler des articles additionnels traitant, par exemple, des libertés civiles et parlementaires, de la moralité politique, de l'administration de la justice, de la délinquance juvénile, de l'administration de la Loi des liqueurs, etc. Le Parti libéral du Québec estime qu'il n'est pas nécessaire de réitérer des prises de positions connues de tous.

D'autre part, l'exposé de certains détails bien précis permet au lecteur attentif de mieux saisir le sens d'une politique et lui montre clairement la voie où le parti s'engage.

Quoi qu'il en soit, il se dégage des formules proposées une conclusion bien évidente: la province de Québec doit réformer ses structures, et le Parti libéral du Québec s'engage à le faire. (*Ibid.*, p. 24.)

(4)

CONFÉRENCE FÉDÉRALE-PROVINCIALE
DU MOIS DE JUILLET 1960

...

Constitutionnellement, les onze gouvernements présents à cette conférence ont des responsabilités définies dans l'exercice desquelles chacun est souverain. Comme gouvernements, nous avons des obligations envers nos commettants, nous avons des droits qu'il nous faut exercer. En particulier, puisque cette conférence est consacrée spécialement aux questions fiscales, nous avons des droits de taxation. Nous ne pouvons nous acquitter de ces diverses responsabilités si nous ne pouvons exercer proprement ces droits.

Nous sommes réunis ici parce que nous reconnaissons que, dans l'exercice de nos droits et l'accomplissement de nos responsabilités, nous sommes interdépendants. Ce que fait l'un d'entre nous a ses répercussions sur ce que les autres peuvent faire. En particulier, nous taxons les mêmes contribuables. Chacun d'entre nous doit posséder une latitude suffisante pour remplir ses devoirs en imposant des taxes qui ne seront pas excessives.

Au Québec, comme ailleurs, l'essor que nous connaissons signifie des charges toujours plus lourdes pour le gouvernement provincial et pour les municipalités. Nous procédons avec le plus de célérité possible en vue d'assurer à notre population les facilités nécessaires dans les domaines de l'éducation, de la santé, de la voirie et dans bien d'autres encore, qui relèvent de notre juridiction constitutionnelle. C'est la conviction du gouvernement de Québec qu'il doit s'acquitter de ces obligations en ne perdant point de vue l'interdépendance des droits de chaque gouvernement au pays. Il y a là une question d'harmonie et d'équité.

...

Le fédéralisme au Canada, je tiens à le répéter, repose sur la souveraineté du Parlement fédéral et des législatures provinciales dans leurs domaines respectifs de juridiction. Cette souveraineté respective des deux sphères de gouvernement est le fondement même de la Confédération.

Pour sa part, la province de Québec entend sauvegarder les droits et les pouvoirs que lui confère la constitution. Nous voulons non seulement conserver ces droits mais nous désirons les utiliser pleinement en vue de promouvoir le bien-être de notre population dans toutes les matières qui relèvent de la juridiction provinciale. Toutefois, nous n'avons pas l'intention de nous enfermer dans un isolement qui serait aussi illusoire pour un membre de notre Confédération que nuisible à son ensemble.

Sur le plan culturel, notre principal objectif, c'est de travailler avec vigueur à l'enrichissement et à l'épanouissement de la culture canadienne-française tout en garantissant pleinement les droits de nos minorités, dont nous apprécions l'apport à toute sa valeur. Nous voulons que cette culture en se développant puisse également rayonner à travers le Canada. Nous estimons que les Canadiens français ont une contribution essentielle à faire sur le plan canadien ne serait-ce que pour conjurer la menace d'un envahissement culturel américain.

Cette contribution, nous ne désirons pas tenter de l'imposer; nous voulons plutôt l'offrir au reste du pays avec le ferme espoir qu'elle sera acceptée afin que nos deux principales cultures puissent se rencontrer sans se heurter.

Cette position que nous prenons sur le plan culturel, nous voulons l'appliquer aussi sur le plan politique dans le cadre du fédéralisme canadien. La souveraineté provinciale ne doit pas être un concept négatif et incompatible avec le progrès; ce doit être une réalité bien vivante, un principe qui se concrétise dans des institutions et par des mesures législatives destinées à favoriser le bien-être et l'essor spirituel de la population. En somme, une souveraineté qui, sans s'exercer, se cantonne dans l'opposition, ne peut que survivre temporairement.

Par ailleurs, si la souveraineté exclut la dépendance, elle requiert une coopération constante, et souvent l'action conjointe des différentes sphères de gouvernement; autrement plusieurs problèmes ne peuvent recevoir de solution efficace. [...]

En somme, le gouvernement de la province de Québec entend exercer sa pleine souveraineté dans les domaines qui relèvent de sa compétence sans toutefois ignorer que tous les gouvernements de notre pays sont soumis à une interdépendance inéluctable. (Texte dans *Le Devoir* du 26 juillet 1960.)

44. - *Tableaux statistiques*

TABLEAU A - POPULATION DU CANADA [1]

Année	Population totale	Population rurale	Population urbaine	Langue maternelle Anglais	Langue maternelle Français
1851	1,842,265 [2]				
1861	2,507,657 [2]				
1867	3,463,000 [3]				
1871	3,689,257	2,966,914	722,343		
1881	4,324,810 [4]	3,215,303	1,109,507		
1891	4,833,239	3,296,141	1,537,098		
1901	5,371,315 [5]	3,357,093	2,014,222		
1911	7,206,643	3,933,696	3,272,947		
1921	8,787,949	4,435,827	4,352,122	4,099,246 [6]	1,757,193 [6]
1931	10,376,786	4,804,728	5,572,058	5,914,402 [7]	2,832,298 [7]
1941	11,506,655	5,254,239	6,252,416	6,488,190	3,354,753
1951	14,009,429 [8]	5,381,176 [9]	8,628,253 [9]	8,280,809	4,068,850
1961	18,238,247	5,537,857	12,700,390	10,660,534	5,123,151

1. Statistiques puisées dans *Recensements du Canada, 1665-1871* (4 vol., Ottawa, 1876), 4: *passim*; *Sixième Recensement du Canada, 1921*, 1: 31, 41 et 51; *Huitième Recensement du Canada, 1941*, 1: 563-564; *Neuvième Recensement du Canada, 1951*, 1: table 1-1, table 13-1; *Recensement du Canada 1956: population, Québec* (Bulletin No 1-3), introduction; *Recensement du Canada, 1961* (rapport anticipé No AP-4); *Recensement du Canada, 1961* (Bulletin No 1-1); *Annuaire du Canada, 1961*, *passim*.

2. Il s'agit du Canada-Uni comprenant les provinces du Bas-Canada et du Haut-Canada.

3. Population des quatre provinces qui s'unirent en 1867 pour fonder le Canada contemporain: Ontario, Québec, Nouveau-Brunswick et Nouvelle-Ecosse.

4. Le Canada compte maintenant sept (7) provinces depuis la fondation du Manitoba (1870) et l'entrée dans la Confédération de la Colombie-Britannique (1871) et de l'Ile-du-Prince-Edouard (1873).

5. En 1901, les statistiques du recensement tiennent compte de la population des territoires qui formeront les provinces de la Saskatchewan et de l'Alberta (admises officiellement dans la Confédération le 1er septembre 1905) et de la population du Yukon.

6. Les recensements fédéraux ne donnent aucun renseignement sur la langue maternelle des citoyens canadiens avant 1921. Le recensement de 1921 donne la langue maternelle des habitants âgés de 10 ans et plus. Dans ce tableau, nous nous limitons aux langues française et anglaise, mais le recensement lui-même indique plusieurs autres langues maternelles.

7. Le recensement de 1931 et les suivants donnent la langue maternelle de tous les habitants. Les enfants au-dessous de 5 ans sont classifiés d'après la langue parlée au foyer.

8. Le Canada compte une dixième province depuis l'annexion de Terre-Neuve en 1949.

9. Chiffres basés sur la définition des mots « rural » et « urbain » adoptée en 1951. La nouvelle définition reconnaît comme principal critère de classement le nombre de résidents d'une région donnée. La population domiciliée dans les cités, villes et villages, constitués ou non, de 1,000 habitants et plus, de même que la population de toutes les régions métropolitaines de recensement, a été considérée comme urbaine, et la population domiciliée en dehors de ces localités, comme rurale. La définition de 1941 donnerait 6,068,207 ruraux et 7,941,222 urbains.

TABLEAU B - POPULATION DE LA PROVINCE DE QUÉBEC [1]

Année	Population totale	Population rurale	Population urbaine	Langue maternelle Anglais	Français
1851	890,261				
1861	1,111,566				
1867	1,123,000				
1871	1,191,516	919,665	271,851		
1881	1,359,027	980,515	378,512		
1891	1,488,535	988,820	499,715		
1901	1,648,898	994,833	654,065		
1911	2,005,776	1,038,934	966,842		
1921	2,360,510	1,037,941	1,322,569	295,529 [2]	1,370,793 [2]
1931	2,874,662	1,061,056	1,813,606	429,613 [3]	2,292,193 [3]
1941	3,331,382	1,222,198	2,109,684	468,996	2,717,287
1951	4,055,681	1,358,363 [4]	2,697,318 [4]	558,256	3,347,030
1961	5,259,211	1,352,807	3,906,404	697,402	4,269,689

1. Statistiques puisées aux sources indiquées à la note (1) du tableau A, voir ci-dessus.
2. Voir explication donnée à la note (6) du tableau A.
3. Voir explication donnée à la note (7) du tableau A.
4. Voir explication donnée à la note (9) du tableau A.

TABLEAU C - POPULATION DE LA PROVINCE D'ONTARIO [1]

Année	Population totale	Population rurale	Population urbaine	Langue maternelle Anglais	Français
1851	952,004				
1861	1,396,091				
1867	1,525,000				
1871	1,620,851	1,264,854	355,997		
1881	1,926,922	1,351,074	575,848		
1891	2,114,321	1,295,323	818,998		
1901	2,182,947	1,246,969	935,978		
1911	2,527,292	1,198,803	1,328,489		
1921	2,933,662	1,227,030	1,706,632	1,956,298 [2]	170,197 [2]
1931	3,431,683	1,335,691	2,095,992	2,796,821 [3]	236,386 [3]
1941	3,787,655	1,449,022	2,338,633	3,073,320	289,146
1951	4,597,542	1,346,443 [4]	3,251,099 [4]	3,755,442	341,502
1961	6,236,092	1,412,513	4,823,529	4,834,623	425,302

1. Statistiques puisées aux sources indiquées à la note (1) du tableau A, voir ci-dessus.
2. Voir explication donnée à la note (6) du tableau A.
3. Voir explication donnée à la note (7) du tableau A.
4. Voir explication donnée à la note (9) du tableau A.

TABLEAU D - DÉPENSES PUBLIQUES
(en dollars courants)

Année	Gouvernement fédéral [1]	Gouvernement de la province d'Ontario [2]	Gouvernement de la province de Québec [3]
1868	13,716,000	1,179,000 [4]	1,183,000 [4]
1871	18,871,000	1,816,000 [4]	1,593,000 [4]
1881	32,579,000	2,579,000 [4]	3,570,000
1891	38,855,000	4,158,000 [4]	4,095,000
1901	55,502,000	4,038,000	4,492,000
1911	121,657,000	9,619,000	6,126,000
1921	528,899,000	28,579,000	14,684,000
1931	441,568,000	54,846,000	40,854,000
1941	1,249,601,000	89,867,000	52,456,000 [5]
1951	2,901,241,000	249,788,000	200,707,000
1961	5,958,100,000	739,000,000	618,690,000

1. Voir *Comptes publics du Canada, 1961*, 1: 220-221. Ce sont les dépenses totales.
2. Voir *Ontario, Budget Statement, 1959*, p. 95; *Public Accounts, Ontario, 1961*. Ce sont les dépenses ordinaires sauf avis contraire.
3. Voir l'*Annuaire statistique* de la province de Québec pour les années 1921 et 1961. Ce sont les dépenses ordinaires sauf avis contraire.
4. Dépenses capitales incluses.
5. Pour neuf mois seulement.

TABLEAU E - PRODUCTION NATIONALE DU CANADA [1]
(en dollars courants)

Année	Evaluation des biens produits et des services
1901	1,000,000,000 [2]
1911	2,000,000,000 [3]
1921	4,000,000,000 [4]
1931	4,699,000,000
1941	8,328,000,000
1951	21,170,000,000 [5]
1961	36,844,000,000

1. Aucune donnée disponible avant 1901. Les montants inscrits dans ce tableau pour les années 1901, 1911 et 1921 se basent sur les calculs de Kenneth Buckley, *Capital Formation in Canada* (Toronto, 1955), 135. Pour les années 1931, 1941 et 1951, voir *Annuaire du Canada, 1961*, p.1125. Pour 1961, voir *Revue statistique du Canada* (mai 1962), p. 3.
2. Ce montant représente une moyenne approximative car, pour les années 1901-1905, Buckley évalue la production du Canada à quelque $5,650,000,000.
3. Pour les années 1911-1915, Buckley évalue la production du Canada à quelque $12,178,000,000.
4. Pour les années 1921-1925, Buckley évalue la production du Canada à quelque $22,589,000,000.
5. Ce montant comprend la production de la province de Terre-Neuve évaluée à environ $175,000,000 en 1949.

Index

A

Accidents du travail: situation au XIXe siècle, 51; programme de la Ligue Nationaliste Canadienne (1903), 65.

Affaires culturelles, ministère: programme du parti libéral du Québec (1960), 250-251.

Afrique du Sud: guerre de 1899 et participation du Canada, 58-61.

Agriculture: et survivance canadienne-française, 11-12; idéaux agriculturistes des dirigeants canadiens-français, 171; lettres collectives des évêques du Québec (1937 et 1946), 173.

Aide fédérale aux provinces: recommandations de la Commission Rowell-Sirois, 106; enseignement universitaire, 191, 197-200, 203, 242.

Allan, Hugh: et le projet d'un chemin de fer transcontinental (1872), 34-37.

Allemagne: politique ambitieuse de Guillaume II, 65; opinion de Laurier (1909), 66-67; menace l'équilibre européen (1939), 118; déclaration de guerre du Canada (1939), 122.

Alliance nord atlantique (OTAN): impose un nouveau fardeau financier au gouvernement fédéral, 181; et la politique étrangère du Canada, 216, 219; Louis Saint-Laurent prévoit une alliance des Etats libres (1948), 219-220.

Allocations familiales: législation fédérale (1944), 140; opposition de George Drew, premier ministre de l'Ontario (1946), 166.

Amendes: imposées aux employés de l'industrie (1889), 49-51.

Amiante (voir Grève de l'amiante).

Angleterre (voir Grande-Bretagne).

Annexion aux Etats-Unis: inquiétude de Cartier (1864), 17.

Anticommunisme: et politique étrangère du Canada depuis 1945, 217, 219-220, 222, 224-225; point de vue de Raoul Poulin, député fédéral de Beauce, lors de la guerre de Corée (1950), 224-225.

Armée du Canada: sa force en 1918, 81.

Arts: enquête fédérale (1949-1951), 190-202.

Asbestos (voir Grève de l'amiante).

Asselin, Olivar: et Ligue Nationaliste Canadienne, 61.

Assimilation: des immigrants par le Canada anglais, 168.

Assistance mutuelle: programme du Canada en faveur de ses alliés durant la deuxième grande guerre, 134.

Assistance sociale: doit être remplacée par l'assurance sociale, 145-147.

Association canadienne-française d'éducation: en Ontario, 77.

Association catholique de la jeunesse canadienne-française: étudie le problème de l'industrialisation au Canada français (1921), 87-90.

Assurance-chômage: législation fédérale (1941), 139.

Assurance sociale: ses avantages, 144-145; plan proposé par le rapport Marsh (1943), 151.

Assurance-vieillesse: amendement à la constitution de 1867, 181.

Attentisme, en politique internationale: attitude adoptée par Raoul Dandurand et Ernest Lapointe (1937), 110-112.

Autonomie des nations membres du Commonwealth: conférence impériale de 1926, 92-93; Statut de Westminster, 95-98.

Autonomie provinciale: opinion de Cartier (1864), 18; et le droit de désaveu du gouvernement fédéral, 24, 42, 152; décisions importantes du comité judiciaire du Conseil privé, 40-43; et la Ligue Nationaliste Canadienne (1903), 62, 64; enquête sur les relations fédérales-provinciales (1937), 104-107; et la guerre de 1939, 127-129; campagne électorale provinciale de 1939, 130; et législation sociale du gouvernement fédéral, 140; opinion du premier ministre de la Nouvelle-Écosse (1946), 159; opinion du premier ministre du Manitoba (1946), 159-160; et projets d'amender la constitution canadienne, 180; et aide financière du gouvernement fédéral aux universités, 191; enjeu du duel Saint-Laurent-Duplessis (1954), 203-215; point de vue de Louis Saint-Laurent, 208-209; enquête Tremblay (1953-1956), 231-241; et les problèmes de l'enseignement, 242-248; politique du gouvernement Diefenbaker, 248-249; et campagne électorale provinciale de 1960, 249; programme et politique du parti libéral du Québec (1960), 249, 252-253, 254-256.

B

Balfour, lord: son rapport sur les relations interimpériales (1926), 92-94.

Banque du Canada: sa fondation (1934), 153.

Barrette, Antonio, premier ministre du Québec: succède à Paul Sauvé (1960), 249.

Bas-Canada (voir Québec, province).

Bégin, cardinal et archevêque de Québec: lettre encyclique de Benoit XV sur le problème scolaire franco-ontarien (1918), 78.

Bennett, Richard B., premier ministre du Canada: son interprétation du Statut de Westminster, 98; législation sociale de 1935, 164-165.

Benoit XV, pape: lettre sur le problème scolaire franco-ontarien (1918), 78-81.

Bergeron, député fédéral de Beauharnois: émissaire de Mercier auprès de Chapleau dans l'affaire Riel, 44-45.

Bilinguisme et biculturalisme: bilinguisme officiel selon la constitution de 1867, 29; point de vue de la Commission royale d'enquête sur les arts, les lettres et les sciences (1949-1951), 195, 201; constitution du Manitoba (1870), 30-31.

Black, F.B., sénateur: et politique étrangère du Canada (1937), 110.

Black, P.C., député fédéral: sa profession de foi britannique (1942), 135-136.

Blair, J.K., député fédéral: sa profession de foi britannique et son interprétation de l'attitude canadienne-française (1942), 137.

Blanchette, J.-A., député fédéral: et guerre de 1939, 124-125.

Bœrs: guerre de 1899 et participation du Canada, 58-61; leur association au Commonwealth, 133.

Borden, Robert L., premier ministre du Canada: et guerre de 1914, 76-77; son rôle dans l'évolution des relations interimpériales, 81, 83-86; explique le statut international du Canada, 83-86.

Bouchette, Errol, économiste canadien-français: auteur de *L'Indépendance économique du Canada français*, 87.

Bourassa, Henri: s'oppose à la participation du Canada à la guerre des Bœrs, 58-59; son influence sur la Ligue Nationaliste Canadienne, 61; discours au Congrès eucharistique de Montréal (1910), 69-73; son interprétation du Statut de Westminster, 100.

Bourne, Mgr, archevêque de Westminster: au Congrès eucharistique de Montréal (1910), 69.

British Americans: et peuplement du Canada, 168.

Brown, George, homme politique du Haut-Canada: s'allie à Macdonald, 16.

Budgets des gouvernements: opinion de Cartier sur les budgets des provinces (1864), 18; budgets des provinces pendant la crise économique de 1930, 104; statistiques pour les gouvernements du Canada, de l'Ontario et du Québec, 259.

C

Cabinet impérial: pendant la guerre de 1914, 81, 83.

Campagnes électorales: en 1872, 34-35; en 1939, 129-133; en 1960, 249-254.

Canada: sa constitution et ses problèmes politico-constitutionnels, 13-30, 40-43, 61-65, 95-101, 138-167, 180-190, 203-215, 231-241; participation à la guerre des Boers, 58-61; défense de l'empire britannique, 65-69; guerre de 1914, 73-77, 81; à la Conférence de la Paix (1919), 81, 84; membre de la Société des Nations, 85; signe seul ses traités (1923), 91-92; problèmes de politique étrangère durant l'entre-deux-guerres, 107-121; guerre de 1939, 122-138; politique étrangère depuis 1945, 216-231; son histoire interprétée par Louis Saint-Laurent et Maurice Duplessis, 207, 208-209, 211-212; population, 257.

Canada anglais: son attachement à la Grande-Bretagne, 133-138; crise de conscience au moment de l'affaire de Suez (1956), 217, 226-231; en faveur d'une intervention fédérale dans le domaine de l'enseignement, 242; et les victoires du parti conservateur fédéral en 1957 et en 1958, 248.

Canada français: et le problème industriel (1921), 87-90; témoignage de la Commission royale d'enquête sur les arts, les lettres et les sciences (1949-1951), 194; et la crise politique de 1954, 205; et les problèmes de l'enseignement (1958), 241-248; nouvel équilibre politique (1957-1960), 248-250.

Canadianisme: et enquête sur les arts, les lettres et les sciences (1949-1951), 191, 201.

Canadiens anglais: et politique étrangère du Canada en temps de paix, 107-121, 216.

Canadiens français: leur isolationnisme en politique internationale, 108, 110-117, 124, 126-127, 216, 217; leur association à l'empire et au Commonwealth britanniques, 133, 137; leur statut de minorité, 168, 212; leur éducation fiscale, 203-205; interprétation de leur histoire par Louis Saint-Laurent, 207-208; leur réaction au moment de l'affaire de Suez (1956), 217; contribution de l'enquête Tremblay à leur éducation politique, 232, 234-235; s'interrogent sur leur système d'enseignement (1958), 241-248; leur réaction devant les victoires du parti conservateur fédéral en 1957 et en 1958, 248.

Capital: relations avec le travail (1889), 48-53.

Capitalisme: et doctrine sociale de l'Eglise, 174.

Cardin, J.-P.-Arthur, ministre fédéral: et la politique de réarmement, 115; son isolationnisme, 115, 116; intervention dans la campagne électorale provinciale de 1939, 129, 130-131.

Caron, Adolphe, ministre fédéral: et affaire Riel, 47.

Cartier, Georges-Etienne: disciple des penseurs physiocrates du XVIIIe siècle, 11; discours sur la survivance canadienne-française, 11-12; à l'emploi du Grand-Tronc, 16, 35-36; évolution de sa pensée sur le projet d'une Confédération, 16; sa conception du gouvernement fédéral, 16-18; ses idées monarchiques, 17-18; et le scandale du Pacifique, 34-35.

Catholicisme: son expansion en Amérique du Nord et la langue française, 69-73.

C.C.F., parti politique canadien: s'oppose à la politique de réarmement (1937-1938), 108, 110, 112, 113, 117.

Centralisation fédérale: opinion de Cartier, 16-18; et constitution de 1867, 24-25, 28; et comité judiciaire du Conseil privé, 40-43; enquête Rowell-Sirois, 104-107, 153; déclaration de l'Union nationale (1939), 127-129; offensive déclenchée par les partisans du centralisme fédéral, 153; opposition de Maurice Duplessis, 163, 211; et projets d'amender la constitution canadienne, 180; aide financière fédérale aux universités, 191; opinion de Louis Saint-Laurent, 208.

Chamberlain, Joseph, homme d'Etat britannique: et guerre des Boers, 59.

Chambers, Egan: intervention dans le duel Saint-Laurent-Duplessis (1954), 206, 214.

Chambres de Commerce de la province de Québec: et création d'une Commission royale d'enquête sur les problèmes constitutionnels (1953), 231; participation à la Conférence provinciale sur l'éducation (1958), 242.

Champ de Mars, de Montréal: assemblée au sujet de l'affaire Riel, 43-45.

Chapleau, Adolphe, ministre fédéral: et affaire Riel, 45-47.

Chômage: crise de 1930 et concurrence sur le marché du travail, 101; législation fédérale établissant un système d'assurance-chômage, 139; crainte du chômage parmi la population, 139, 142.

Church, T.L., député fédéral: interprétation du Statut de Westminster par un impérialiste de tradition coloniale, 100; défendu par son collègue J.H. Harris (1942), 135; sa profession de foi britannique (1942), 138.

Classes sociales: début d'une conscience de classe chez les ouvriers du Québec, 171, 174.

Clergé catholique: s'inquiète de l'émigration aux Etats-Unis, 31-32; s'intéresse à la colonisation de l'Ouest canadien, 31-34; problème de l'influence indue, 37; sa méfiance à l'égard des libéraux, 37-40; et respect de la langue des minorités, 71; directives de Benoit XV (1918), 77-81; proclame les droits des ouvriers (1950), 172-179; et la nomination des commissaires d'écoles à Montréal et à Québec, 244 (voir aussi Eglise, Episcopat).

Colombie britannique, province du Canada: admise dans la Confédération, 31, 34.

Colonisation agricole: dans la pensée de Cartier, 11-12; encouragée par l'épiscopat de la province de Québec, 31-34, 173; programme de la Ligue Nationaliste Canadienne, 64-65; constitue une politique économique incomplète, 87-90.

Colonisation anglaise, au Canada: succès remportés aux XIXe et XXe siècles, 168.

Commission d'enquête sur l'enseignement: demandée par la Commission Tremblay, 241; demandée par la Conférence provinciale sur l'éducation, 245; promise par le programme libéral (1960), 251.

Commissions royales d'enquête, fédérales et provinciales: relations du travail avec le capital (1886), 48-53; relations fédérales-provinciales (1937), 104-107; les arts, les lettres et les sciences au Canada (1949), 190-202; les problèmes constitutionnels (1953), 231-241.

Commonwealth des nations britanniques: son évolution, 95-98; et les Canadiens français, 133; sa base ethnique, 133; et l'affaire de Suez, 227, 228 (voir aussi Empire britannique, Grande-Bretagne, Politique étrangère, Relations extérieures).

Compagnie de la Baie d'Hudson: et Territoires du Nord-Ouest, 30.

Confédération de 1867: propagande de Joseph-Charles Taché, 13-16; facteurs qui l'ont préparée, 16, 17; opinion de Cartier, 16-18; opposition au projet, 18-21; principaux articles de la constitution, 21-30; pouvoirs du gouvernement central, 13-14, 17-18, 24-25; partage des pouvoirs, 24-27; interprétation du Conseil privé, 40-43; programme de la Ligue Nationaliste Canadienne, 62, 64; point de vue de la Commission Rowell-Sirois (1940), 104, 106-107; manifeste de l'Union nationale (1939), 127-129; son évolution de 1867 à 1945, 152-153; et Conférence fédérale-provinciale sur le rétablissement (1945-1946), 153-167; et programme du gouvernement fédéral pour l'après-guerre, 165; et les projets de réforme constitutionnelle (1950), 180-190; et le problème fiscal, 203-215; interprétation de Louis Saint-Laurent, 208, 209; interprétation de Maurice Duplessis, 211, 212; point de vue de la Commission Tremblay, 232, 238-241.

Conférence canadienne sur l'éducation: tenue à Ottawa (1958), 242.

Conférence de la Paix (1919): participation du Canada, 81.

Conférences fédérales-provinciales: conférence de 1941, 153; conférence sur le rétablissement d'après-guerre (1945-1946), 140, 153-167; sur la réforme constitutionnelle, 180-190; sur la fiscalité et sur la sécurité sociale, 181; jugement de Maurice Duplessis, 212-213; conférence de 1960, 254-256.

Conférences impériales: celle de 1926 et rapport Balfour, 92-94; conférence de 1930, 95.

Conférence provinciale sur l'éducation: tenue à Montréal (1958), 241-248.

Congrès eucharistique: tenu à Montréal (1910), 69-73.

Conquête anglaise de 1760: interprétation donnée par Louis Saint-Laurent, 207-208.

Conroy, Mgr: enquête sur la question de l'influence indue, 37.

Conscription: pendant la guerre de 1914, 78; engagement pris par Ernest Lapointe (1939), 126-127; et la campagne électorale provinciale de 1939, 129-132; plébiscite de 1942, 134; craintes exprimées par Raoul Poulin, député fédéral de Beauce, lors de la guerre de Corée, 225-226.

Conseil législatif du Québec: et constitution de 1867, 23.

Conseil privé: son interprétation de la constitution de 1867, 40-43, 152-153; et écoles du Manitoba, 54; et la minorité franco-ontarienne, 78; abolition des appels au comité judiciaire du Conseil privé (1949), 180.

Conservateurs: leurs accusations contre les libéraux (au XIXe siècle), 37-38; divisés par l'affaire Riel, 43; et la fidélité britannique selon M. Hanson (1942), 138; victoire de juin 1957 et le Canada français, 248.

Constitution du Canada (voir Autonomie provinciale, Budgets, Confédération de 1867, Conférences fédérales-provinciales, Fédéralisme canadien, Fiscalité, Gouvernement fédéral, Parlement fédéral, Pouvoir législatif, Sécurité sociale, Taxation, Revenus).

Constitution du Manitoba: son adoption (1870), 30-31.

Corée (voir Guerre de Corée).

Corporatisme: prise de position des évêques du Québec, 173, 176.

Corruption électorale: élections de 1872, 34-37.

Cour suprême du Canada: et écoles du Manitoba, 54; tribunal de dernière instance (1949), 180; et la délégation des pouvoirs, 181.

Courrier du Canada, journal de Québec: articles en faveur d'une union fédérale (1857), 13.

Crise économique: conditions de travail dans l'industrie (1934), 101-104; recommandations de la Commission Rowell-Sirois (1937), 104-107; et la guerre de 1939, 138, 142; crainte d'un retour à la stagnation économique après la guerre de 1939, 138-139, 142; et la constitution de 1867, 153.

Culture: politique culturelle du gouvernement fédéral, 191; responsabilités de l'Etat en ce domaine, 195, 201-202; programme du parti libéral du Québec (1960), 250-251, 255.

D

Dandurand, Raoul, sénateur: partisan d'une politique d'attentisme en politique étrangère, 110; tente d'expliquer l'isolationnisme des Canadiens français, 110, 124.

Défense nationale: débat soulevé par le budget de 1937, 108-114.

Délégation des pouvoirs: et projets d'amender la constitution canadienne, 180-181, 187-188.

Démocratie: opinion de Cartier, 17-18; opinion de Laurier, 38-40; et Ligue Nationaliste Canadienne, 62; invoquée par Maurice Duplessis pour défendre l'autonomie provinciale, 163, 211.

Dépenses militaires (1938): pour la défense du Canada, 116-117.

Dépenses publiques, au Canada: statistiques, 259.

Désaveu: droit du gouvernement fédéral, 24, 42, 152.

Dettes, des provinces: et constitution de 1867, 28; recommandations de la Commission Rowell-Sirois, 106.

Diefenbaker, John: ses victoires électorales de 1957 et de 1958 et les réactions des Canadiens français du Québec, 248; sa politique relativement à l'autonomie provinciale, 249.

Doctrine sociale de l'Eglise: et lettre collective de l'épiscopat du Québec sur le problème ouvrier (1950), 172-179.

Dorion, Antoine-Aimé: opposé au projet de Confédération, 18-21.

Douglas, T.C., député fédéral: condamne la politique étrangère du Canada (1937), 113-114.

Drew, George, premier ministre de l'Ontario: s'oppose au programme du gouvernement fédéral pour l'après-guerre (1946), 165-167.

Duplessis, Maurice: et guerre de 1939, 127-129, 130; et campagne électorale provinciale de 1939, 129, 130; présente le mémoire de la province de Québec à la Conférence fédérale-provinciale sur le rétablissement (1946), 158; s'oppose au programme du gouvernement fédéral pour l'après-guerre (1946), 163-165; et la réforme constitutionnelle (1950), 183, 186-187, 190; son gouvernement est forcé d'avoir recours à l'impôt direct, 203; attaqué par Louis Saint-Laurent (1954), 208; répond aux attaques de Louis Saint-Laurent (1954), 209-210, 211-213; accepte de créer une Commission d'enquête sur les problèmes constitutionnels (1953), 231; sa réaction devant le rapport Tremblay (1956), 232; sa mort (1959), 249.

Duvernay, Ludger: fondateur de la Société Saint-Jean-Baptiste, 11.

E

Ecoles des minorités: au Manitoba, 53-58; en Ontario, 77-81.

Education: et préparation d'une élite d'hommes d'affaires canadiens-français (1921), 89-90; intervention du gouvernement fédéral, 191, 242; distinction apportée par la Commission royale d'enquête pour légitimer cette intervention fédérale, 196; conférence provinciale tenue à l'Université de Montréal (1958), 241-248 (voir aussi Culture, Enseignement).

Eglise catholique: sa liberté d'action au Canada (1877), 39-40; et droits linguistiques des minorités, 71, 80; et problèmes sociaux du monde contemporain, 172-179 (voir aussi Clergé catholique).

Elections: pressions exercées aux élections fédérales de 1872, 34-37; élection complémentaire de Lotbinière (1937), 114-115; élection complémentaire de Montréal-Saint-Henri (1938), 115-116; élections provinciales de 1939, 129-133; élections provinciales de 1960, 249-254.

Fidélité britannique: en temps de guerre, 133-138.

Fielding, W.S., député fédéral: et ratification du traité de Versailles, 86.

Fiscalité, au Canada: opinion de J.L. Ilsley, ministre fédéral des Finances (1946), 163; entente de 1942 invoquée par Maurice Duplessis (1946), 164; conférence fédérale-provinciale de 1950, 181; les Canadiens français apprennent à se taxer (1954), 203-205; crise de 1954, 203-215; réductions consenties par le gouvernement fédéral pour éviter la double imposition, 204; l'Etat fédéral fait reconnaître la plénitude de ses pouvoirs fiscaux (1954-1955), 205, 215; nouvelle étape dans les relations fiscales fédérales-provinciales (1955-1960), 205; point de vue et recommandations de la Commission Tremblay, 237-238, 240-241; prise de position du gouvernement Lesage (1960), 254-255.

Flétan, pêche du: traité signé avec les Etats-Unis (1923), 91-92.

Foster, George E., député fédéral: sur les devoirs du Canada envers l'empire britannique, 65-66.

France: influence la pensée canadienne-française, 38; et le peuplement du Canada aux XVIIe et XVIIIe siècles, 168; immigrants venus de ce pays de 1946 à 1960, 170; et affaire de Suez (1956), 217.

Francœur, J.-N., député fédéral: porte-parole de l'isolationnisme des Canadiens français en politique étrangère (1937-1938), 114-115, 116.

Francq, Gustave, président de la Commission des salaires minima des femmes pour la province de Québec: témoignage devant la Commission d'enquête sur les prix et les conditions de travail (1934), 101-103.

Frost, Leslie M., premier ministre de l'Ontario: et la réforme constitutionnelle, 183.

G

Galt, Alexander T., l'un des Pères de la Confédération: en faveur d'une union législative, 19.

Gariépy, Wilfrid, député fédéral: son interprétation du Statut de Westminster, 100.

Garson, Stuart, premier ministre du Manitoba: approuve les propositions du gouvernement fédéral (1946), 159-160.

Godbout, Adélard, chef du parti libéral de la province de Québec: ses engagements au sujet de la conscription (1939), 130.

Gouvernement fédéral: ses pouvoirs fiscaux, 24, 105, 203, 209, 214; contrat avec la Compagnie de chemin de fer Canadien du Pacifique, 34; et écoles confessionnelles du Manitoba, 54-58; et la réforme constitutionnelle, 180-181, 187-188; augmente son aide financière à l'enseignement universitaire (1956), 242 (voir aussi Autonomie provinciale, Budgets, Canada, Confédération de 1867, Conférences fédérales-provinciales, Fédéralisme canadien, Fiscalité, Parlement fédéral, Pouvoir législatif, Sécurité sociale, Taxation, Revenus).

Gouvernements des provinces: décisions importantes du comité judiciaire du Conseil privé, 40-43 (voir aussi Autonomie provinciale).

Gouvernement responsable: et pouvoirs fiscaux selon Maurice Duplessis, 211.

Grande-Bretagne: s'inquiète de la puissance de l'Allemagne de Guillaume II, 65; obligations du Canada en temps de guerre, 67-68, 73, 75, 76,

120, 123-127, 134; conserve l'affection d'une partie de la population du Canada, 119-120, 133-138; sa politique étrangère en 1939, 120-121; privée de l'appui du Canada lors de l'affaire de Suez (1956), 217, 227; immigrants venus des Iles Britanniques au Canada, 170 (voir aussi Commonwealth des nations britanniques, Empire britannique, Politique étrangère, Relations extérieures).

Grand-Tronc: relations de Cartier avec cette compagnie de chemin de fer, 16, 35-36.

Greenway, Thomas, premier ministre du Manitoba: et les droits de la minorité française et catholique, 53-54.

Grève de l'amiante (1949): son histoire et ses conséquences, 171-179.

Guerres, et la politique canadienne: guerre des Boers (1899-1902), 58-61; problème de la participation aux guerres extérieures, 67-68, 107-121; guerre de 1914, 73-77, 81-86; guerre de 1939, 122-138, 139, 142, 153; guerre de Corée (1950), 181, 216-217, 221-226; affaire de Suez (1956), 217, 226-231.

H

Hansell, E.G., député fédéral: juge que le Canada n'a aucune liberté d'action en politique étrangère, 114.

Hanson, R.B., député fédéral et chef de l'opposition: sa profession de foi britannique et sa dénonciation des isolationnistes (1942), 137-138.

Harris, J.H., député fédéral: sa profession de foi britannique (1942), 135.

Héroux, Omer, journaliste du Canada français: et Ligue Nationaliste Canadienne, 61.

Hodge v. la Reine (1883): décision du comité judiciaire du Conseil privé, 41.

Hongrie: révolte populaire contre le régime communiste (1956), 229; aide du Canada aux réfugiés hongrois, 228, 230-231.

Houde, Camillien, candidat à l'élection complémentaire du comté Montréal-Saint-Henri (1938): s'oppose au réarmement, 115.

Howe, C.D., ministre fédéral: programme du gouvernement d'Ottawa pour l'après-guerre, 154.

Hudson Bay Company: et Territoires du Nord-Ouest, 30.

Hugessen, Adrian K., sénateur: et politique étrangère du Canada (1937), 109.

Humanités: et enquête fédérale sur les arts, les lettres et les sciences au Canada (1949-1951), 191, 199-200.

Hurson, T.B., investigateur spécial: témoignage à l'enquête sur les prix et sur les conditions de travail (1934), 103-104.

I

Ilsley, J.L., ministre fédéral: sa profession de foi britannique (1942), 134-135; expose le programme du gouvernement d'Ottawa pour l'après-guerre, 154-156, 160-163.

Immigrants: et peuplement du Canada anglais, 168-170; arrivés au Canada de 1946 à 1960, 170.

J

Jeunesse, du Canada français: nécessité de la préparer aux carrières commerciales, 89-90.

Journaux canadiens-français: utilisés par Allan, 36.

Justice, administration: partage des responsabilités entre les provinces et le gouvernement fédéral, 24-27.

K

King, W.L. Mackenzie, premier ministre du Canada: traité de 1923 avec les Etats-Unis, 91; crée la Commission royale d'enquête sur les relations entre le Dominion et les provinces (1937), 104; adopte une politique étrangère d'attentisme afin de préserver l'unité nationale, 109, 110-111, 113, 118; propose l'entrée en guerre (1939), 125-126; et la campagne électorale provinciale de 1939, 132-133; et la politique d'immigration du Canada (1947), 169-170.

L

Lacasse, Gustave, sénateur: et participation du Canada aux guerres étrangères, 110.

Lalonde, Maurice, député fédéral: son opposition à la participation du Canada aux guerres étrangères, 113, 116.

Lambert, Norman P., sénateur: guerre de 1939, 123.

Langevin, Hector, ministre fédéral: et affaire Riel, 47.

Langue française, au Canada: constitution de 1867, 29; au Manitoba, 31, 53-54; discours de Bourassa au Congrès eucharistique (1910), 69-73; directives de Benoît XV (1918), 77-81; programme du parti libéral du Québec (1960), 250-151.

Lapointe, Ernest, ministre fédéral: mission à Washington (1923), 91-92; son interprétation du Statut de Westminster, 99, 100-101; sa politique d'attentisme en relations internationales, 111-112, 115; ses engagements au début de la guerre de 1939, 126-127, 129, 131-132.

Laurier, Wilfrid: défend le libéralisme canadien (1877), 37-40; reproche à ses adversaires de ne pas comprendre le mécanisme des institutions démocratiques, 38-39; affaire Riel, 47-48; guerre des Boers, 59-61; devoirs du Canada envers l'empire britannique, 60-61, 67-68, 75-76, 108.

Lavergne, Armand: membre de la Ligue Nationaliste Canadienne, 61; son interprétation du Statut de Westminster, 99.

Législation provinciale: soumise au désaveu du gouvernement fédéral, 24; décisions importantes du Conseil privé, 40-43 (voir aussi Autonomie provinciale).

Législation sociale: opposition du parti libéral fédéral en 1935, 164-165; recommandations de la Commission Rowell-Sirois (1940), 105-106; déclaration de King (1939), 119; assurance-chômage, 139; pensions de vieillesse, 139; Comité spécial de la sécurité sociale (1943), 140; et autonomie provinciale, 140.

Lesage, Jean, premier ministre du Québec: prend la direction du parti
libéral provincial (1958), 249; programme soumis aux électeurs du
Québec (1960), 250-254; sa participation à la conférence fédérale-
provinciale du mois de juillet 1960, 254-256.
Lespérance, D.-O., député fédéral: et guerre de 1914, 74-75.
Lettres: enquête fédérale (1949-1951), 190-202.
Lévesque, R.P. Georges-Henri: membre de la Commission royale d'enquête
sur les arts, les lettres et les sciences (1949-1951), 193.
Libéralisme canadien: conférence de Laurier (1877), 37-40.
Libéralisme économique: et doctrine sociale de l'Eglise, 174-175.
Libéraux: opposés à la Confédération, 18; défendus par Laurier (1877), 37-
40; et la politique étrangère du Canada durant l'entre-deux-guerres,
108; et les élections provinciales du Québec en 1939, 129-133; leur
opposition à la législation sociale du gouvernement Bennett (1935),
164-165; parti libéral du Québec sous Jean Lesage, 249, 250-254.
Liberté de religion: opinion de Laurier (1877), 37-40.
Lieutenant-gouverneur: sa nomination, 27.
Ligue Nationaliste Canadienne (1903): son programme, 61-65.
Lotbinière, comté de: élection complémentaire de 1937, 114-115.
Loyalisme: guerre des Boers, 58-61; guerre de 1914, 73-77; déclaration
de King (1939), 119-120; déclaration de Maurice Duplessis (1939),
128 (voir aussi Commonwealth, Grande-Bretagne, Empire britannique,
Fidélité britannique, Politique étrangère, Relations extérieures).

M

Macdonald, Angus L., premier ministre de la Nouvelle-Ecosse: son opposition au programme du gouvernement fédéral pour l'après-guerre, 158-
159; et la réforme constitutionnelle (1950), 184.
Macdonald, John: forcé de démissionner (1873), 35; accusations de Mercier (1885), 44-45; et la politique étrangère du Canada, 108.
Mackenzie, H.A., député fédéral: son attachement à la Grande-Bretagne
(1942), 137.
Mackenzie, Ian, ministre fédéral: défend son budget militaire (1938), 116-
117.
MacKenzie, Norman: membre de la Commission royale d'enquête sur les
arts, les lettres et les sciences au Canada (1949-1951), 192.
Macneil, C.G., député fédéral: opposition à la politique de réarmement,
112, 117.
Macphail, Agnes, député fédéral: et la politique étrangère du Canada (1937),
111.
MacPherson, D.L.: et le projet d'un chemin de fer transcontinental, 34.
Manion, R.J., chef de l'opposition: et guerre de 1939, 125.
Manitoba: création de cette province (1870), 30-31; droits de la minorité
franco-catholique, 30-31, 53-58; appel de l'épiscopat québécois (1871),
33.
Marine canadienne: programme de la Ligue Nationaliste Canadienne (1903),
64; projet de Laurier (1909), 68-69.

273

Maritime Bank *v.* Receveur général du Nouveau-Brunswick (1892): décision du comité judiciaire du Conseil privé, 41-42.
Maritimes, provinces: opposition à la Confédération, 18.
Marsh, L.C., professeur: auteur du *Rapport sur la sécurité sociale au Canada* (1943), 140.
Massey, Vincent: préside la Commission royale d'enquête sur les arts, les lettres et les sciences (1949-1951), 192.
McIntosh, J.C., député fédéral: sur le traité de Versailles (1919), 82-83.
McKenzie, D.D., député fédéral: sur l'évolution des relations interimpériales, 83.
McNair, J.B., premier ministre du Nouveau-Brunswick: demande au gouvernement fédéral de se montrer plus généreux envers les provinces (1946), 159; et la réforme constitutionnelle (1950), 184-186.
McRae, A.D., sénateur: opposé à la Société des Nations et à la participation du Canada aux guerres étrangères, 109, 114.
Meighen, Arthur: traité de 1923, 91; obligations du Canada envers l'empire britannique, 123-124.
Mercier, Honoré: et affaire Riel, 44-45.
Métis: des Territoires du Nord-Ouest, 30; et affaire Riel, 43-48; défendus par Laurier, 47-48.
Métropole, du Canada anglais: attachement envers la mère-patrie, 133-138.
Minorités, droits des: droits scolaires garantis par la constitution de 1867, 27-28; garanties supplémentaires données par la constitution de 1867 à la population anglaise du Québec, 23-24; au Manitoba, 30-31, 53-58; en Ontario, 77-81.
Molloy, J.P., sénateur: opposé à toute guerre (1937), 114.
Monarchie: convictions de Cartier, 17-18; et l'unité de l'empire britannique, 93, 95, 96, 99, 101; déclaration d'Armand Lavergne, 99.
Monnaie et crédit: pouvoirs de l'Etat fédéral, 24, 25, 140.
Montréal: et constitution de 1867, 17; Congrès eucharistique de 1910, 69.
Montréal-Saint-Henri, comté: élection complémentaire de 1938, 115-116.
Moyen-Orient: envoi d'une force internationale proposé par le Canada (1956), 217.

N

Nationalisme, au Canada français: de Mercier, 44-45; Ligue Nationaliste Canadienne, 61-65; au point de vue économique, 87-90; déclaration de Maxime Raymond, 126; déclaration du premier ministre du Québec (1939), 127-129; discours de Maurice Duplessis (1954), 209-214; le rapport Tremblay, 231-241; déclaration de Jean Lesage (1960), 254-256.
Nation canadienne-française: conséquences de l'immigration et de l'émigration, 168.
Nations Unies: et politique étrangère du Canada, 216-217, 221-223, 228-229.
Neatby, Hilda: membre de la Commission royale d'enquête sur les arts, les lettres et les sciences (1949-1951), 193.

Neutralité, du Canada en cas de guerre: proposition de J.S. Woodsworth, 110-112; déclaration de King, 121; opinion de Lapointe, 127.
Nord-Ouest, Territoires du: acquis par le gouvernement fédéral, 30.
Nouveau-Brunswick, province canadienne: et les relations fédérales-provinciales, 159, 184-186.
Nouvelle-Ecosse, province canadienne: et les relations fédérales-provinciales, 158-159.

O

Ontario, province canadienne: droits scolaires de la minorité canadienne-française, 77-81; et les relations fédérales-provinciales, 154, 165-167, 203; population (1851-1961), 258; dépenses publiques, 259.
ONU (Organisation des Nations Unies): et la politique étrangère du Canada depuis 1945, 216-217; rôle joué par le Canada lors de l'affaire de Suez (1956), 217, 228-229.
Orangistes: et affaire Riel, 43-45.
Organisation internationale du travail: participation du Canada, 85.
OTAN (Organisation du Traité Atlantique-Nord): appui donné par le Canada à cette alliance, 216, 219 (voir aussi Alliance nord-atlantique).
Ouvriers: conditions de travail dans l'industrie en 1889, 48-53; programme de la Ligue Nationaliste Canadienne, 65; la situation durant la crise économique de 1930, 101-104; contribution du syndicalisme, 171; leurs droits dans une société démocratique et chrétienne, 171-179; programme du parti libéral du Québec (1960), 252.

P

Pacifique canadien: scandale de 1873, 34-37.
Parlementarisme: rôle essentiel des partis politiques selon Laurier, 38.
Parlement de Westminster: ses relations avec les Dominions autonomes, 96, 97; et droit d'amender la constitution canadienne, 180.
Parlement fédéral: ses pouvoirs, 24-25; ses relations avec les provinces d'après le Conseil privé, 41-42; interprétation de l'article 91 de la constitution par le Conseil privé, 42-43; guerre de 1914, 73-77, 81-86; décidera de la participation du pays à une guerre, 118; guerre de 1939, 122-127; se fait reconnaître le droit d'amender la constitution, 180.
Participation à la guerre de 1939: et campagne électorale provinciale de 1939, 129-133.
Parti libéral du Québec: nouveau chef (1958), 249; programme soumis aux électeurs (1960), 250-254.
Parti Rouge: jugé par Laurier (1877), 39.
Partis politiques (voir C.C.F., Conservateurs, Libéraux, Union nationale).
Pearson, L.B., secrétaire d'Etat aux affaires extérieures: expose la politique du Canada en Corée (1950), 221-222.

Pensions de vieillesse: législation fédérale (1927), 139; institution de l'assurance-vieillesse (1951), 181.

Peuplement du Canada: contribution de l'immigration, 168-170.

Planification économique et sociale: programme du gouvernement fédéral pour l'après-guerre, 138-151.

Plébiscite de 1942: le gouvernement désire être libéré de ses engagements au sujet du service militaire outre-mer, 134; invoqué par Raoul Poulin, député fédéral de Beauce, lors de la guerre de Corée (1950), 226.

Police provinciale du Québec: et la grève de l'amiante, 171.

Politique économique canadienne-française: programme de Joseph Versailles (1921), 87-90; programme du parti libéral du Québec (1960), 251.

Politique étrangère du Canada: divise l'opinion publique pendant l'entredeux-guerres, 107-121; après la deuxième grande guerre, 216-231 (voir aussi Relations extérieures).

Population: du Canada (1851-1961), 257; de la province de Québec (1851-1961), 258; de la province d'Ontario (1851-1961), 258.

Poulin, Raoul, député fédéral de Beauce: son opinion sur la guerre de Corée (1950), 223-226; appuie la politique adoptée par le Canada lors de l'affaire de Suez (1956), 230.

Pouvoir législatif: constitution de 1867, 22; des provinces, 40-43; principe de la délégation des pouvoirs, 180-181, 187-188 (voir aussi Autonomie provinciale, Budgets, Confédération de 1867, Conférences fédérales-provinciales, Fiscalité, Gouvernement fédéral, Parlement fédéral, Sécurité sociale, Taxation, Revenus).

Power, C.G., ministre fédéral: opposé à la participation du Canada aux guerres extérieures (1937), 114.

Prévost, Jules, sénateur: approuve l'entrée en guerre (1939), 123.

Prévost, Yves, secrétaire de la province de Québec: discours prononcé au banquet de clôture de la Conférence provinciale sur l'éducation (1958), 246-248.

Prix et conditions de travail: enquête de 1934, 101-104.

Problème ouvrier: et industrialisation du Québec, 48-53, 87-90, 101-104, 171-179; lettre collective des évêques (1950), 172-179; programme du parti libéral du Québec (1960), 252.

Problèmes constitutionnels: et sécurité sociale, 147-148 (voir aussi Autonomie provinciale).

Procureur général de la Nouvelle-Ecosse v. Procureur général du Canada et autres (1950): décision importante de la Cour suprême, 181.

Procureur général de l'Ontario v. Procureur général du Canada (1896): décision du comité judiciaire du Conseil privé, 42-43.

Production nationale: statistiques (1901-1961), 259.

Prolétarisation des Canadiens français: situation à Montréal révélée par l'enquête de 1886, 49-52; congrès de l'Association catholique de la jeunesse canadienne-française (1921), 87-90; enquête de 1934, 101-104; grève de l'amiante, 171-179.

Propagande électorale: méthodes utilisées par Allan (1872), 35-37.

Protestants du Québec: leurs craintes au moment de la Confédération, 20, 23-24.

Provinces canadiennes: pouvoirs accordés au moment de la Confédération, 13-14, 18, 23-24, 26-27, 28-29, 163; intervention du comité judiciaire

du Conseil privé, 40-43; et projets d'amender la constitution canadienne, 180-181, 183-187, 188-189, 190.
Purdy, G.T., député fédéral: sa profession de foi britannique (1942), 136.

Q

Québec, province: augmentation de la population urbaine due à l'industrialisation, 87; campagne électorale de 1939, 127-133; son opposition au
centralisme fédéral, 154, 156-158, 188-189, 191, 203, 215, 232; industrialisation et problèmes ouvriers, 171-179; une province comme les
autres selon Louis Saint-Laurent, 208; sa position particulière dans la
fédération canadienne selon le rapport Tremblay, 236; dépenses consacrées à l'enseignement, 246; nouvel équilibre politique (1957-1960),
248-250; développement économique prévu par le programme du
parti libéral du Québec (1960), 251; statistiques sur la population
(1851-1961), 258; dépenses publiques, 259.

R

Racisme: et fidélité britannique, 133-138.
Radio-Canada, Société: sa fondation (1932), 153; recommandation de la
Commission royale d'enquête sur les arts, les lettres et les sciences
(1951), 191.
Rapport de la Commission royale d'enquête sur l'avancement des arts, lettres
et sciences au Canada (1951): extraits de ce rapport, 192-202.
Rapport de la Commission royale d'enquête sur les problèmes constitution-
nels (1956): extraits de ce rapport, 234-241.
Rapport de la Commission royale des relations entre le Dominion et les
provinces (1940): extraits de ce rapport, 104-107.
Rapport de la Commission royale sur les relations du travail avec le capital
au Canada (1889): extraits de ce rapport, 49-53.
Rapport sur la sécurité sociale au Canada (1943): extraits de ce rapport,
141-151.
Raymond, Maxime, député fédéral: son opposition à la participation du
Canada aux guerres extérieures, 112-113, 126.
Réforme constitutionnelle: conférences fédérales-provinciales de 1950, 180-
190; Maurice Duplessis réclame une nouvelle constitution, 190.
Règlement XVII: et les écoles de la minorité franco-ontarienne, 77-78.
Relations extérieures du Canada:
    en général: constitution de 1867, 29; définies par Borden, 83-86; durant
    l'entre-deux-guerres, 107-121; durant la deuxième grande guerre, 133-
    134; depuis 1945, 216-231;
    avec l'empire britannique et le Commonwealth: opinion de Cartier (1864),
    17-18; quant aux provinces, 42, 98; guerre des Boers, 58-61; program-
    me de la Ligue Nationaliste Canadienne, 61-64; opinion de Laurier,
    66-69, 75-76; obligations du Canada quand la Grande-Bretagne est en

guerre, 67-68, 74, 75, 76, 77, 123, 124, 125, 126, 127; guerre de 1914, 73-77; opinion de Borden, 76-77; évolution apportée par la guerre de 1914, 81, 82, 83-86; le Canada affirme son autonomie (1923), 91-92; bases de l'unité de l'empire, 92, 94, 99, 133-134; conférence impériale de 1926 et rapport Balfour, 92-94, 95; Statut de Westminster, 95-101; déclaration de King (1939), 119-121; guerre de 1939, 122-127, 133-138; depuis 1945, 180, 216-231;

avec les Etats-Unis: craintes du Canada au moment de la Confédération, 15-16, 17; Washington ne comprend pas le statut international du Canada à la fin de la première grande guerre, 85-86; traité de 1923, 91-92; pression permanente des Etats-Unis sur le Canada, 191, 216-231.

Relations fédérales-provinciales: décisions importantes du comité judiciaire du Conseil privé, 40-43; enquête Rowell-Sirois, 104-107; déclaration de l'Union nationale (1939), 127-129; leur évolution de 1867 à 1945, 152-153; et le programme du gouvernement fédéral pour l'après-guerre, 153-167; et les projets d'amender la constitution canadienne, 180; conférence de décembre 1950, 181; et l'enseignement universitaire, 191, 242; nouvelle étape à la suite de la crise politique de 1954, 205; enquête Tremblay (1953-1956), 231-241; prise de position autonomiste du gouvernement Lesage (1960), 249, 252-253, 254-256.

Religion: remarque de Laurier sur la religion et la politique (1877), 37-40; discours de Bourassa (1910), 69-73.

Rennie, A.S., député fédéral: sa profession de foi britannique (1942), 136-137.

Résolutions de Québec (1864): partiellement dévoilées par Cartier, 16-18.

Ressources naturelles: leur exploitation, 65, 251.

Revenu (voir Fiscalité, Impôts directs, Impôt sur le revenu, Relations fédérales-provinciales, Taxation).

Revenu national: nécessité de l'augmenter (1940), 105; promesses pour l'après-guerre, 139; revenus des salariés au Canada en 1941, 141; possibilité d'en fixer le niveau, 149; et sécurité sociale, 148-149; statistiques, 259.

Revenus, sources à la disposition des gouvernements du pays: selon la constitution de 1867, 18, 24, 26, 28, 163; position privilégiée du gouvernement fédéral à la fin de la deuxième grande guerre, 140, 153 (voir aussi Fiscalité, Impôts directs, Impôt sur le revenu, Relations fédérales-provinciales, Taxation).

Richesse matérielle: et puissance d'une nation, 90.

Riel, Louis: soulèvement de 1869, 30; crise politique soulevée par son exécution (1885-1886), 43-48.

Rinfret, Fernand, ministre fédéral: s'oppose à une politique de neutralité pour le Canada, 112; défend la politique de réarmement (1938), 115-116.

Rowe, Earl, chef intérimaire de l'opposition: condamne la politique du gouvernement lors de l'affaire de Suez (1956), 226-228; et l'aide aux réfugiés hongrois, 228.

Rowell, Newton W.: préside l'enquête sur les relations fédérales-provinciales (1937), 104.

Roy, Mgr Maurice, archevêque de Québec: médiateur dans la grève de l'amiante (1950), 172.
Royaume-Uni (voir Grande-Bretagne).

S

Saint-Laurent, Louis: et la réforme constitutionnelle, 181-183, 186, 189-190; en lutte contre Maurice Duplessis, 204-205, 207-209, 214; et la politique étrangère du Canada, 217-221, 228-229; abandonne la direction du parti libéral fédéral (1957), 248.
Salariés: conditions de travail en 1889, 49-51; en 1934, 101-104; en 1941, 141; et doctrine sociale de l'Eglise, 175-176.
Sauvé, Paul, premier ministre du Québec: succède à Maurice Duplessis, 249.
Scandales politiques: du Pacifique (1873), 34-37; du gaz naturel (1958), 249.
Sciences: enquête sur les arts, les lettres et les sciences (1949-1951), 190-202.
Sciences sociales: nécessité d'encourager les recherches en ce domaine, 191.
Sécurité collective: durant l'entre-deux-guerres, 107-108; et participation du Canada à la guerre de Corée, 216-217.
Sécurité sociale: et recommandations de la Commission Rowell-Sirois (1940), 105; interventions du gouvernement fédéral, 139-140, 155, 181; rapport Marsh (1943), 142-151; problèmes constitutionnels et administratifs, 140, 147-148, 167; point de vue de la Commission Tremblay (1956), 239-241; programme du parti libéral du Québec (1960), 251-252.
Sifton, Clifford, procureur général du Manitoba (1895): son opinion sur les écoles confessionnelles, 54-58.
Sirois, Joseph: préside la Commission d'enquête sur les relations fédérales-provinciales, 104.
Slaght, A.G., député fédéral: affirme son dévouement envers la mère-patrie (1942), 136.
Socialisme: et doctrine sociale de l'Eglise, 175; favorisé par la centralisation des pouvoirs selon Maurice Duplessis, 211.
Société des Nations: participation du Canada à sa fondation, 83, 85; le sénateur McRae propose que le Canada s'en retire (1934), 109; déclaration de King (1939), 119.
Société Radio-Canada (voir Radio-Canada).
Sociétés de colonisation: appui de l'épiscopat, 32-34, 173.
Sociétés Saint-Jean-Baptiste: et Conférence provinciale sur l'éducation (1958), 242.
Statistiques: immigration, 168, 170; population, 257-258; dépenses publiques, 259; production nationale, 259.
Statut de Westminster: texte de la loi, 95-98; interprétations données, 98-101.
Stevens, H.H., ministre fédéral: enquête sur les prix et les conditions de travail (1934), 101.

Subsides fédéraux, aux provinces: opinion de Cartier, 18; constitution de 1867, 28-29, 163; propositions de la Commission Rowell-Sirois, 106; politique favorisée par le gouvernement fédéral, 153-154, 163; opposition de la Nouvelle-Ecosse, 158-159; luttes du gouvernement Duplessis, 203-204, 209-214.

Suez, affaire de (1956): et le Canada, 217, 226-231.

Surveyer, Arthur: membre de la Commission royale d'enquête sur les arts, les lettres et les sciences (1949-1951), 192.

Survivance canadienne-française: et agriculture, 11-12, 171, 173.

Syndicalisme: en 1889, 52-53; en 1934, 101-103; en 1950, 171.

T

Taché, Joseph-Charles: propagandiste d'une union fédérale, 13-16.

Taxation: programme du gouvernement fédéral pour l'après-guerre (1945), 155; politique adoptée par le gouvernement du Québec, 157-158, 203, 211, 254-255; problème de la double imposition (1954), 203-204; Québec modifie le préambule de sa loi d'impôt sur le revenu (1955), 215; et enquête Tremblay (1956), 237-238, 240-241; et problèmes de l'enseignement au Québec, 243-244 (voir aussi Fiscalité, Impôts directs, Impôt sur le revenu).

Tchécoslovaquie: occupée par les troupes allemandes (mars 1939), 118.

Territoires du Nord-Ouest: acquis par le gouvernement fédéral, 30.

Thetford-Mines (voir Grève de l'amiante).

Thorson, J.T., député fédéral: et la politique étrangère du Canada (1937), 113.

Torontois: et fidélité britannique, 135.

Traité de Versailles (1919): ratifié par le parlement canadien, 81-86.

Traité du flétan (1923): déclaration de Lapointe, 91-92.

Travail: enquête de 1886, 48-53; recommandation de créer un ministère, 49; travail des femmes en 1941, 141 (voir aussi Ouvriers, Salariés).

Tremblay, juge Thomas: préside la Commission royale d'enquête sur les problèmes constitutionnels, 231.

U

Union des deux Canadas (1840): nécessité d'une réforme, 13-16; ses bienfaits, 14, 17; a préparé la Confédération de 1867, 16.

Union fédérale (voir Confédération de 1867).

Union législative: désirée par les principaux artisans de la Confédération, 19, 152, 153; craintes des libéraux du Bas-Canada (1865), 18-21.

Union nationale: parti politique de la province de Québec, 127; et les élections provinciales de 1960, 249 (voir aussi Maurice Duplessis).

Unions ouvrières: leur influence en 1889, 52-53; déclaration de Gustave Francq (1934), 101-103; appui de l'épiscopat québécois (1950), 171-179.

V

W